Abélard et Héloïse

Correspondance

Préface d'Étienne Gilson

*Traduction d'Octave Gréard
présentée, revue et annotée
par Édouard Bouyé*

Pensionnaire de la Fondation Thiers

Gallimard

COLLECTION
FOLIO CLASSIQUE

PRÉFACE

Entre deux séparations[1]

Malgré les refus obstinés d'Héloïse, Abélard finit par imposer sa volonté. Elle l'aimait, il était le maître et, puisqu'il le voulait ainsi, elle ne pouvait qu'obéir. Les mots si simples dont use Abélard pour exprimer les sentiments d'Héloïse sont sans doute les plus vrais dont il soit possible d'user : nec me sustineret offendere *; elle ne pouvait souffrir de me peiner. Héloïse céda donc, mais elle conclut, tout en larmes et des sanglots dans la voix :* « Il ne reste donc plus qu'à nous perdre l'un et l'autre et à souffrir autant que nous avons aimé. » *En quoi, ajoute Abélard, elle eut une fois de plus l'esprit de prophétie, et le monde entier l'a depuis reconnu.*

Leur décision prise, les deux amants confièrent l'enfant à la sœur d'Abélard, et revinrent tous deux secrètement à Paris. Quelques jours après leur arrivée, ayant non moins secrètement célébré vigiles pendant la nuit dans une

1. Nous reproduisons en préface trois chapitres de l'ouvrage qu'Étienne Gilson a consacré à *Héloïse et Abélard* en 1938. Après avoir retracé les débuts de leur histoire, il montre les raisons qui ont conduit les deux héros à se marier secrètement à la suite de la naissance de leur enfant. Nous allégeons ici les références savantes qu'Étienne Gilson donne dans ses notes (N.d.É.).

*église, ils y reçurent la bénédiction nuptiale au petit jour.
Il n'y avait, comme assistants, que Fulbert*[1] *et quelques
amis des deux côtés. Aussitôt après, on se retira séparément ; dès lors, Héloïse et Abélard ne se virent plus qu'à
de rares intervalles, en cachette, et en faisant tout pour
que leur mariage demeurât ignoré. Lorsqu'ils se marie-
rent, Abélard devait avoir atteint la quarantaine, Héloïse
avait environ dix-huit ans.*

*En décidant de garder le secret sur leur mariage, Abé-
lard s'engageait et engageait Héloïse dans d'inextricables
difficultés. Le mariage ne pouvait être absolument secret,
puisque Fulbert devait y assister pour s'assurer qu'on ne
le jouait pas, et même exiger que la cérémonie eût lieu
devant témoins. Il était humainement improbable qu'aucun témoin ne trahît jamais le secret, mais à supposer
que les amis demeurassent fidèles, on pouvait compter sur
Fulbert pour que la chose s'ébruitât. Il fallait qu'Abélard
fût entraîné par une passion bien violente pour qu'elle
l'aveuglât sur un tel risque. On en est réduit aux hypothèses sur les termes du calcul auquel il se livra sur ce point.
La plus simple n'est malheureusement pas des plus hono-
rables, car il semble qu'Abélard ait compté sur ce que son
offre d'épouser Héloïse avait d'inespéré pour acheter le
silence de Fulbert. Que Fulbert n'eût jamais espéré cette
réparation du passé, c'est probable ; mais dès lors qu'Abélard ramenait Héloïse à Paris et refusait de rompre avec
elle, Fulbert n'avait pas seulement le droit d'espérer
qu'Abélard l'épouserait, il avait le devoir de l'exiger. Si
tel fut le calcul d'Abélard, il offrait donc à Fulbert
d'échanger quelque chose contre rien.*

*Ce n'est pas tout. En offrant à Fulbert un mariage se-
cret pour réparer l'offense qu'il avait commise contre lui,*

---

1. Le chanoine Fulbert était l'oncle d'Héloïse (N.d.É.).

*Abélard offrait une réparation secrète d'une offense publi-
que. Tout le monde des clercs savait qu'Abélard avait
séduit Héloïse dans la maison même de son oncle et qu'il
l'en avait ensuite enlevée ; un mariage secret était donc
une réparation faite à la morale, mais non point à l'honneur de Fulbert. Pour que ce mariage lui apportât quelque
satisfaction, il fallait qu'on en connût l'existence. Il le
fallait d'autant plus que, si furtives et rares qu'elles
fussent, les rencontres d'Abélard et d'Héloïse pouvaient
un jour s'ébruiter, pour la honte redoublée de Fulbert et
le plus grand déshonneur d'Héloïse. Car enfin, Abélard
n'avait pas accepté qu'elle demeurât sa maîtresse, mais
il acceptait sans scrupules que sa femme passât pour sa
concubine, sans autre raison que son désir de sauver la
façade d'une grandeur dont l'édifice s'était effondré du
dedans. Qu'Abélard ait pu compter sur le sacrifice total
d'Héloïse, elle-même ne nous pardonnerait pas d'en douter. Dans l'ordre de l'amour humain, la grandeur d'Héloïse est absolue. Mais qu'Abélard ait compté sur un égal
oubli de soi de la part de Fulbert, nul ne pourrait le
croire, si nous ne tenions de lui-même qu'il l'a fait.*

*Il le fit donc, et ce qui devait arriver arriva. L'oncle
Fulbert et ses familiers, cherchant à se dédommager de
l'affront subi, dit Abélard dont l'indignation est ici d'une
naïveté désarmante, ne tardèrent pas à violer leur promesse et à divulguer le mariage. Héloïse, au contraire,
jouait le jeu jusqu'au bout et jurait ses grands dieux que
rien n'était plus faux :* illa autem e contra anathematizare
et jurare quia falsissimum esset. *On conçoit assez la colère de Fulbert devant cette obstinée qui se parjurait pour
lui donner publiquement le démenti. Il n'avait pas les
mêmes raisons qu'Héloïse d'aimer Abélard ; on peut
même admettre que, de toutes les vengeances qu'il avait
pu méditer, celle qui consistait à dire qu'Abélard, qui*

avait effectivement épousé Héloïse, était le mari d'Héloïse, était la plus inoffensive à laquelle on pût s'attendre de sa part. Si l'on avait eu la sagesse de lui laisser celle-là, Fulbert n'en aurait probablement jamais cherché d'autre ; mais Abélard tenait bon, donc Héloïse ne cédait pas, et des scènes violentes éclataient entre elle et son oncle, scènes qui finissaient par des insultes, peut-être même des coups : crebris eam contumeliis afficiebat. Abélard s'en émut et, pour mettre fin à cette situation, il envoya Héloïse à l'abbaye d'Argenteuil, où elle avait été instruite et élevée dans sa jeunesse.

Quod cum ego cognovissem : « l'ayant appris », dit Abélard. Nous ne saurions donc affirmer qu'il y ait eu d'autres motifs à cette décision, mais la suite de l'histoire est telle qu'on peut à peine s'empêcher d'en supposer d'autres. On admettra volontiers qu'il ait voulu soustraire Héloïse aux violences de Fulbert et que, par conséquent, il lui ait cherché quelque part un abri. Son ancien couvent, Argenteuil, était un lieu fort convenable, et l'on conçoit aussi qu'Abélard y ait pensé. On pouvait pourtant craindre de créer par là une équivoque sur les intentions d'Héloïse et de faire croire à Fulbert qu'Abélard voulait se débarrasser d'elle en la faisant entrer en religion. En fait, si Abélard avait voulu le faire croire, il ne s'y serait pas pris autrement. Et il n'était peut-être pas fâché qu'on le crût. Puisque tous deux continuaient de nier qu'ils fussent mariés, Abélard n'avait certainement pas encore fait le sacrifice de sa gloire de clerc ; mais pour qu'Héloïse en fût réduite à jeter l'anathème sur ceux qui la disaient mariée, il fallait que le bruit s'en fût déjà quelque peu répandu. En envoyant Héloïse à Argenteuil, Abélard faisait coup double, puisqu'il la sauvait des sévices de Fulbert et se donnait à lui-même un argument décisif contre tout bruit de ce genre : vous voyez bien qu'elle n'est

*pas ma femme, puisqu'elle entre au couvent ! Je n'oserais
pourtant lui prêter des intentions dont il n'a pas dit mot,
n'était le détail vraiment inquiétant qu'il ajoute : « Je lui
fis faire aussi les vêtements religieux convenables à la vie
monastique, sauf le voile, et je les lui fis revêtir[1]. » On
n'ose traduire le latin dans toute sa force :* et his eam
indui*, et je l'en revêtis ; expression qui, prise à la lettre,
évoquerait l'image d'un Abélard revêtant lui-même Héloïse de l'habit monastique, sauf le voile, dans une sorte
de prise d'habit. De toute façon, Héloïse ne pouvait plus
passer aux yeux du monde pour autre chose qu'une novice
et l'on a peine à croire qu'Abélard ait voulu pousser les
choses jusque-là par simple souci des convenances vesti-
mentaires. Quelles qu'aient été les intentions véritables
d'Abélard, on excusera Fulbert de s'y être laissé tromper.*

*La suite de l'histoire est connue. En apprenant ces
faits, dit Abélard, l'oncle d'Héloïse et ses parents ou relations pensèrent qu'Abélard les avait joués et qu'il avait
cherché le moyen de se débarrasser facilement d'Héloïse
en la faisant ainsi entrer en religion. Violemment indi-
gnés, ils formèrent un complot contre Abélard. Ayant
acheté la complicité de son serviteur, ils le surprirent pendant son sommeil dans une chambre secrète de l'hôtel où
il résidait et lui firent subir la plus cruelle et la plus honteuse des mutilations. Comme Abélard le dit sans ambages, et comme il le répétera plus tard : on le punissait par
où il avait péché. Le monde, ajoute-t-il, apprit cette nouvelle avec stupeur. Le matin suivant, la foule accourut.
La clameur de tout ce peuple, mais surtout les lamentations des clercs, et particulièrement de ses étudiants, le
couvraient d'une honte bien plus intolérable que la dou-*

---

1. Lettre I.

leur physique dont il souffrait[1]. *Cette fois, c'en était fini de sa gloire ; car elle était éteinte à jamais, ses ennemis triomphaient, ses parents et amis étaient déshonorés par cet attentat, que sa singularité même allait imposer à l'attention du monde entier. Comment paraître désormais en public ? On allait le montrer du doigt, le tourner en ridicule comme un monstre curieux. Tous les textes de l'Ancienne Loi où Dieu lui-même rejetait les eunuques comme des êtres immondes exclus de son service, assiégeaient sa mémoire. Certes, la lettre de la Loi était désormais abrogée, mais elle était une marque toujours vivante de sa déchéance. Ne sachant de quel côté se tourner, et plutôt par honte que par vocation religieuse, ainsi qu'il nous le dit lui-même, il alla chercher la paix et le silence dans le cloître de l'abbaye de Saint-Denis*[2].*

On sait assez qu'il ne devait y trouver ni l'une ni l'autre. Pressé d'y reprendre son enseignement philosophique et théologique, il y composa un traité De Unitate et Trinitate divina *qui fut condamné et brûlé au concile de Soissons ; pour arranger les choses, il trouva moyen d'exaspérer contre lui les moines de Saint-Denis, tant en leur reprochant leurs mauvaises mœurs, ce qui lui était*

---

1. Abélard était à peine réveillé lorsqu'il subit cette mutilation. L'étendue et la profondeur de l'impression produite par cet attentat sont attestées par la lettre que Foulques, prieur de Deuil, adressa à Abélard. Antérieure à l'*Historia calamitatum*, la lettre de Foulques en confirme sur plusieurs points l'exactitude.

2. Deux des assaillants d'Abélard, dont le serviteur qui l'avait trahi, furent appréhendés et condamnés par le tribunal ecclésiastique à avoir les yeux crevés et à subir la même mutilation qu'Abélard. La lettre de Foulques confirme le fait et nous apprend en outre que Fulbert, qui nia toute participation à cet attentat, fut condamné à la confiscation de ses biens. Abélard paraît avoir trouvé ce châtiment trop léger et avoir voulu réclamer contre lui une révision du procès dans l'espoir d'obtenir une condamnation plus sévère. C'est pour le rappeler à la raison que Foulques lui écrivit ; l'évêque et les chanoines, dit-il à Abélard, ont fait justice du mieux qu'ils ont pu.

désormais facile, qu'en leur démontrant que leur abbaye
n'avait pas été fondée par Denis l'Aréopagite ainsi qu'ils
le prétendaient. Il s'enfuit donc de l'abbaye et, après bien
des péripéties, obtint permission de se retirer près de
Troyes, dans une solitude dont il fait un éloge que Pétrar-
que devait lire et souligner[1]*. Bientôt les disciples vinrent*
peupler ce désert où, dénué de tout, trop faible pour tra-
vailler la terre, mais trop fier pour mendier, Abélard ac-
cepta d'enseigner de nouveau en échange de la nourriture
que ses élèves lui donneraient. Leurs cabanes s'élevèrent
auprès de la sienne. On reconstruisit, en l'agrandissant,
le modeste oratoire de pisé et de roseaux qu'il s'était bâti
et qu'il avait d'abord dédié à la Sainte Trinité, mais qu'il
aimait nommer, pour les consolations spirituelles qu'il y
avait trouvées, le Paraclet. Toujours vigilants, ses enne-
mis s'en scandalisèrent ou feignirent de s'en scandaliser ;
les derniers amis qui lui restaient l'abandonnèrent ; bref,
le malheureux vivait dans une crainte telle qu'il ne pou-
vait voir un ecclésiastique arriver au Paraclet sans redou-
ter qu'on ne vînt l'y chercher pour le traîner devant un
nouveau concile et l'y condamner.

Abélard fut sur le point de tomber dans le désespoir ;
il pensait même à s'exiler parmi les païens, dans l'espoir
qu'un hérétique tel que lui serait accueilli favorablement
par eux, comme une recrue probable pour leur religion,
lorsqu'il apprit à l'improviste que les moines de l'abbaye
de Saint-Gildas de Rhuys venaient de l'élire abbé. Cette
lointaine abbaye bretonne, perdue dans un pays dont il
nous dit qu'il ignorait la langue, ne lui semblait valoir
guère mieux qu'un exil chez les barbares ; mais c'était

---

1. En marge de ce passage, dans le manuscrit de l'*Historia calamitatum*
que possédait Pétrarque, se lit, en grosses lettres, le mot : *solitudo*. Pétrarque a compté Abélard parmi les amis de la solitude, dans son *De vita*
solitaria, II, 7, 1.

une occasion de fuir, et il quitta le Paraclet pour tomber
dans un monastère peuplé de moines voleurs, et, comme
il devait l'apprendre à ses dépens, assassins s'il le fallait.
Aucune vie commune à Saint-Gildas, chaque moine ne
s'occupant que de sa bourse et de la famille qu'il nourrissait. Il y a quelque chose d'étrange dans cet appel venu
de si loin. On se demande si le bruit de son aventure
n'avait pas désigné Abélard au choix de ces mauvais religieux comme le genre d'abbé qui leur conviendrait ? Au
plus fort des nouvelles luttes qu'il avait à soutenir contre
ses moines, Abélard apprit que les religieuses d'Argenteuil, dont Héloïse était devenue la prieure, venaient
d'être expulsées de leur monastère. L'idée que l'oratoire
du Paraclet était resté à l'abandon n'avait jamais cessé
de l'inquiéter depuis son départ, et comme le terrain lui
appartenait, ainsi que l'oratoire lui-même et les quelques
cabanes qu'y avaient élevées ses élèves, il décida d'y ins-
taller Héloïse, avec celles de ses sœurs qui voudraient l'y
accompagner. Il quitta donc Saint-Gildas et se rendit au
Paraclet, dont, avec l'approbation de son évêque, il fit
donation à la nouvelle communauté. La fondation en fut
solennellement confirmée par une bulle d'Innocent II, da-
tée d'Auxerre, le 28 novembre 1131. Bien que cette bulle
ne donne encore à Héloïse que le titre de Prieure de
l'Oratoire de la Sainte-Trinité, elle devait être, et rester
jusqu'à sa mort, la première abbesse du Paraclet.

On ne sait ce que fut leur rencontre après cette longue
et douloureuse séparation. Tout ce qu'Abélard nous dit
d'Héloïse à cette époque, c'est qu'elle réussit admirablement. Après de durs débuts dans une extrême pauvreté,
les secours affluèrent de toutes parts, si bien qu'en un an
Héloïse fit plus pour ses filles au Paraclet que lui-même
n'eût pu faire en un siècle.

Leur détresse était d'autant plus touchante qu'elles

n'étaient que de faibles femmes; mais surtout, tout le monde aimait Héloïse, quae caeteris praeerat; *les évêques la traitaient comme leur fille, les abbés comme une sœur, les laïcs comme une mère. Tous admiraient en elle sa piété, sa prudence et l'incomparable mansuétude avec laquelle elle pouvait tout supporter. Sans cesse occupée à la méditation et à la prière dans le secret de sa cellule, elle ne se laissait que rarement voir, et la rareté de ses entretiens ne les faisait que plus ardemment désirer par ceux du dehors.*

Il semble qu'après avoir fait cette donation aux religieuses, Abélard se soit tenu quelque temps à l'écart. Quoi qu'il fît, il avait tort. Car on lui reprocha d'abord de laisser le nouveau couvent dans l'abandon, alors qu'il pouvait l'aider au moins en prêchant. Il se mit donc à y revenir assez fréquemment, et non seulement prêcha aux religieuses, mais prêcha même pour leur obtenir des ressources au dehors. Nous avons encore un des sermons qu'il prononça dans une de ces occasions[1] *et l'on reconnaîtra sans doute qu'il fallait quelque courage et une grande humilité chrétienne pour entreprendre une prédication de cette sorte. Comme on pouvait s'y attendre, il se trouva de bonnes âmes pour s'en scandaliser. On suggéra donc qu'il était moins capable que jamais de se passer d'Héloïse. Abélard tente d'abord de se consoler en pensant que saint Jérôme lui-même n'avait pas été à l'abri de pareilles calomnies; mais surtout, il s'étonne à bon droit que lui du moins ne soit pas désormais à l'abri de tels reproches*[2]. *Là-dessus il se répand en textes sur l'utili-*

1. *Sermo XXX, De Eleemosyna pro sanctimonialibus de Paraclito.*
2. On peut se faire une idée de ce que furent ces calomnies en lisant l'ignoble lettre où Roscelin [son ancien maître à Loches, voir p. 79, n. 5] accuse Abélard de dédommager son ancienne maîtresse avec l'argent qu'il gagnait au Paraclet. Cette lettre donne le ton des calomnies dont Abélard peut avoir été victime lorsqu'il s'attarda près d'Héloïse lors de son retour au Paraclet.

sation éventuelle des eunuques et finit par déclarer, qu'au fond, toutes les abbayes de religieuses devraient être placées sous la conduite, non d'une mère abbesse, mais d'un père abbé. On voit aisément où il veut en venir ; mais ici, pour la première fois, je demande la permission de dire un mot en faveur d'Abélard, car on citerait aisément vingt moments plus tragiques dans sa douloureuse carrière, mais je ne suis pas sûr que l'on puisse en trouver un qui soit plus profondément émouvant. Qui sait si, murée dans sa douleur et en proie à la passion qui la dévorait encore, Héloïse elle-même l'a compris ?

Car enfin, cette tendresse dont Héloïse va bientôt lui reprocher si cruellement de manquer, comment ce malheureux pouvait-il mieux la lui prouver qu'en faisant ce qu'il venait de faire ? Il n'a plus rien au monde que le misérable coin de terre qu'un bienfaiteur lui a donné, et ce pauvre oratoire, et ces quelques cabanes que des disciples ont bâties pour lui. Dès qu'il sait Héloïse errante et sans abri, il accourt du fond de la Bretagne, et ce peu qu'il avait, il le lui donne, en propriété absolue et d'une donation irrévocable, geste dont on ose à peine suggérer quelle richesse de sentiments, les plus beaux et cette fois les plus purs, il recèle. Car on voit s'y confondre l'amour du prêtre pour son église qu'il souffrait de savoir déserte et qu'il peut enfin rendre au culte ; la charité de l'abbé bénédictin pour la prieure errante, qu'il recueille avec ses filles et qu'il établit dans une fondation nouvelle ; mais on y voit encore autre chose, et pourquoi ne pas le dire ? D'autres prêtres qu'Abélard eussent pu s'inquiéter de cet oratoire déserté ; d'autres abbés que celui de Saint-Gildas pouvaient chercher asile pour cette prieure et ces religieuses sans abri ; celui qui l'a fait pour Héloïse, c'est Abélard, parce qu'il était l'époux et qu'elle était l'épouse. Errant, chassé lui-même de tous les lieux qu'il traversait,

Abélard a fait un instant le rêve de finir sa vie au Para-clet, près de celle dont il avait ruiné la vie et qui se repro-chait elle-même chaque jour comme un crime d'avoir causé sa perte. Il serait resté là près d'elle, comme un ami discret, comme un prêtre et comme un père, l'admirant de toute son âme et l'aidant de sa science dans les hautes fonctions dont elle venait d'être investie. Épuisé par tant de persécutions subies de la part de ses frères et de ses fils, Abélard avait cru trouver enfin près de ses filles, « après les agitations de cette tempête, une sorte de port, et quelque tranquillité ».

*Mais voici qu'à peine arrivé, la calomnie le chassait de nouveau. Que pouvait-il faire, sinon, lui l'abbé, retourner vers les fils révoltés auxquels le liait pourtant son devoir ? Il repartit donc, sans que nous sachions comment, mais pour des raisons dont nous verrons que, bien qu'elle ne les ait jamais acceptées, Héloïse les avait du moins con-nues. C'est de Saint-Gildas, la plus récente, mais non pas la dernière ni la pire des calamités qu'il devait encore subir, qu'il écrivit l'*Historia calamitatum*, afin de conso-ler par le récit de ses épreuves un ami qui se plaignait des siennes. Cette longue et douloureuse plainte tomba par hasard sous les yeux d'Héloïse et c'est à cette circonstance fortuite que nous devons la première lettre d'Héloïse qui nous ait été conservée.*

La morale de l'amour pur

Si l'on fait confiance aux lettres d'Héloïse telles qu'el-les nous sont parvenues, il devient possible de juger la situation, non plus seulement du point de vue d'Abélard, mais du sien. Car Abélard avait des raisons personnelles de vouloir un mariage secret, mais Héloïse, dont la logi-

que sentimentale l'emportait de beaucoup sur celle d'Abé-lard, avait des raisons personnelles de refuser purement et simplement tout mariage. La décision de l'épouser lui semblait inutile, car Héloïse n'a jamais cru que l'on pour-rait ainsi calmer Fulbert ; dangereuse, car elle redoutait pour tous deux les suites de l'équivoque où ils allaient s'engager ; déshonorante pour Abélard, au nom des prin-cipes que nous l'avons vue invoquer, mais non moins déshonorante pour elle, parce qu'en épousant Abélard, même à l'insu du monde, elle commettait une faute qu'elle-même du moins ne pouvait ignorer. Or de même qu'elle veut pour Abélard la vraie grandeur, non son ap-parence, c'est sa propre grandeur vis-à-vis d'elle-même qui intéresse surtout Héloïse. À partir du moment où elle sera devenue sa femme, Héloïse ne pourra plus jamais être sûre de ne pas s'être rendue complice de la déchéance d'Abélard dans une vue de satisfaction personnelle et d'intérêt. Voilà, en résumé, le drame personnel d'Héloïse, dont on peut encore suivre les péripéties dans celles de ses lettres qui nous ont été conservées.

Pour ne pas se perdre dans la psychologie d'Héloïse, telle du moins que les documents permettent de la com-prendre, il faut savoir que sa passion et celle d'Abélard avaient suivi des évolutions assez différentes. Au début, on ne trouve chez Abélard qu'un froid calcul au service d'une sensualité déchaînée ; puis on le voit entraîné par une passion violente, pour laquelle il accepte de se dégra-der à ses propres yeux et, puisqu'il le faut pour sauver sa réputation, de fonder toute sa vie sur le mensonge. Du côté d'Héloïse, au contraire, après une reddition totale qui semble s'être faite sans lutte, paraissent des hésita-tions et des scrupules dont la réalité ne saurait être mise en doute, puisque la délicatesse d'Héloïse a su les taire et que c'est aux remords tardifs d'Abélard lui-même que nous devons d'en être informés : « *Tu sais à quelles turpitudes ma passion effrénée avait voué nos corps. Ni le respect de la décence ni celui de Dieu, même dans les jours de la Passion du Seigneur ou des solennités les plus grandes, ne me retenaient de me rouler dans cette fange. Parfois toi-même ne voulais pas, tu résistais de toutes tes forces et tentais de me dissuader ; mais tu étais naturellement la plus faible, et j'ai souvent arraché ton consentement par des menaces et par des coups. Je tenais à toi par un désir si ardent, que je faisais passer ces misérables voluptés, que nous ne saurions nommer sans honte, avant Dieu comme avant moi*[1]. »

Cette confession tardive d'Abélard est pour nous d'une importance capitale, non seulement parce qu'elle atteste cette violence dans la passion qui peut seule expliquer l'insigne folie de son mariage secret, mais aussi, et surtout, parce qu'elle met en évidence tout un aspect d'Héloïse que, sans ce texte unique, rien ne permettrait de deviner. Jamais, jusqu'au jour de sa mutilation, Abélard ne s'est laissé retenir par aucun scrupule d'aucune sorte. Ne l'accablons pas, puisque c'est lui qui s'en confesse ; mais comment ne pas opposer à ce déchaînement de sensualité brutale, et brutale au point de recourir à la violence pour s'assouvir, les scrupules et les hésitations d'Héloïse ? Lorsqu'on les connaît, toute une série d'autres textes s'éclaire d'une vive lumière et ouvre de nouveaux aperçus sur l'état d'âme des acteurs de ce drame douloureux.

S'il est vrai, comme on l'a vu, qu'Abélard et Héloïse aient tous deux admis que la grandeur d'un philosophe, et d'un clerc, est liée à sa continence, et bien qu'ils l'aient admis pour les mêmes raisons, ils n'en ont pas tiré les

1. Lettre V.

*mêmes conséquences. Abélard déduisait de ce principe
qu'il lui fallait cacher son mariage ; Héloïse en concluait
qu'il ne devait pas se marier. Abélard n'agissait que par
vanité et ne songeait qu'à sa réputation ; mais Héloïse
pensait à la grandeur d'Abélard et ne voulait que sa gloire ; la parfaite droiture d'Héloïse exigeait donc non seulement qu'elle refusât le mariage, mais qu'elle offrît une
complète et définitive séparation. En fait, nulle autre solution n'était moralement acceptable, étant donné la nature du problème et les termes mêmes dans lesquels les
deux amants l'avaient posé. Qu'il fût public ou secret, le
mariage d'Abélard le dégradait à ses propres yeux comme
à ceux d'Héloïse. Or tandis qu'Abélard était prêt à sacrifier réellement son honneur de clerc et de philosophe,
pourvu que sa vanité en perpétuât le simulacre, Héloïse
était prête à sacrifier jusqu'aux joies de la passion dès lors
que la gloire véritable d'Abélard l'exigeait. Il ne lui suffisait pas qu'Abélard eût l'air grand, elle voulait qu'il le
fût ; elle le voulait pour lui, et pour elle, car sa propre
grandeur tenait à celle de l'homme qu'elle aimait et qui
ne pouvait que se diminuer en l'épousant. De là les arguments directs dont elle use et les conclusions sans réserves
qu'elle en tire. En se mariant, Abélard consacre définitivement une déchéance qui pouvait autrement n'être que
passagère ; sans doute, une fois justifiée par le mariage,
leur passion deviendrait moralement et religieusement
légitime, mais jugée des hauteurs de l'idéal du clerc ou
du philosophe, leur vie n'en demeurerait pas moins
déshonorée, la seule différence étant qu'elle le serait devenue irrévocablement.*

*Ce qui se cache au fond des objections d'Héloïse contre
tout projet de mariage, c'est donc d'abord ce sens de la
gloire vraie d'Abélard, qui lui avait souvent inspiré le
courage de se refuser à celui qu'elle aimait, et qui lui*

*donnait enfin la force de proposer une séparation défini-
tive. Elle ne peut être ni la maîtresse ni la femme d'un
tel homme, parce qu'elle l'aime. Ce n'est certes pas du
mariage seul qu'elle espère détourner son amant, lorsque
Héloïse lui rappelle que les grands philosophes se sont
interdit toutes les voluptés, pour ne connaître d'autres
étreintes que celles de la seule philosophie :* omnes sibi
voluptates interdixerunt, ut in unius philosophiae re-
quiescerent amplexibus[1]. *Loin d'accueillir le mariage
comme une réparation de la faute qu'ils ont commise contre la morale, Héloïse le repousse avec horreur comme la
consécration définitive de celle qu'ils ont commise contre
l'idéal du clerc et du philosophe. Tant qu'ils ne sont pas
mariés, Abélard peut se ressaisir et retrouver sa grandeur
perdue, parce que leur séparation reste possible. Mariée à
Abélard, qui ne l'épouse que par passion charnelle, Héloïse ne pourra même plus le protéger contre lui-même,
puisqu'elle aura perdu jusqu'au droit de se refuser à lui.
La pensée de la déchéance qui menace l'homme dont elle
aime la grandeur, et que la passion même qu'elle lui inspire mène à sa ruine, permet seule de donner son sens
plein au dernier argument d'Héloïse qu'Abélard nous ait
rapporté :* « Si donc des laïcs et des païens ont ainsi vécu,
sans y être astreints par aucune profession religieuse, que
n'as-tu pas le devoir de faire, toi qui es clerc et chanoine,
pour ne pas préférer au service divin des voluptés honteuses, pour ne pas te perdre en te précipitant dans ce gouffre
de Charybde, pour ne pas t'enfoncer irrévocablement, au
mépris de toute honte, dans de telles obscénités ? » *On
ne peut s'y tromper :* ne obscenitatibus istis te impuden-
ter atque irrevocabiliter immergas, *ces obscénités sont
bien celles qui sont inséparables de la vie conjugale, et*

---

1. Lettre I.

un mariage régulier, sans les rendre légitimes pour un clerc et un philosophe de la grandeur d'Abélard, ne ferait que les rendre irrévocables en les consacrant.

Il était nécessaire d'insister sur ce point, parce que lui seul permet de comprendre l'étrange situation dans laquelle se trouva Héloïse, lorsqu'il apparut que rien ne dissuaderait jamais Abélard de l'épouser. Elle se vit alors déchirée entre deux morales contradictoires, celle du vulgaire dont Abélard semblait prêt à se satisfaire, et celle des héros de la vie spirituelle à laquelle il était de son devoir de ne pas le laisser renoncer, mais plutôt, si possible, de le ramener. Abélard était sur le point d'accepter sa propre déchéance, mais Héloïse ne pouvait l'accepter ni pour elle-même, ni pour lui. Puisque Abélard ne pouvait plus se passer d'Héloïse, accepter le mariage comme un « remède à l'incontinence » eût été un devoir strict, s'il se fût agi de tout autre homme qu'un philosophe et un clerc tel que lui. D'un tel homme, au contraire, un amour comme celui d'Héloïse devait exiger la morale des héros, la seule qui fût digne de lui et qui pût le garder digne d'elle. Puisque Abélard n'était pas encore capable de s'astreindre à la continence, il fallait du moins éviter un engagement qui le priverait à jamais de la liberté d'y revenir. En somme, que voulait Abélard ? C'était Héloïse, non le mariage. Puisqu'il ne pouvait se passer d'elle, Héloïse allait lui céder, mais, en lui cédant, elle voulait retarder autant que possible sa déchéance finale dans l'espoir de l'éviter. Ainsi, par un sophisme complémentaire de celui d'Abélard, tandis qu'il espérait d'un mariage secret l'assouvissement de sa passion et un simulacre de gloire, Héloïse refusait le mariage pour sauver la substance même de cette gloire, mais offrait en échange la fornication. Il ne nous appartient pas de peser les responsabilités morales dans une crise aussi profonde. Disons du moins qu'incapable de se maintenir réellement au niveau des Docteurs et des sages dont le souvenir le hantait, Abélard eût dû accepter publiquement lui-même, au lieu d'exiger un secret qui fondait sa vie sur le mensonge ; mais Héloïse, éperdue d'amour pour le héros dont la grandeur faisait la sienne, ne l'aidait certes pas à s'accepter lui-même en offrant de fonder sa gloire sur les ruines de la morale. On hésite à dire de pareilles choses, mais la passion pour la grandeur spirituelle qui fait le ressort secret de toute leur histoire, semble n'avoir jamais été tout à fait pure. C'était à la grandeur de Dieu, non à la leur, qu'ils eussent dû penser pour atteindre la grandeur véritable ; mais Abélard ni Héloïse ne s'oublient jamais, et c'est ce qui, sur le plan de la vie spirituelle, les engage de plus en plus profondément dans la fausseté. Abélard dissimule son mariage pour qu'on le croie encore un Sénèque ou un saint Jérôme ; Héloïse offre le concubinage pour lui permettre de le redevenir ; le tragique de la scène est dans la sincérité parfaite avec laquelle l'un et l'autre se jouent la comédie de la sainteté.

Une fois installée dans son rôle, Héloïse était femme à le jouer jusqu'au bout, et à la perfection. Non seulement, parlant cette fois en son nom et non plus au nom de saint Jérôme, elle déclare que le titre d'amante lui serait plus cher et plus honorable que celui d'épouse, car elle ne voulait que se le conserver par la tendresse, non l'entraver par la force du lien conjugal, mais puisqu'il était clair qu'Abélard ne l'épouserait que par sensualité, elle allait jusqu'à lui faire observer que, de ce point de vue, tous les avantages étaient du côté de la fornication : « Si nous nous séparons pour un temps, les joies que nous éprouverons en nous retrouvant seront d'autant plus agréables, qu'elles seront plus rares. » Avec une logique inflexible, Héloïse faisait appel à ce qu'il y avait de plus bas en

Abélard pour le sauver d'un mariage où sa grandeur de-
vait sombrer.

On s'étonnerait à bon droit du sans-gêne avec lequel
Abélard divulgue ici les secrets les plus intimes d'Héloïse,
si l'on n'était sûr d'ailleurs qu'elle et lui ne voyaient rien
que de juste et même de grand en une telle attitude. En
fait, bien loin de désavouer ce texte ou de reprocher à
Abélard d'en avoir trop dit, Héloïse lui reprochera plus
tard de s'être montré trop discret sur ce point. C'est que,
on s'en doute bien, il y allait cette fois de sa propre gloire,
à laquelle elle tenait tout autant qu'à celle d'Abélard,
parce que c'était la même : la gloire du couple, leur seul
désaccord portant ici sur la manière de la servir. Au vague
« pour ces raisons et d'autres semblables » d'Abélard, Hé-
loïse va donc substituer les précisions nécessaires pour
écarter toute incertitude sur la nature vraie de ses propres
intentions.

Ce qui, dans l'esprit d'Héloïse, justifie ses révélations,
c'est que si Abélard a fidèlement rapporté les motifs
qu'elle avait de le dissuader du mariage, il a au contraire
presque complètement passé sous silence les raisons
qu'elle avait de préférer au mariage l'amour libre[1]. *Rien*
ne montre mieux à quel point les deux problèmes étaient
distincts dans sa pensée. Les raisons de refuser le mariage
qu'elle avait empruntées à saint Jérôme ne pouvaient
avoir d'autre effet, si on leur cédait, qu'une complète sé-
paration ; mais puisque Abélard s'obstinait dans sa folie
— cum meam deflectere non posset stultitiam — et
qu'elle-même ne pouvait supporter de l'offenser — nec
me sustineret offendere[2] — *le problème se reposait sous*
une forme nouvelle. L'idée d'une séparation une fois ex-
clue par la volonté d'Abélard, il restait encore à savoir si

1. Lettre I.
2. *Ibid.*

Héloïse serait à lui en mariage, ou hors mariage. C'est un aspect du problème auquel Abélard n'avait pas songé, mais qu'Héloïse se devait de résoudre, beaucoup moins pour l'honneur d'Abélard que pour le sien.

Qu'Abélard ne désirât le mariage que pour s'assurer d'elle, Héloïse ne pouvait avoir aucun doute à ce sujet. D'autre part, tel qu'elle-même en prévoyait les suites, ce projet de mariage lui semblait menacer, peut-être leurs vies, certainement la gloire d'Abélard. Du point de vue d'Héloïse, non seulement Abélard n'avait rien à gagner à la réalisation de ce projet, mais elle-même avait beaucoup à y perdre. Qui donc, dans l'opinion publique, semblerait avoir profité de ce mariage ? Fulbert, peut-être, mais surtout Héloïse, et c'est justement là ce qu'elle voulait éviter à tout prix. D'abord parce que c'était faux ; sachant, comme elle le lui avait fermement rappelé, que la grandeur d'Abélard exigeait le célibat, elle était prête elle-même à ce sacrifice. Abélard s'y dérobait ; c'était lui qui exigeait ce mariage, et pour lui seul ; il n'était donc pas juste qu'on l'en rendît elle-même responsable, alors qu'elle faisait tout pour l'éviter.

Ce n'était pourtant là que la moindre des objections d'Héloïse, car il s'agissait surtout pour elle de son amour, c'est-à-dire du tout de sa vie, qui allait être publiquement déshonoré par le projet insensé d'Abélard. Dans la misère morale où elle s'était plongée, Héloïse ne conservait qu'une fierté : celle de cet amour. On conçoit qu'elle pût tenir à la garder intacte et à ne laisser planer nulle équivoque sur le seul sentiment qui lui méritât encore le respect. Précisément, son mariage allait tout compromettre, puisqu'on ne manquerait pas de dire qu'elle s'était laissé séduire par Abélard afin de l'épouser. Ne pouvant empêcher Abélard de s'établir dans une irrévocable déchéance, Héloïse le suppliait du moins de ne pas exiger la sienne.

S'il le fallait, elle serait sa maîtresse, mais, qu'on l'en blâme ou qu'on l'en loue, nul ne pourrait du moins l'accuser d'avoir vendu ce qu'elle avait voulu donner.

De là le texte justement fameux où l'abbesse du Paraclet, prenant Dieu à témoin, déclare qu'elle eût mieux aimé appartenir à Abélard en amour libre qu'en état de mariage ; que même si Auguste, maître du monde, lui offrait l'honneur de l'épouser et de l'associer pour toujours à l'Empire, elle jugerait plus doux et plus digne d'être la maîtresse d'Abélard que l'impératrice d'Auguste[1]. Le fait qu'Héloïse ait librement proclamé pareille thèse, alors que le problème ne pouvait plus se poser pour elle et que sa dignité religieuse l'invitait à n'y plus revenir, prouve assez que ses sentiments n'avaient ni perdu de leur force, ni changé de nature à cette époque. Elle parle au présent ; elle s'y croit encore ; elle le referait si elle avait à le faire et les arguments se pressent nombreux sous la plume de l'abbesse pour justifier une conduite qu'elle ne se décidera jamais à désavouer. Il est vrai que tous ces arguments reviennent au même : « Jamais, Dieu le sait, je n'ai cherché en toi rien d'autre que toi ; te

---

1. Héloïse dit même bien plus ; elle dit : ta prostituée *(meretrix)*. Or ce terme a ici valeur technique, car il a été employé par saint Jérôme, *Epist. CXXVIII*. Dans une importante note du *Decretum* de Gratien se trouve rapportée l'opinion de Justinien déterminant le cas où le concubinage peut être considéré comme un quasi-mariage, ou un mariage non solennel. Trois conditions étaient requises pour cela : que l'homme et la femme fussent célibataires ; la fidélité mutuelle, « *neque a procreatione filiorum abhorrerent* » ; le ferme propos de rester ainsi unis jusqu'à la mort. L'indulgence des contemporains, et même des autorités ecclésiastiques, à l'égard d'Héloïse, devient un peu moins surprenante, lorsqu'on tient compte de cette distinction. En somme il ne semble pas exagéré de dire que le concubinage ait été considéré au Moyen Âge, même au point de vue religieux, comme moins radicalement différent du mariage qu'on ne le considérerait aujourd'hui dans les mêmes milieux. C'est pourquoi, désireuse de pousser sa thèse à l'extrême, Héloïse a voulu aller jusqu'à *meretrix*.

pure, non tua, concupiscens. *Ce ne sont pas les liens du mariage, ni un profit quelconque que j'attendais, et ce ne sont ni mes volontés, ni mes voluptés, mais, et tu le sais bien toi-même, les tiennes, que j'ai eu à cœur de satisfaire. Certes, le nom d'épouse semble plus sacré et plus fort, mais j'ai toujours mieux aimé celui de maîtresse, ou, si tu me pardonnes de le dire, celui de concubine et de prostituée. Car plus je m'humiliais pour toi, plus j'espérais trouver grâce auprès de toi et, en m'humiliant ainsi, ne ternir en rien la splendeur de ta gloire.* » L'essence même de cet amour total, ce qui, aux yeux d'Héloïse, fait sa véritable grandeur, et la seule chose en somme à laquelle elle tienne, c'est donc son complet, son absolu désintéressement. Nihil mihi reservavi, *je n'ai rien gardé pour moi, voilà le fond même de sa vie, et pas une ligne d'Héloïse ne suggère l'hypothèse qu'elle ait jamais été tentée de le renier.*

Ces sentiments surprenants n'appartiennent assurément qu'à Héloïse, mais ils se reliaient dans son esprit à une doctrine définie, qui, sans doute par l'entremise d'Abélard, lui venait de Cicéron. L'enseignement du De amicitia *sur la nature essentiellement désintéressée de l'amitié avait vivement frappé les bons esprits du XIIe siècle. Cicéron les avait convaincus que tout le fruit de l'amour vrai se trouve dans l'amour même :* omnis ejus fructus in ipso amore est. *Cette thèse n'avait pas seulement retenu l'attention de saint Bernard de Clairvaux, mais aussi celle d'Abélard, qui cite plusieurs fois Cicéron à ce sujet. À quel point cette doctrine lui semblait importante, on peut le voir par l'usage qu'il en fait dans son* Commentaire sur l'Épître aux Romains, *mais aussi par la version poétique qu'il en a donnée dans ses* Monita ad Astralabium, *dont un passage relativement long traite de l'amitié pure dans un esprit tout cicéronien. Il suffit de*

comparer ce texte au *Dialogue* de Cicéron pour constater
leur filiation. La seule correction notable qu'Abélard ap-
porte à la doctrine de son modèle est l'indulgence qu'il
accorde à ceux qui font le mal pour complaire à leur ami ;
car il maintient le principe, mais non sans excuser le coupable : « Céder à la prière d'un ami dont la demande
est déshonnête, c'est sortir du droit chemin de l'amitié ;
pourtant, celui dont les instances y contraignent pèche
plus gravement que celui qui, vaincu par ses prières, finit
par y consentir ! »

On aimerait être sûr, mais il est au moins probable,
qu'Abélard se souvenait d'Héloïse en écrivant ces lignes
et qu'il voulait détourner sur lui-même le poids du jugement que leur fils pourrait un jour porter sur eux. Quoi
qu'il en soit de ce point, le fait subsiste que la révolte
d'Héloïse contre le mariage, en tant qu'elle naît d'une
exigence absolue d'amour pur, relève du *De amicitia* dont
elle acceptait sur ce point la doctrine. D'Héloïse ou
d'Abélard, lequel a gagné l'autre à ses principes ? Il est
sans doute vain de se le demander. C'est la morale du
couple ; celle dont Abélard a peut-être instruit Héloïse
mais qu'Héloïse seule, et elle le reprochera à Abélard, a
su réellement pratiquer.

Une fois engagée dans cette voie, Héloïse se trouvait
lancée sur la piste sans fin d'une casuistique sentimentale,
où toutes les valeurs reçues allaient subir une transforma-
tion radicale. Sourd à ses objurgations, Abélard avait con-
tinué d'exiger le mariage et sa volonté s'était enfin imposée à Héloïse. Pour elle, cette décision signifiait leur
perte, puisque Abélard y perdait sa gloire comme elle-
même y perdait la sienne, lui en s'excluant de l'état de
continence, elle en se prêtant à l'en exclure et en donnant
l'apparence d'un froid calcul à l'amour le plus purement
désintéressé. En épousant Abélard, Héloïse venait de

commettre un crime, le seul, à vrai dire, qu'elle ne se soit jamais pardonné.

Car il ne faut pas s'y tromper, jamais Héloïse ne s'est complètement condamnée pour avoir été la maîtresse d'Abélard. Sans doute, elle savait, comme tout le monde et mieux que beaucoup, que la fornication est une faute grave ; elle a donc fait de son mieux pour s'en repentir, mais comment se fût-elle vraiment repentie de fautes que, nous le verrons, elle ne cessera pas de désirer ? Ce dont, par contre, elle n'a jamais cessé de s'accuser et de se repentir, c'est d'avoir épousé Abélard. En consentant à ce mariage, elle avait péché contre sa gloire et accepté la situation fausse qui devait précipiter la vengeance de Fulbert ; bref, elle s'était rendue responsable du malheur de celui qu'elle aimait. S'il est un problème moral qu'Héloïse se soit posé et qu'elle ait retourné sous toutes ses faces, c'est bien celui-là ; son crime contre Abélard, non son crime contre Dieu. De ses réflexions sur ce thème allaient naître les sentiments de révolte qui décideront plus tard Abélard à la rappeler au respect de son nouvel état.

Chaque fois qu'Héloïse revenait à cet angoissant problème, deux jugements sur ce qu'elle avait fait se heurtaient dans sa pensée : elle était coupable, mais elle était innocente. Coupable d'avoir contribué à la ruine d'Abélard, elle pouvait se rendre du moins cette justice, qu'elle n'avait jamais voulu que son bien : si elle lui avait grandement nui, c'était avec une grande innocence, et plurimum nocens, plurimum, ut nosti, sum innocens[1].

Prise entre ces deux certitudes contradictoires, Héloïse devait naturellement chercher à se rassurer sur sa propre innocence, et elle le fit en combinant deux notions fonda-

1. Lettre II.

mentales qu'elle devait probablement toutes deux à Abé-
lard. En tout cas, elles font partie de la morale et de la
théologie du couple. L'une, que nous connaissons déjà,
est la doctrine de l'amour pur ; l'autre est la morale de
l'intention, qu'Abélard a systématiquement développée
dans le Scito te ipsum *; leur synthèse et son application*
à son propre cas est l'œuvre d'Héloïse même. Si son
amour est pur de tout intérêt, en ce qu'il ne cherche qu'en
soi-même sa propre récompense, il est justifié comme par
définition, et puisque c'est l'intention seule qui détermine
la valeur morale de l'acte, tout acte, même coupable en
soi, s'il est dicté par un sentiment d'amour pur, se trou-
vera par là même innocent.

Cette doctrine un peu surprenante suppose qu'un acte
puisse être à la fois coupable et légitime ; mais c'est préci-
sément ce dont Héloïse avait besoin pour se comprendre
comme étant à la fois nocens *et* innocens*. Or la théologie*
d'Abélard lui fournissait tous les arguments requis pour
justifier son attitude. D'après le Scito te ipsum*, la qualité*
bonne ou mauvaise de l'acte réside entièrement dans l'in-
tention qui l'anime. Abélard pousse si loin cette thèse
que, selon lui, l'accomplissement du péché ne le rend en
rien plus coupable ou plus condamnable aux yeux de
Dieu. Pécher est une chose, accomplir le péché en est une
autre, et la première peut être entière sans la seconde ;
une bonne intention est une chose, un acte bon en est une
autre ; et puisqu'il s'agit là de deux biens radicalement
distincts, dont chacun se suffit à soi-même, il est impossi-
ble de les additionner : l'acte bon n'ajoute donc rien à la
bonne intention. Cette séparation complète des intentions
et des actes rendait possible, et même inévitable, l'appari-
tion de cas mixtes, où la qualité morale de l'acte fût con-
traire à celle de l'intention. Les bourreaux qui persécutè-
rent les martyrs ou crucifièrent le Christ n'ont pas péché

*en le faisant s'ils jugeaient qu'il fût de leur devoir de le
faire. On peut donc commettre un acte matériellement
coupable dans une bonne intention ou un acte matériellement coupable dans une intention mauvaise ; peu importe
d'ailleurs, puisque aux yeux de Dieu l'intention seule
compte et que l'acte lui-même n'est pas pris en considération dans son jugement. L'acte compterait pour Dieu si
quelque chose pouvait lui nuire ; si l'intention seule
compte, c'est qu'on ne peut pas nuire à Dieu, on ne peut
que le mépriser*[1].

*Cette doctrine d'Abélard forme l'armature du système
d'auto-justification imaginé par Héloïse. Elle rappelle
d'abord que ce qui importe en ces matières, ce n'est pas
ce que l'on fait mais la disposition intérieure dans
laquelle on le fait :* Non enim rei effectus, sed efficientis
affectus in crimine est ; nec quae fiunt, sed quo animo
fiunt, aequitas pensat. *C'est pourquoi nous la voyons ensuite s'acharner, sans la moindre pitié cette fois pour Abélard, à lui démontrer, pour s'en convaincre elle-même, la
parfaite pureté de son amour pour lui. C'est que, désormais, toute sa vie lui apparaîtra comme rachetée ou condamnée selon qu'elle aura réussi ou non à établir ce
point. Héloïse ne prendra personne d'autre à témoin de
sa sincérité qu'Abélard lui-même, car il peut seul attester
des sentiments dont il a seul été l'objet. Le juge qui sonde
les reins et les cœurs était Dieu pour Abélard ; pour Héloïse, on le voit, c'est Abélard qui va jouer ce rôle, mais
le juge lui-même va se trouver mis en accusation.*

*Pour justifier la pureté de son amour, c'est-à-dire son
parfait désintéressement, Héloïse s'est en effet laissé entraîner à le décrire par contraste avec celui d'Abélard.*

---

1. Cette doctrine est née, dans l'esprit d'Abélard, d'une interprétation
purement dialectique, et par conséquent totalement dépourvue des tempéraments nécessaires, d'un certain nombre de textes de saint Augustin.

À ce moment, elle était indignée contre lui parce qu'il l'abandonnait à elle-même, et jalouse de ce que, ne lui écrivant jamais, il avait écrit pour un autre l'histoire de ses malheurs. Or elle l'aimait autant et plus que jamais. Bien qu'ils fussent séparés l'un de l'autre par le malheur, le cœur de l'abbesse du Paraclet était resté le même que celui de l'amante d'Abélard ; rien en elle n'avait changé. Expérience décisive pour elle, ou du moins qu'elle juge telle, non sans quelque naïveté. Du fait qu'elle n'aime pas moins Abélard qu'autrefois, et qu'elle l'aime encore de la même manière, à présent qu'elle ne peut plus rien attendre de lui ni comme maîtresse ni comme femme, Héloïse conclut qu'au temps même ou elle était sa maîtresse, puis sa femme, elle l'aimait déjà sans rien attendre de lui.

*C'est un point sur lequel on ne peut se dispenser d'être aussi précis qu'elle-même, car il est admirable qu'elle ait senti la nécessité de pousser jusque-là pour prouver sa thèse. Supposer un seul instant qu'Héloïse ait pu chercher autrefois son plaisir dans l'amour d'Abélard, ce serait dire qu'elle ne l'aimait pas d'amour pur et ruiner la base même de sa justification. Redisons donc avec elle : « ce ne sont pas mes plaisirs que j'ai cherchés, mais les tiens ». Aussi bien, nous en avons la preuve, puisque ces voluptés lui sont à jamais interdites et que pourtant elle aime toujours autant Abélard. Lui, au contraire, ne l'aime plus depuis qu'il n'a plus de plaisirs à attendre d'elle. On voit donc qu'il ne l'a jamais aimée. Ce qui l'attachait à Héloïse, c'était la concupiscence, non l'*amicitia* telle que Cicéron l'a décrite, c'est-à-dire cette tendresse désintéressée qui n'attend de soi rien d'autre que soi-même : « La concupiscence te liait à moi plutôt que l'amitié ; l'ardeur du désir plutôt que l'amour. » Dès que ce qu'Abélard désirait d'elle a cessé d'être possible, tous les sentiments* *qu'il prétendait éprouver se sont pareillement évanouis. Et avec une dureté à laquelle elle ne nous a pas accoutumés, Héloïse conclut ainsi son réquisitoire : « Cette supposition, mon bien-aimé, n'est pas la mienne, c'est celle de tout le monde ; elle ne m'est pas particulière, mais tous la font ; ce n'est pas une opinion privée, c'est une opinion publique. Je voudrais bien être seule à penser ainsi ; car s'il s'en trouvait quelques-uns pour justifier ton amour, ils apporteraient quelque apaisement à ma douleur. Si je pouvais au moins feindre quelques motifs pour t'excuser, il me serait plus facile de me dissimuler tant bien que mal mon avilissement. » Amertume explicable s'il en fut, car enfin, si Héloïse s'est trompée sur Abélard, quelle consolation lui reste-t-il dans son sacrifice ? Mais aussi reproches qui ne vont pas sans injustice, car nous verrons qu'Abélard n'avait pas complètement délaissé Héloïse ; ni sans naïveté, car après la mutilation d'Abélard les deux situations n'étaient plus aisément comparables, la sensibilité d'Héloïse disposant encore de secours dont celle d'Abélard était désormais privée.*

Quoi qu'il en soit de ce point, l'essentiel est pour nous qu'Héloïse ait cru pouvoir se rendre ce témoignage, car c'est sur la certitude intime qu'elle avait du total désintéressement, même sensuel, de son amour, que repose tout l'édifice de son auto-justification. Qu'on la trouve admirable ou choquante, l'insistance avec laquelle l'abbesse du Paraclet nous rappelle qu'elle était prête à subir toutes les hontes plutôt que d'épouser Abélard ne s'expliquerait pas autrement. Nulle intention chez elle, à cette date, de s'insurger contre les lois morales et religieuses ; elle sait fort bien qu'elle les eût violées en agissant ainsi, et qu'une telle violation eût été gravement coupable. Mais la question pour elle n'est pas là. En épousant Abélard, elle est devenue la cause du crime que l'on a commis contre lui.

Par elle, une fois de plus, se vérifie la vieille loi que la femme est la perte de l'homme. Ève fait chasser Adam du paradis terrestre ; Dalila livre Samson à ses ennemis et le conduit à s'ensevelir, privé de la vue, sous les ruines du Temple ; des femmes encore affolent le grand roi Salomon et le font sacrifier à Astarté ; c'est la femme de Job qui, dans ses malheurs, l'incite au blasphème et c'est contre elle qu'il doit soutenir son plus rude combat. Le démon sait bien, de longue expérience, que la femme est toujours pour l'homme une cause de chute toute prête, et c'est pourquoi, tendant pour lui le piège d'Héloïse, il a réussi à perdre enfin par le mariage cet Abélard qu'il n'avait pas réussi à perdre par la fornication.

De ce complot diabolique, Héloïse s'est rendue complice en consentant au mariage, cause de la catastrophe. Elle est donc, en un sens, coupable. Ou plutôt, elle l'avait été avant lorsque cédant aux attraits de la chair elle vivait dans un état continu de péché. Ces fautes antérieures sont celles qui ont conduit Abélard à exiger qu'elle l'épousât, et c'est sans doute à cause d'elles, en punition de ces erreurs premières, qu'elle s'est vue condamnée à consentir au mariage. Pourtant, et c'est la certitude intime à laquelle Héloïse s'attache passionnément, si elle a dû subir ce mariage, elle ne l'a jamais accepté. Voilà pourquoi, avec une obstination farouche, elle répète à douze ou quinze ans de distance qu'elle était prête à se prostituer à lui, s'il l'eût absolument fallu pour détourner Abélard de ce projet insensé. Comme tant d'autres femmes avant elle, elle était devenue pour celui qu'elle aimait l'instrument de sa ruine ; elle avait donc commis un crime, mais jamais elle n'y avait consenti. Et c'est aussi pourquoi, en fin de compte, Héloïse est innocente. Quand Dalila perdit Samson, elle voulait le perdre ; mais alors que le subtil tentateur des hommes, usant d'elle pour perdre Abélard, contraignait Héloïse au mariage qui le perdait, il avait bien pu lui faire commettre cette faute, il avait échoué à l'y faire consentir : me ille ut supra positas feminas in culpam ex consensu non traxit[1]. *Or, nous le savons, c'est le consentement seul qui fait la faute, l'accomplissement de l'acte ne changeant rien à la nature de l'intention qui l'a dicté. Héloïse est donc innocente du crime qu'elle a commis ; ce qu'il fallait démontrer.*

On retrouve une fois de plus à l'œuvre la théologie du couple. Par l'usage qu'elle en fait, Héloïse inaugure la lignée de tant d'héroïnes romantiques, que la fatalité condamne à faire le mal par amour — quam tamen in causam commissae malitiae ex affectu convertit — *mais que la pureté même de leur amour disculpe du mal qu'elles font ; ou qu'elle entraîne à commettre des crimes, mais des crimes dont elles restent innocentes dans le temps même qu'elles les commettent, et tout cela au nom d'une morale qui sépare l'ordre des actes de l'ordre des intentions. Comment serais-je coupable, répétera à satiété J.-J. Rousseau, puisque ma conscience ne me reproche rien ? Ce n'est sans doute pas par hasard que sa Julie d'Étanges fut pour lui une nouvelle Héloïse. Ce qui est vraiment surprenant, c'est plutôt que, substituant déjà la psychologie à la morale, l'ancienne Héloïse ait dépassé de si loin la nouvelle dans la voie même où elle l'invitait à s'engager. Car ce que Julie d'Étanges a passé sa vie à pleurer et expier, c'est son crime contre la morale ; ce qu'Héloïse expie et pleure, ce ne sont pas les crimes qu'elle a commis contre la morale, c'est celui qu'elle a commis, mais dont elle est innocente, contre Abélard. [...]*

1. Lettre IV.

Le mystère d'Héloïse

Il n'est pas difficile d'obtenir des textes une image d'Héloïse qui soit à la fois simple et claire. La difficulté tient plutôt à ce que la vérité historique à laquelle on parvient ainsi est à la fois prouvée et peu vraisemblable. Ce qui s'impose avec évidence, chez Héloïse, c'est la grande amoureuse, dont on peut dire qu'elle en incarne l'essence pure, au point d'être cela et rien d'autre que cela. Ajoutons pourtant, si l'on veut, la grande amoureuse de style français, avec cette étrange avidité de justification rationnelle, ou sophistique, qu'elle conservera chez Chrétien de Troyes, chez Corneille et même, hélas ! chez Rousseau. S'il faut évoquer un témoin, donnons la parole à Henry Adams, dont la perspicacité est ici voisine du génie : « Le XIIᵉ siècle, malgré son éclat, serait terne sans Abélard et Héloïse. Bien que nous le regrettions infiniment, Héloïse doit être omise de cette histoire, parce qu'elle n'était ni philosophe, ni poète, ni artiste, mais seulement française jusqu'au bout des ongles. Même si l'on se doute que ses fameuses lettres à Abélard ne sont pas, dans leur ensemble, à l'abri de tout soupçon, il reste pourtant qu'à lui appliquer des normes françaises, elle valait au moins une douzaine d'Abélard, ne serait-ce que pour avoir traité saint Bernard de faux apôtre. Malheureusement, les normes françaises selon lesquelles, dans notre ignorance, nous devons la juger, supposent qu'elle ne philosopha que pour l'amour d'Abélard, tandis qu'Abélard lui enseignait la philosophie, moins parce qu'il croyait en la philosophie ou en elle, que parce qu'il croyait en lui. Aujourd'hui encore Abélard reste un problème aussi déconcertant qu'il doit l'avoir été pour Héloïse, et presque aussi fascinant. De même que le portail

occidental de Chartres est la porte par laquelle il est nécessaire d'entrer dans l'architecture gothique du XII° siècle, de même aussi Abélard est le portail d'accès à la pensée gothique et à la philosophie qu'elle contient. Ni cet
art ni cette pensée n'ont d'équivalents modernes : Héloïse
seule, comme Yseult, unit les âges[1]. »

Pour une femme réelle, devenir aussi réelle qu'un my-
the, quel plus éclatant triomphe ? Qu'Héloïse ait été tout
cela, les preuves ne nous en ont pas manqué et nul, je
pense, n'en réclamerait davantage. Pourtant, ce qu'il nous
reste à voir est essentiellement autre que ce que nous
avons vu jusqu'ici. Car il ne s'agira plus désormais de la
jeune fille savante séduite par le grand homme, mais de
l'abbesse du Paraclet. Lorsque nous lisons ses lettres,
nous entendons la voix d'une femme, jeune encore certes,
mais à qui pourtant on n'a pas craint de confier déjà les
hautes charges spirituelles de prieure et d'abbesse dans
deux monastères bénédictins. Or ce qui frappe immédiatement l'esprit à la lecture de cette correspondance, c'est,
avec l'omniprésence d'Abélard qui encombre les lettres
d'Héloïse, l'absence totale de Dieu. Ce n'est même pas
assez dire, car Dieu n'est pas simplement absent de ces
lettres, il en est continuellement expulsé. Comment expliquer une telle attitude ?

Nous tenons de lui-même que, lorsque Abélard avait
cherché refuge dans la vie monastique, ni ferveur ni vocation religieuses n'avaient sérieusement pesé sur sa décision. Il n'obéissait en cela ni à l'appel de Dieu, ni à quelque exigence d'Héloïse ; il voulait cacher sa honte, et
c'était à peu près tout. L'entrée d'Héloïse en religion, si
pareille du dehors à celle d'Abélard, en différait pourtant

---

1. H. ADAMS, *Mont-Saint-Michel and Chartres*, Boston-New York, 1933,
pp. 283-284. Le premier copyright de cette œuvre divinatoire date de
1905.

profondément. Certes, elle non plus n'obéissait à aucune vocation intérieure, mais elle déférait aux ordres d'Abélard. Elle lui avait jadis offert d'être sa concubine, il avait préféré qu'elle fût sa femme : elle l'était donc devenue. Il voulait à présent qu'elle se fît religieuse, Héloïse acceptait de le devenir, simplement parce que c'était une nouvelle marque d'amour qu'il attendait d'elle et qu'elle n'en avait aucune à lui refuser. Cette fois encore, son sacrifice fut immédiat et sans réserves ni dans la pensée ni dans l'acte. Elle y avait d'autant plus de mérite que, comme s'il ne l'avait pas jugé assez dur, Abélard avait trouvé moyen de le rendre odieux. Non content d'exiger qu'elle entrât en religion, il voulut qu'elle y entrât la première. Il n'était donc pas encore sûr d'elle ! Elle le fit et accepta de lui cet outrage qu'elle ne devait pourtant jamais oublier.

Sur ce point important, comme d'ailleurs sur tous les autres, le témoignage d'Abélard et celui d'Héloïse sont totalement d'accord. Illa tamen prius ad imperium nostrum sponte velata, *dit Abélard,* ce qui signifie qu'avant que lui-même n'entrât à Saint-Denis, Héloïse avait consenti d'elle-même à prendre le voile sur son ordre. Plusieurs, ajoute-t-il, tentèrent vainement de l'effrayer en lui dépeignant la règle monastique comme un joug trop lourd à porter pour sa jeunesse. Ce fut en vain. Leur compassion ne put faire mollir la volonté d'Héloïse : « mêlée de larmes et de sanglots, la plainte de Cornélie s'échappait à mots entrecoupés de sa bouche : "Illustre époux, toi dont mon lit n'était pas digne, voilà donc quel droit le sort avait sur ton auguste tête ? Par quelle impiété t'ai-je épousé, si je devais te rendre misérable ? Accepte aujourd'hui mon expiation, car c'est de moi-même que je te l'offre[1]." En disant ces mots* — in his verbis — *elle se*

1. LUCAIN, *Pharsale*, VIII, v. 94-96.

*hâta vers l'autel, y prit sans hésiter le voile béni par l'évê-
que et se consacra publiquement à la vie religieuse*[1]. » *Au
moment où se déroulait cette scène, Héloïse devait être
âgée d'à peine vingt ans.*

Le récit d'Abélard est pour nous d'une importance capitale, car tous ses mots portent. L'apparente contradiction de sa première phrase est elle-même significative :
c'est sur l'ordre d'Abélard qu'Héloïse prit spontanément
le voile ; car puisque Abélard commandait, elle n'hésite-
rait pas un instant à obéir, mais elle obéissait à l'ordre
d'Abélard pour des raisons qui n'étaient qu'à elle. Héloïse
ne connaissait que trop les motifs de la décision qu'Abélard avait prise ; nous y reviendrons, et l'on verra qu'ils
ne lui font pas grand honneur. Or, en imposant à Héloïse
d'entrer en religion, Abélard lui volait la seule consolation qui lui restât : l'expiation du crime qu'elle avait commis en l'épousant. Ainsi, Héloïse accepte l'ordre d'Abélard, mais c'est pour un motif exclusivement personnel
qu'elle fera ce qu'il exige et l'acte qu'il obtient d'elle
n'aura d'autre sens que celui qu'elle-même voudra bien
lui donner. Or ce sens n'a aucun caractère religieux. Les
vers de la Pharsale de Lucain, qu'elle balbutie en courant
à l'autel, sont trop expressifs pour qu'on puisse se mé-
prendre sur la valeur exacte qu'Héloïse attribuait à son
acte. Il y aurait quelque naïveté à croire qu'elle ait pu
réellement prononcer ces vers, s'il n'était encore plus naïf
d'en douter, car elle était une lettrée, et ils expriment si
parfaitement ses intentions qu'on se demanderait plutôt
si ce ne sont pas eux qui les ont suggérées. L'idée de
renoncer au monde, non pour Dieu, ni même pour expier
les fautes commises contre Dieu, mais pour Abélard et
pour expier le crime qu'elle a commis contre Abélard,

1. Lettre I.

*témoigne assurément chez Héloïse d'une indifférence
singulière au sens chrétien de l'acte qu'elle accomplit,
mais si le sentiment qui la guide n'est guère chrétien, il
est pleinement romain et nullement indigne de Cornélie
à qui elle en emprunte l'expression. S'il faut en croire les
indications d'Abélard, Héloïse ne comprit sa profession
religieuse que comme un sacrifice d'expiation au héros
dont elle avait causé la ruine en l'épousant.*

*Or il faut l'en croire, car ce qu'Abélard suggère d'une
manière aussi précise que discrète, Héloïse l'affirmera
plus tard avec la force et l'insistance dont elle était capable lorsqu'il s'agissait pour elle d'interdire toute équivoque sur la « pureté » des sentiments qui l'animaient.*
« Cum ad *tuam* statim jussionem tam habitum ipsa
quam animum immutarem, ut te tam corporis mei
quam animi *unicum* possessorem ostenderem. » *Puisque
Abélard est* l'unique *possesseur de l'âme d'Héloïse, Dieu
n'a donc* aucune *part dans cette profession religieuse.*
— « Quam quidem juvenculam ad monasticae conver-
sationis asperitatem *non religionis devotio*, sed *tua
tantum* pertraxit *jussio*. » *C'est donc* uniquement *l'ordre
d'Abélard, et* aucunement *une piété religieuse quelconque, qui a décidé cette prise de voile. Et comme si de
telles formules n'étaient pas encore assez claires, Héloïse
va jusqu'à préciser que Dieu ne lui doit aucune récompense pour ce qu'elle a fait, parce que, depuis son entrée
en religion, elle n'a encore* rien *fait par amour pour lui :*
Nulla mihi super hoc merces exspectanda est a Deo,
cujus adhuc amore nihil me constat egisse. *Ce n'est donc
pas pour Dieu que l'abbesse du Paraclet travaille, mais
pour Abélard, car de même que lui seul peut la faire souffrir, lui seul* peut la consoler *:* Solus quippe es qui me
contristare, qui me laetificare, seu consolari valeas.
Comment Abélard a-t-il pu douter un instant d'elle, qui,

sur un mot de lui, l'a précédé lorsqu'il allait à Dieu ? Ce cruel manque de confiance l'a remplie de tant de douleur et de honte, qu'au seul souvenir de cet affront, Héloïse éclate en déclarations passionnées. Le suivre au couvent, ou même l'y précéder, qu'était-ce donc pour elle ? « Moi, Dieu le sait, je n'aurais pas hésité à te suivre ou à te précéder en enfer (ad Vulcania loca) *si tu m'en avais donné l'ordre. Ce n'est pas avec moi qu'était mon cœur, mais avec toi. Et maintenant encore, et plus que jamais, s'il n'est pas avec toi, il n'est nulle part, car il lui est impossible d'être sans toi. Aussi, je t'en prie, fais qu'il soit heureux avec toi. Et il sera heureux avec toi s'il te trouve propice, si tu lui rends grâce pour grâce, de petites choses pour des grandes, des mots pour des choses... Souviens-toi, je t'en prie, de ce que j'ai fait, et pèse ce que tu me dois. Lorsque je jouissais avec toi des voluptés charnelles* (libido)*, beaucoup se demandaient pourquoi je le faisais, par concupiscence, ou par amour ? Mais à présent, la manière dont je finis montre de quelle façon j'ai commencé, puisque j'ai fini par m'interdire toutes les voluptés afin d'obéir à ta volonté. Je ne me suis rien réservé, que de devenir tienne avant tout, comme je la suis maintenant. »*

De telles paroles sont trop claires pour qu'aucune méprise sur la nature vraie des sentiments d'Héloïse soit possible. Le XVIIᵉ siècle connaîtra des femmes prêtes à subir l'enfer pour l'amour de Dieu, mais, pour descendre chez Vulcain, il suffit à Héloïse d'aimer Abélard. Cet homme parle, et sa servante écoute. Jadis, sur un seul mot de lui, elle s'était jetée dans les voluptés charnelles les plus ardentes ; aujourd'hui, sur un autre mot de lui, elle s'est condamnée aux rigueurs de la vie monastique. Et non seulement elle le pense, mais elle le lui écrit, parce qu'elle veut qu'il le sache, et il faut qu'Abélard le sache pour qu'il n'aille pas croire qu'Héloïse ait trouvé dans le cloître le calme, la paix et les consolations de l'amour divin. Car c'est sans doute parce qu'il le croit, qu'Abélard l'abandonne. Qu'il le sache donc, ce n'est aucunement pour Dieu, c'est pour lui seul qu'elle est au cloître. Là ou ailleurs, qu'importe ? Elle se damnerait aussi bien s'il le voulait ; du moins, qu'Abélard le comprenne enfin et le sache, elle s'est faite religieuse exactement pour la même raison et dans la même intention profonde qu'elle était devenue sa maîtresse. Ce que d'autres appellent se donner à Dieu n'avait été pour elle qu'une autre manière de se donner à lui.

Il fallait en venir à ces précisions pour comprendre la détresse affreuse qui s'exprime dans la première lettre d'Héloïse ; c'est littéralement la détresse de l'adoratrice délaissée par son dieu. La comparaison n'est pas trop forte, car bien qu'Héloïse n'ait jamais osé l'écrire, elle ne cesse de la suggérer. La moindre parcelle d'amour de Dieu, semble-t-il, serait pour elle autant de volé à l'amour exclusif qu'elle a voué pour toujours à Abélard et qu'elle lui a totalement réservé. Consterné des sentiments qu'elle exprime, Abélard va tenter l'impossible pour l'amener à y renoncer. Peine entièrement perdue. Non seulement Dieu, mais Abélard lui-même n'obtiendra jamais d'Héloïse qu'elle renie si peu que ce soit cette passion qui fait le tout de sa vie. À moins que ce ne soit pour l'accabler de reproches, Héloïse ne parle de Dieu que pour le prendre à témoin qu'elle ne pense pas d'abord à lui, ne fait rien d'abord pour lui et n'espère d'abord rien de lui : « En quelque état que se trouve ma vie, Dieu le sait, je crains encore plus de t'offenser que d'offenser Dieu ; c'est à toi, plus qu'à lui, que je désire plaire ; ce n'est pas par amour de Dieu, mais sur ton ordre, que je suis entrée en religion[1]. » *Abélard a tout obtenu d'Héloïse, sauf qu'elle fît semblant d'aimer Dieu un peu plus que lui.*

Mais il fallait aussi pousser jusque-là, pour découvrir le sens plein de certaines expressions dont use Héloïse en parlant de sa prise de voile. Abélard lui-même, dans les quelques lignes saisissantes qu'il consacre à cette scène, a pris soin de rendre l'emportement tragique avec lequel Héloïse avait accompli son sacrifice ; mox properat, confestim velum tulit : il est clair que cette religieuse s'est jetée dans le cloître avec passion. C'est qu'en effet, jamais, à aucun moment de sa vie, elle ne s'est plus passionnément donnée à Abélard. Jadis, sur un mot de lui, elle avait accepté de se perdre pour lui plaire, mais ce n'était encore là que de l'amour, puisque Abélard ne lui demandait alors que ce qu'elle désirait elle-même. Son entrée en religion avait été bien autre chose ; ce n'était plus de l'amour, mais de la folie, car dans l'excès de son amour même, elle s'était alors séparée pour toujours du seul être qu'elle aimait[2]. Ce ne sont pas là de simples formules, mais l'expression la plus nue qui se puisse concevoir des sentiments les plus vrais et des faits les moins contestables. Car enfin, si l'on ne veut pas admettre que la prise de voile d'Héloïse ait été pour elle le plus tendre et le plus passionné des sacrifices qu'elle ait jamais faits à l'amour d'Abélard, quel sens imagine-t-on qu'elle ait pu lui donner ?

Il est vrai qu'Abélard commandait, mais aucune loi divine ou humaine ne lui faisait un devoir d'obéir. La mutilation d'Abélard, la décision qu'il avait prise de cacher sa honte dans un cloître n'étaient en rien pour Héloïse l'équivalent d'une vocation religieuse dont, quinze ans plus tard, l'abbesse du Paraclet se sentira encore dépour-

1. Lettre IV.
2. Lettre II.

vue. La seule chose qu'elle désirât vraiment — quod so-
lum appetebat —, *nous savons ce que c'est, puisque c'est
cela même qu'elle va sacrifier, c'est Abélard, qu'elle aime
plus que jamais dans sa ruine et dont pas un instant elle
ne songe à se séparer. Qu'importent les voluptés perdues ? Elle l'a assez dit, ce ne sont pas leurs voluptés
qu'elle aimait en lui, c'est lui seul qu'elle aimait dans
leurs voluptés. Abélard lui reste, et c'est assez pour
qu'une longue vie de bonheur lui soit encore possible à
ses côtés. Or ce bonheur qu'elle tenait encore, Abélard ne
pouvait l'en priver sans son consentement exprès. Qu'Héloïse refusât d'entrer en religion, Abélard lui-même ne
pouvait pas y entrer. Il était son mari, elle était sa femme
et, même sans parler de l'enfant dont il n'est guère question dans cette affaire, l'indissoluble lien du mariage qui
les avait unis ne pouvait être rompu que du consentement
mutuel des époux. Que l'on se représente, après cela, ce
qu'il fallait à Héloïse d'esprit de sacrifice pour prendre le
voile la première et pour sacrifier, par amour pur, ce qui
lui restait d'un amour auquel elle avait déjà sacrifié tout
le reste.*

*Lorsqu'on suit Héloïse jusqu'à ce point, le plus profond
où elle nous ait permis de descendre en sa conscience, ce
que les déclarations que nous l'avons entendue faire auraient autrement de cynique et de presque blasphématoire, se trouve racheté par une vérité et par une simple
droiture qui, pour n'être qu'humaines, n'en sont pas
moins une droiture et une vérité. Ici, plus que jamais, on
voit combien lire l'histoire vaut mieux que l'imaginer.
Que dit, en somme, Héloïse ? Qu'elle est entrée en religion sans vocation religieuse ? C'était vrai. Qu'au moment où elle écrivait ses lettres, cette vocation ne lui était
pas encore venue ? Elle le pensait du moins, et c'était*

peut-être vrai[1]. *Que, même abbesse du Paraclet, elle n'avait jamais trouvé la force d'aimer Dieu par-dessus toutes choses, puisqu'elle en exceptait encore Abélard ? Combien peut-être elle était plus près de la charité divine que tant d'autres qui lui préfèrent beaucoup moins qu'Abélard, ou qui ne se souviennent même plus quel est le premier et le plus grand commandement !*

Les historiens d'Héloïse ne devraient jamais oublier cet avertissement, que sainte Thérèse d'Avila semble avoir écrit à leur intention : « *Je vous trouve étonnant de venir me déclarer que vous sauriez ce qu'est cette demoiselle rien qu'en la voyant. Nous ne sommes pas très faciles à connaître, nous autres femmes. Quand vous les avez confessées durant plusieurs années, vous vous étonnez vous-même de les avoir si peu comprises ; c'est qu'elles ne se rendent pas un compte exact d'elles-mêmes pour exposer leurs fautes et que vous les jugez seulement d'après ce qu'elles vous disent.* » Que fut donc exactement la vie spirituelle d'Héloïse ? Puisqu'elle-même ne l'a peut-être jamais su, j'accorde volontiers que nous ne le saurons jamais ; du moins reste-t-il vrai de dire que les confidences d'Héloïse ne sont pas celles d'une religieuse déchue de sa vocation ou rebelle à l'appel divin qui la presse, mais les plaintes d'une simple femme, que la volonté despotique de l'homme qu'elle aime met aux prises

---

1. Ces formules dubitatives tiennent à ce que, pour résoudre la question, il faudrait sortir de l'histoire pour entrer dans la psychologie de la vocation religieuse. Au problème ainsi posé, il n'y aurait pas de réponse *historique*, mais les faits mêmes le posent. Héloïse a cru qu'aimer Dieu eût été l'aimer comme elle aimait Abélard ; elle semble avoir aussi pensé que la vocation religieuse faisait du couvent un lieu de délectations spirituelles. Ceux qui voudront se faire une idée de la complexité de ces questions liront avec fruit ce document sans prix : P. BRUNO DE J.-M., *Témoignages de l'expérience mystique nocturne*, dans *Études carmélitaines*, 22ᵉ année, vol. II, oct. 1937, pp. 237-301. Le texte de sainte Thérèse que nous citons est l'épigraphe de ce remarquable travail.

avec ce problème insoluble : trouver, dans la passion
même que cet homme lui inspire, les forces requises pour
une vie de sacrifices qui n'a de sens, et n'est même possible, que sur le plan de l'amour divin. Tel est le drame où
se débat l'abbesse du Paraclet ; rien n'est plus poignant
que cette misère spirituelle, si lucide et si cruelle contre
soi qu'elle préfère la souffrance au mensonge, s'il lui faut
mentir pour s'oublier.

L'appel désespéré d'Héloïse à Abélard est donc beaucoup plus que la protestation d'une amoureuse délaissée ;
c'était le cri de détresse de l'abbesse, appelant au secours
le seul à l'appel de qui elle fût entrée en religion. L'eût-
elle jadis voulu, elle n'aurait pu répondre à un appel divin
qui ne se faisait pas entendre ; il n'avait donc pas même
dépendu d'elle de faire pour Dieu ce sacrifice : Dieu ne
le lui avait pas demandé. N'ayant rien pu faire pour méri-
ter de lui la grâce d'une vie de perfection, elle croyait
n'avoir rien non plus à en attendre. Mais Abélard, lui,
avait tout exigé d'elle, jusqu'à l'acceptation de ce fardeau
si lourd qu'elle ne se sentait pas la grâce de porter.
N'était-ce pas à lui de la secourir, de la diriger, de la
soutenir de sa science et de sa force ? N'avait-il pas le
devoir strict de l'aider à porter la charge dont lui seul, et
non pas Dieu, avait décidé qu'elle devait la porter ?

Relire de ce point de vue les lettres d'Héloïse, ce n'est
pas seulement comprendre la nature exacte de l'absence
de Dieu dont elles souffrent, c'est aussi voir sous leur jour
vrai tant de détails singuliers qu'elles contiennent et qu'il
serait difficile de comprendre sous un autre. Si Dieu n'est
pas là, ce n'est pas qu'elle se refuse à lui, c'est lui qui se
refuse à elle. Héloïse le croit du moins, et c'est pourquoi,
dans une humilité religieuse totale dont elle seule semble
ignorer le prix, elle s'impose les austérités les plus dures
sans penser un seul moment que Dieu lui en imputera

jamais le mérite[1]*. Ce n'est peut-être pas par hasard que son acceptation du cloître la fait penser à l'acceptation de l'enfer, car la vie monastique sans consolations divines, qu'elle mène avec une volonté inflexible, n'est rien d'autre à ses yeux qu'un châtiment. Or, par un redoublement de misère, mais toujours pour la même cause, cette religieuse, qui n'espère acquérir aucun mérite, ne se sent pas même capable d'expier. Héloïse n'a pris le voile que pour Abélard, et puisque c'est l'intention seule qui compte, pas un seul des sacrifices qu'elle endure n'est une expiation devant Dieu, chacun d'eux n'est qu'un sacrifice à Abélard.*

Les reproches à Dieu dans lesquels elle s'obstine n'ont pas d'autre cause, ils ne deviennent intelligibles que si l'on y voit l'expression de la misère spirituelle dont elle est affligée. On peut dire que, du commencement à la fin de leur vie commune, Abélard aura conduit Héloïse de situations impossibles en situations impossibles : de la fornication au mariage secret, du mariage secret à une prise de voile sans vocation, de la profession monastique aux responsabilités de l'abbesse et à une vie de pénitence dont elle n'a que le sacrifice sans la pénitence. Expier

---

1. À part Abélard qui, loin de désespérer d'Héloïse, a lié son salut à celui de celle qui l'aimait, nous avons sur elle les lettres de Pierre le Vénérable, une surtout, chef-d'œuvre de délicatesse et de beauté spirituelles. Pierre semble avoir été mis sur le chemin d'Héloïse et d'Abélard pour les consoler d'avoir rencontré saint Bernard. Car Bernard était un incomparable maître pour des saints, mais Pierre était un incomparable guide pour des pécheurs. On ne peut se dispenser, pour connaître cette haute figure et l'aimer comme elle mérite de l'être, de lire son *Epist. XXVIII*. Son admiration pour Héloïse y est partout évidente. On a suggéré qu'il voulait la flatter. Pourquoi l'eût-il fait ? Je l'ignore. Il l'admirait, tout simplement. Pierre le Vénérable n'était pas un naïf. Il n'eût pas déploré, comme il fait, que l'abbesse du Paraclet ne fût pas à Cluny, s'il ne l'eût tenue pour une abbesse admirable. Venant de l'homme qui n'a pas voulu recueillir Abélard sans qu'il eût fait sa paix avec saint Bernard, dont l'un et l'autre avaient à se plaindre, un tel témoignage donne à réfléchir.

pour la mutilation d'Abélard dont leur mariage fut la cause, cela, elle peut le faire : utinam hujus praecipue commissi dignam agere valeam poenitentiam *; Héloïse ne reculera pas pour cela devant une longue vie de contrition pénitente :* ut poenae illi tuae vulneris illati ex longa saltem poenitentiae contritione vicem quoquo modo recompensare queam. *Elle accepte sans réserves ce châtiment de son crime et l'on imaginerait à tort qu'elle ait jamais eu la moindre pensée de révolte contre l'état de vie monastique où elle se trouvait. Pour expier les quelques heures de douleur qu'Abélard avait vécues*[1]*, ce n'était pas trop d'une vie de contrition :* et quod tu ad horam in corpore pertulisti, ego in omni vita, ut justum est, in contritione mentis suscipiam, et hoc tibi saltem modo, si non Deo, satisfaciam[2]. *Ce dont elle se plaint, c'est précisément, faisant pénitence pour Abélard, de ne pas faire aussi pénitence pour Dieu.*

Toujours précise et positive, Héloïse indique les deux raisons principales qui rendaient impossible que ses pires mortifications devinssent des pénitences. Premièrement, elle n'a jamais accepté le coup terrible dont Dieu les a frappés. C'est là la « plainte antique et obstinée », l'invétérée récrimination dont elle fatiguait Abélard. Héloïse n'a jamais admis qu'après les avoir épargnés tandis qu'ils menaient une vie de fornication, Dieu les eût si cruellement châtiés après leur mariage. Leur vie de désordres avait été redressée par le sacrement ; or, ajoute-t-elle, ce châtiment que l'on jugerait suffisant pour punir le crime d'adultère, c'est à cause de ce mariage par lequel tu réparais tes torts envers tous, que tu en fus si rudement frappé. Ce que les femmes adultères attirent sur leurs

1. C'est pourquoi Abélard a cru devoir préciser que, dans son cas, la douleur n'avait pas été si terrible. — Cf. p. 12, note 1.
2. Lettre IV.

*amants, c'est ta propre épouse qui te l'a valu. Bien plus,
ce n'est même pas lorsque nous jouissions des joies du
mariage, que tu fus ainsi châtié. Momentanément séparés,
nous vivions dans la chasteté, toi à Paris, où tu dirigeais
les écoles, moi à Argenteuil où, sur ton ordre, je parta-
geais la vie des religieuses. Ainsi, c'est lorsque nous nous
étions séparés l'un de l'autre, toi pour te consacrer avec
plus de zèle à tes écoles, moi pour vaquer plus librement
à la prière ou à la méditation des Saintes Écritures ; c'est
au moment où notre vie devenait d'autant plus sainte
qu'elle était plus chaste, que tu as expié seul dans ton
corps ce que nous avions été deux à commettre. Bref, en
s'humiliant au point de l'épouser, Abélard avait si pleinement réparé ses torts, que même la justice de Dieu aurait
dû l'épargner*[1]. Dieu ne l'a pas voulu pourtant et c'est ce
qu'Héloïse ne peut se résoudre à lui pardonner. Comment, dès lors, ferait-elle pénitence pour avoir attiré sur
Abélard un châtiment divin qu'elle-même déclare injuste ? Ce n'est pas elle, c'est la cruauté suprême de Dieu
qui en est responsable. Tant qu'elle est dans ce sentiment,
Héloïse sait bien qu'elle offense Dieu en se révoltant ainsi
contre sa providence : elle ne peut expier devant Dieu la
ruine d'Abélard, qu'elle a causée, tant qu'elle n'admet
pas la justice du coup dont Abélard et elle ont été frappés.

Ce n'est pas tout. Comment Héloïse ferait-elle pénitence, même pour les plaisirs coupables d'autrefois, alors
que l'abbesse du Paraclet ne cesse pas de les désirer ?
Confesser ses fautes est facile ; mortifier son corps pour
lui infliger une pénitence extérieure est également facile.
Le plus difficile de tout, c'est d'arracher de son cœur le
désir des suprêmes voluptés. Or, nous l'avons vu, celles

---

1. On observera que, si le mariage d'Abélard avait été illégitime, toute
cette argumentation d'Héloïse serait absurde, et Abélard n'aurait pas manqué de le lui faire observer.

*de ces deux amants furent telles, si douces, dit Héloïse,
qu'elle ne peut ni les détester, ni les chasser sans effort
de sa mémoire :* quae cum ingemiscere debeam de com-
missis, suspiro potius de amissis. *Au lieu de gémir sur
ce qu'elle a commis, elle soupire plutôt de ce qu'elle a
perdu. Qui délivrera Héloïse de ce corps de mort ? Et
combien Dieu n'en a-t-il pas usé plus miséricordieusement avec Abélard ! Comme un médecin fidèle, il n'a pas
craint de le faire souffrir pour le sauver. Jamais Dieu ne
lui fut plus propice que lorsqu'il semblait le traiter en
impitoyable ennemi. Mais Héloïse est jeune, l'ardeur des
désirs de la jeunesse et l'expérience des voluptés les plus
tendres accablent un cœur trop faible pour leur résister.
On vante sa chasteté, la rigueur de ses austérités, l'exem-
plaire dignité de sa vie religieuse ? Tout cela n'est que
dans les actes, qui ne comptent pas, non dans l'intention,
qui seule compte : «* ils disent que je suis chaste, parce
qu'ils n'ont pas découvert que je suis hypocrite[1] *». Les
hommes voient ce qu'elle fait, ils ne peuvent voir ce
qu'elle pense ; mais Dieu le voit, lui qui sonde les reins
et les cœurs. Certes, c'est déjà quelque chose de ne pas
faire le mal et avec quelque intention qu'on s'y efforce,
d'éviter le scandale dans l'Église. Il faut sans doute à cela
quelque grâce. Mais éviter le mal ne suffit pas, il faut
aussi faire le bien. Or on ne fait de bien que ce que l'on
fait par amour de Dieu, et Héloïse ne fait rien que pour
l'amour d'Abélard. C'est pour lui plaire qu'elle s'est imposé cette vie ; c'est pour lui qu'elle la supporte. Tout le
monde, et Abélard le premier, s'y laisse prendre ; tout le
monde, sauf Dieu, prend cette hypocrisie pour de la religion :* diu te, sicut multos, simulatio mea fefellit, ut reli-
gioni deputares hypocrisin. *Ainsi, cette vie de misère,*

---

1. Cf. «*... quia nihil prosit carnem habere virginem, si mente nupserit* ».
Saint JÉRÔME, *De perp. virgini. B. Mariae.*

dont Dieu ne lui tiendra nul compte parce que ce n'est pas pour lui qu'elle la mène, il faudra donc qu'elle la mène seule, puisque Abélard se trompe sur elle au point de l'abandonner à elle-même et qu'au lieu de prier pour elle, il demande à Héloïse de prier pour lui.

Pour exprimer en une phrase le sens secret de cette plainte passionnée, il faudrait sans doute dire que l'absence de Dieu dont souffre si cruellement Héloïse lui rend plus cruelle encore, et plus impardonnable, l'absence d'Abélard. Car il est juste que Dieu, pour qui elle ne fait rien, la délaisse ; mais il est souverainement injuste qu'Abélard la délaisse, elle qui fait tout pour lui. Tels sont les derniers sentiments personnels qu'Héloïse nous ait confiés, et rien, pas une ligne d'elle, ne nous autorise à penser qu'elle en ait changé dans la suite. Pressée par Abélard de prendre envers Dieu une attitude plus conforme à son état, elle adoptera le parti de parler d'autre chose, ou plutôt d'écrire sur autre chose, car si Abélard était là, il lui serait impossible de ne pas recommencer. Héloïse se taira donc, mais pour le même motif qui a commandé tous ses actes, par obéissance : ne me forte in aliquo de inobedientia causari queas. *À partir de ce moment, nous aurons encore une lettre d'elle, pleine de fermeté et de bon sens, sur les conditions auxquelles devrait satisfaire une règle religieuse applicable à des monastères féminins ; puis quarante-deux questions, toutes sèches, sur divers passages de la Sainte Écriture ; ensuite plus rien. Nous ne saurons jamais si le silence qu'elle s'était imposé comme une discipline, et sans autre intention que d'accomplir une fois de plus la volonté d'Abélard, s'est jamais mué en un consentement à la volonté de Dieu. Nous ne le saurons jamais, et il y a peu de raisons, humainement parlant, de penser qu'il en ait été ainsi. La volonté de fer dont a toujours fait preuve Hé-*

*loïse ne permet guère de croire qu'elle ait fini par trahir
la passion dont elle avait tiré sa gloire, et sur laquelle elle
a pu faire silence, mais que pas un mot sorti de sa plume
n'a jamais reniée.*

*Rien n'est donc plus droit, en fin de compte, que l'Héloïse de l'histoire, car les complications sans fin où l'analyse de ses sentiments nous engage, tiennent beaucoup
moins à elle qu'à la situation dans laquelle elle se trouve.
Ce qu'une telle situation avait d'inextricable s'exprime à
merveille dans la suscription de sa première lettre :* « À
son seigneur, ou plutôt, père ; à son mari, ou plutôt, frère ; sa servante, ou plutôt, fille ; sa femme, ou plutôt,
sœur ; à Abélard, Héloïse[1]. » *Et plus tard :* « À son unique après le Christ, celle qui est son unique dans le
Christ[2]. » *Enfin et surtout l'étonnant et intraduisible raccourci de la dernière lettre :* Domino specialiter, sua
singulariter[3], *c'est-à-dire : à Dieu comme religieuse, à toi,
comme femme ; car elle appartient au Seigneur comme
rentrant dans l'espèce des religieuses, mais comme individu, c'est à Abélard qu'elle appartient. Après une telle
suscription, dont le sens était clair pour son professeur de
logique, Héloïse peut écrire les lignes où elle s'engage à
ne plus jamais parler de ses sentiments. Abélard n'est que
trop bien renseigné. Il vient de tenter un effort suprême
pour faire comprendre à Héloïse qu'elle est désormais
l'épouse du Christ ; mais Héloïse a trouvé moyen de répondre, sans en parler, par la seule suscription de sa
lettre : oui, j'appartiens à l'espèce des épouses du Christ,
mais il n'y a qu'une seule femme d'Abélard, et c'est moi.*

---

1. Lettre II.
2. Lettre IV.
3. Lettre VI. Sur le sens de cette formule, voir Ch. DE RÉMUSAT, *Abélard*,
1845, t. I, p. 160. Rémusat a fort bien traduit par : « à Dieu par l'espèce,
à lui comme individu », ce qui veut dire : « La religieuse est à Dieu, la
femme est à toi. »

*Héloïse est une épouse qui, engagée par Abélard dans un
état de perfection religieuse dont elle n'a pas la vocation
et ne sent pas la grâce, ne dispose que d'un appui naturel
pour s'y maintenir : l'amour qu'elle porte à son époux.*

Rien d'inconcevable à cela, et rien d'autre même qui
soit recevable pour qui s'en tient aux textes tels qu'ils
nous sont parvenus. Si c'est bien à cette conclusion que
conduit l'histoire, on peut ajouter que l'histoire ne nous
conduira jamais plus loin. Mais il se peut que l'histoire
nous propose ici un problème qu'elle-même est incapable
de résoudre. On ne saurait le mieux formuler que ne l'a
fait Ch. de Rémusat, lorsqu'il conclut, comme une évidence historique : « Héloïse se conforma aux volontés
d'Abélard et pour lui à tous les devoirs de son état. Sous
la déférence de la religieuse, elle cacha le dévouement de
la femme... Mais inconsolable et indomptée, elle obéit et
ne se soumit pas ; elle accepta tous ses devoirs, sans en
faire beaucoup de cas, et son âme n'aima jamais ses vertus[1]. » Pas un mot, dans ce jugement si ferme, qui n'exprime exactement la vérité telle qu'elle ressort des textes ;
et pourtant, sans qu'il paraisse s'en apercevoir, quel re-
doutable problème de Rémusat ne soulève-t-il pas en
formulant ces évidences ! Car si ces mots ont un sens, ils
signifient qu'Héloïse mena quarante ans d'une vie religieuse irréprochable sans en avoir reçu la grâce, et quarante ans d'une vie de pénitence des plus rudes sans croire
à son efficacité religieuse[2]. Abélard lui-même a refusé de
croire que tels fussent vraiment les sentiments d'Héloïse,
et l'on conçoit assez qu'il l'ait fait : la responsabilité de
cette affreuse tragédie était trop lourde à porter pour qu'il
n'ait pas eu le désir d'en nier l'existence. Peut-être
n'avait-il pas entièrement tort. Il a donc accusé Héloïse

1. Ch. DE RÉMUSAT, *Abélard*, t. I, p. 160.
2. Il s'agit des lettres VII et VIII (N.d.É.).

*de coquetterie. Le cœur humain est complexe et le senti-
ment le plus tragiquement sincère peut s'y accompagner
de beaucoup d'autres qui le sont moins. Qu'Héloïse ait
voulu proclamer au monde sa misère était déjà un peu
moins pur que de la supporter en silence. Qu'elle y ait
trouvé une sorte d'amère volupté ne serait pas chose impossible. Qu'elle se soit complue dans son malheur
comme dans son plus sûr titre de gloire et que cette complaisance même en ait entretenu l'amertume, ce sont là
choses à peu près certaines ; mais, quand tout cela serait
prouvé, il n'en résulterait aucunement que les sentiments
dont elle se fit gloire n'aient pas été vraiment les siens,
ni que leur profondeur n'ait pas égalé leur sincérité. Nul
ne peut se flatter de scruter les consciences et Héloïse
elle-même n'a pas tout su de son propre cas ; elle ne s'est
du moins jamais démentie, et si elle-même n'a pas tout
su, nous ne saurions, sans ridicule, prétendre en savoir
davantage. Que son cas nous semble mystérieux ou non,
nous n'avons rien d'autre à faire que de l'accepter tel qu'il
est.*

Étienne Gilson

Correspondance

Lettre première

HISTOIRE DES MALHEURS
D'ABÉLARD ADRESSÉE À UN AMI

Souvent l'exemple a plus d'effet que la parole pour exciter ou pour calmer les passions humaines[1]. Aussi, après les consolations que j'ai pu t'offrir directement dans notre entretien, je veux, de loin, te mettre sous les yeux, dans une lettre animée des mêmes sentiments, le tableau de mes propres infortunes : j'espère qu'en comparant mes malheurs et les tiens, tu reconnaîtras que tes épreuves ne sont rien ou qu'elles sont peu de chose, et que tu auras moins de peine à les supporter.

Je suis originaire d'un bourg situé à l'entrée de la Bretagne[2], à huit milles environ de Nantes, vers l'est, et appelé le Pallet[3]. Si je dois à la vertu de ma terre et de ma lignée certaine légèreté d'esprit, j'en reçus en même temps le goût de la culture littéraire. Mon père, avant de ceindre le baudrier du soldat, avait quelque teinture des lettres[4] ; et, plus tard, il se prit pour elles d'une telle passion, qu'il voulut que tous ses fils fussent instruits des lettres avant de l'être du métier des armes. Et ainsi fut-il réalisé. J'étais son premier-né[5] ; plus je lui étais cher à ce titre, plus il s'occupa de mon instruction. Moi, de mon côté, les progrès que je fis dans l'étude m'y attachèrent avec une ardeur croissante, et tel fut bientôt le charme qu'elle exerça sur mon esprit, que, renonçant à l'éclat de la gloire des armes, à ma part d'héritage, à mes privilèges de droit d'aînesse [1], j'abandonnai définitivement la cour de Mars pour me réfugier dans le sein de Minerve [2]. Préférant à tous les enseignements de la philosophie la dialectique et son arsenal, j'échangeai les armes de la guerre contre celles de la logique et sacrifiai les trophées des batailles aux assauts de la dispute. C'est pourquoi je parcourus les provinces en disputant [3], me transportant partout où j'entendais dire que l'étude de cet art était en honneur, en véritable émule des péripatéticiens [4].

J'arrivai enfin à Paris [5], où depuis longtemps la dialectique était particulièrement florissante, auprès de Guillaume de Champeaux, qui devint mon maître, alors considéré, à juste titre, comme le premier dans cet enseignement ; mais, bien reçu d'abord, je ne tardai pas à lui devenir incommode, parce que je m'attachais à réfuter certaines de ses idées, et que, ne craignant pas en mainte occasion d'argumenter contre lui, j'avais parfois l'avantage dans la dispute. Cette hardiesse excitait aussi l'indignation de ceux de mes condisciples qui étaient regardés comme les premiers, indignation d'autant plus grande que j'étais le plus jeune et le dernier venu [6]. Tel fut le commencement de la série de mes malheurs, qui durent encore : ma renommée grandissant chaque jour davantage, l'envie des autres s'alluma contre moi.

Enfin, présumant de mon esprit au-delà des forces de mon âge, j'osai, tout jeune encore, aspirer à devenir chef d'école, et déjà j'avais marqué dans ma pensée le théâtre de mon action : c'était Melun, ville importante alors et résidence royale [7]. Mon maître soupçonna ce dessein et mit sourdement en œuvre tous les moyens dont il disposait pour reléguer ma chaire plus loin de la sienne, cherchant, avant que je ne quittasse son école, à m'empêcher de former la mienne et à m'enlever le lieu que j'avais choisi. Mais il avait des jaloux parmi les puissants du pays : avec leur concours, j'arrivai à mes fins ; la manifestation de son envie me valut même nombre de sympathies.

Dès mes premières leçons, ma réputation de dialecticien prit une extension telle, que la renommée de mes condisciples, celle de Guillaume lui-même, peu à peu resserrée, en fut comme étouffée[1]. Le succès augmentant ma confiance, je m'empressai de transporter mon école à Corbeil[2], ville voisine de Paris, afin de pouvoir plus à l'aise multiplier les assauts. Mais peu après, atteint d'une maladie de langueur causée par un excès de travail, je dus retourner dans mon pays natal ; et pendant quelque temps tenu éloigné de France[3], j'étais ardemment regretté par tous ceux que tourmentait le goût de la dialectique. Quelques années s'étaient écoulées, depuis longtemps déjà j'étais rétabli, quand mon illustre maître, Guillaume, archidiacre de Paris[4], changea d'état pour entrer dans l'ordre des clercs réguliers[5], avec la pensée, disait-on, que paraître plus religieux le mènerait dans la voie des dignités ; ce qui ne tarda pas, en effet, à se produire[6] : il fut fait évêque de Châlons[7]. Ce changement d'état toutefois ne lui fit abandonner ni le séjour de Paris ni ses études de philosophie, et dans le monastère même où il était entré en religion, il rouvrit aussitôt un cours public d'enseignement. Je revins alors auprès de lui, pour étudier la rhétorique à son école. Entre autres luttes de controverses, j'arrivai, par l'argument le plus irréfutable, à lui faire changer, bien plus, à ruiner sa doctrine des universaux. Sur la communauté des universaux[8], sa doctrine consistait à affirmer l'identité parfaite de l'essence dans tous les individus de même genre, en telle sorte que, selon lui, il n'y avait point différence dans l'essence, mais seulement dans l'infinie variété des accidents. Il en vint alors à amender cette doctrine, c'est-à-dire qu'il affirmait, non plus l'identité de l'essence, mais son indifférence. Et comme cette question des universaux avait toujours été une des questions les plus importantes de la dialectique, si importante que Porphyre, la touchant dans son *Isagoge*, n'osait prendre sur lui de la trancher et disait[1] : « C'est là un point très profond », Champeaux, qui avait été obligé de modifier sa pensée, puis d'y renoncer, vit son cours tomber dans un tel discrédit, qu'on lui permettait à peine de faire sa leçon de dialectique, comme si la dialectique eût consisté tout entière dans la question des universaux.

Cette situation donna à mon enseignement tant de force et d'autorité, que les partisans les plus passionnés de ce grand maître et mes adversaires les plus violents l'abandonnèrent pour accourir à mes leçons ; le successeur de Champeaux lui-même vint m'offrir sa chaire et se ranger[2], avec la foule, au nombre de mes auditeurs, dans l'enceinte où avait jadis brillé d'un si vif éclat son maître et le mien.

Au bout de peu de temps, je régnais donc sans partage dans le domaine de la dialectique. Quel sentiment d'envie desséchait Guillaume, quel levain d'amertume fermentait dans son cœur, il ne serait point facile de le dire[3]. Il ne put pas longtemps contenir les bouillonnements de son ressentiment ; il chercha encore une fois à m'écarter par la ruse. N'ayant point de motif pour me faire une guerre ouverte, il fit destituer, sur une accusation infamante, celui qui m'avait cédé sa chaire, et en mit un autre à sa place pour me tenir en échec. Alors, revenant moi-même à Melun, je rétablis mon école, et plus les coups dont l'envie me poursuivait étaient ouverts, plus je gagnais en considération, suivant le mot du poète[1] : « La grandeur est en butte à l'envie ; c'est contre les cimes élevées que se déchaînent les vents. »

Peu de temps après, sentant que son entrée en religion était suspecte à la plupart de ses disciples et qu'on murmurait tout haut au sujet de sa conversion[2] qui ne lui avait pas fait quitter Paris, il se transporta, lui, sa petite confrérie et son école, dans une campagne, à quelque distance de la capitale. Aussitôt je revins de Melun à Paris, avec l'espérance qu'il me laisserait la paix. Mais puisqu'il avait fait occuper ma place par un rival, comme je l'ai dit, j'allai établir mon camp hors de la ville, sur la montagne Sainte-Geneviève[3], comme pour faire le siège de celui qui occupait ma place. À cette nouvelle, Guillaume, perdant toute pudeur, revint incontinent à Paris, ramenant ce qu'il pouvait avoir encore de disciples et sa petite confrérie dans son ancien cloître, comme pour délivrer le lieutenant qu'il y avait laissé. Mais, en voulant le servir, il le perdit. En effet, le malheureux avait encore quelques disciples tels quels, à cause de ses leçons sur Priscien qui lui avaient valu quelque réputation. Notre maître à peine de retour, il les perdit tous, dut renoncer à tenir école, et peu après, désespérant de la gloire de ce monde, il se convertit, lui aussi, à la vie monastique[4]. Quelles furent les disputes que mes élèves soutinrent avec Guillaume et ses disciples après son retour à Paris, quels succès la fortune nous donna dans ces rencontres, quelle part il m'en revint, vous le savez depuis longtemps par les faits mêmes. Ce que je puis dire avec un sentiment plus modeste qu'Ajax, mais avec audace, c'est que, « si vous demandez quelle a été l'issue de ce combat, je n'ai point été vaincu par mon ennemi[5] ». Je voudrais n'en rien dire, que les faits parleraient d'eux-mêmes, et leur issue le manifesterait[1].

Sur ces entrefaites, Lucie, ma tendre mère, me pressa de revenir en Bretagne. Bérenger, mon père, avait pris l'habit monastique ; elle se préparait à faire de même[2]. La cérémonie accomplie, je revins en France, particulièrement dans l'intention d'étudier la science sacrée. Guillaume, qui l'enseignait depuis quelque temps, avait commencé à s'y faire un nom dans son évêché de Châlons : il avait reçu les leçons d'Anselme de Laon, le maître le plus autorisé de ce temps[3].

J'allai donc entendre ce vénérable vieillard. C'était à la routine, il est vrai, plutôt qu'à l'intelligence et à la mémoire qu'il devait sa réputation[4]. Allait-on frapper à sa porte et le consulter sur une question douteuse, on en revenait avec plus de doutes. Admirable aux yeux d'un auditoire, dans une entrevue de consultation il était nul. Il avait une merveilleuse facilité de parole, mais le fond était sans valeur et manquait de sens. Lorsqu'il allumait un feu, il remplissait la maison de fumée, mais ne l'éclairait pas. C'était un arbre tout en feuilles qui, de loin, présentait un aspect imposant : de près, et quand on l'examinait avec attention, on le trouvait stérile. Je m'en étais approché pour recueillir du fruit ; je reconnus que c'était le figuier maudit par le Seigneur, ou le vieux chêne auquel Lucain compare Pompée dans ces vers[5] : « Ce n'est plus que l'ombre d'un grand nom : tel le chêne altier dans une campagne féconde. »

La chose reconnue, je ne demeurai pas longtemps oisif sous son ombre. Je me montrai de moins en moins assidu à ses leçons. Quelques-uns de ses disciples les plus distingués en étaient blessés, comme d'une marque de mépris pour un tel docteur[6]. L'excitant donc sourdement contre moi, ils parvinrent, par leurs suggestions perfides, à l'émouvoir de jalousie. Un jour, après une séance de controverse, nous devisions familièrement entre camarades : l'un d'eux, m'ayant demandé, pour me mettre à l'épreuve, ce que je pensais de la lecture des livres saints, moi qui n'avais encore étudié que la philosophie, je répondis que c'était la plus salutaire des lectures, puisqu'elle nous éclairait sur le salut de notre âme, mais que j'étais extrêmement étonné que des gens instruits ne se contentassent point, pour expliquer la Bible, du texte même et de la glose, et qu'il leur fallût un commentaire[1]. Cette réponse fut accueillie par un rire presque général. On me demanda si je me sentais la force et la hardiesse d'entreprendre une pareille tâche. Je répondis que j'étais prêt à en faire l'épreuve, si l'on voulait. Se récriant alors, et riant de plus belle : « Assurément, dirent-ils, nous y consentons de grand cœur. — Eh bien ! repris-je, qu'on cherche et qu'on me donne un texte peu connu avec une seule glose, et je soutiendrai le défi. »

D'un commun accord, ils choisirent une obscure prophétie d'Ézéchiel. Je pris le texte, et je les invitai à venir, dès le lendemain[2], entendre mon commentaire. Me prodiguant alors des conseils que je ne voulais pas entendre, ils m'engageaient à ne point précipiter une telle épreuve et, vu mon inexpérience, à prendre plus de temps pour trouver et arrêter ma présentation. Piqué au vif, je répondis que j'avais l'habitude de compter non sur le temps, mais sur mon intelligence ; j'ajoutai que je renonçais à l'épreuve, s'ils ne venaient m'entendre sans autre délai. Ma première leçon réunit, il est vrai, peu de monde : il paraissait ridicule à tous de me voir si vite aborder cet exercice, comme si j'étais particulièrement instruit des livres saints. Cependant, tous ceux qui

m'entendirent furent tellement ravis de cette séance,
qu'ils en firent un éloge éclatant, et m'engagèrent à donner suite à mon commentaire suivant la même méthode[1]. La chose ébruitée, ceux qui n'avaient pas assisté à
la première leçon s'empressèrent à la seconde et à la
troisième, tous transcrivant les gloses et particulièrement jaloux de retrouver ce que j'avais dit au début de
ce cours[2].

Ce succès alluma l'envie du vieil Anselme. Déjà ai-
guillonné contre moi, comme je l'ai dit, par certaines
instigations malveillantes, il commença à me persécuter
pour mes leçons théologiques, comme autrefois Guillaume pour la philosophie.

Il y avait alors, dans son école, deux disciples qui
passaient pour avoir la prééminence sur tous les autres.
C'étaient Albéric de Reims et Lotulphe de Lombardie.
Ils étaient d'autant plus animés contre moi qu'ils avaient
d'eux-mêmes une plus haute idée. L'esprit troublé par
leurs insinuations, ainsi que j'en eus plus tard la preuve,
le vieillard m'interdit brutalement de continuer dans le
lieu de son enseignement le commentaire que j'avais
commencé, sous le prétexte que les erreurs que je pourrais commettre, dans mon inexpérience de la matière,
seraient mises à sa charge.

La nouvelle de cette interdiction répandue dans
l'école, l'indignation fut grande : jamais l'envie n'avait
si ouvertement manifesté ses coups. Mais plus l'attaque
était manifeste, plus elle tournait à mon honneur, et les
persécutions ne firent qu'accroître ma renommée[3].

Je revins donc quelques jours après à Paris ; je repris
possession des écoles qui m'étaient offertes, auxquelles
j'étais appelé depuis si longtemps, et dont j'avais été
expulsé : je les occupai tranquillement pendant quelques années. Dès l'ouverture des cours, reprenant les

textes d'Ézéchiel dont j'avais commencé l'explication à Laon, je pris à tâche d'en terminer l'étude. Ces leçons furent si bien accueillies, que bientôt le crédit du théologien ne parut pas moins grand que n'avait été autrefois celui du philosophe. L'enthousiasme multipliait le nombre des auditeurs de mes deux cours ; quels bénéfices[1] ils me rapportaient et quelle gloire, tu le sais : la renommée n'a pas pu te le cacher. Mais la prospérité enfle toujours les sots ; la sécurité de ce monde énerve la vigueur de l'âme et en brise facilement les ressorts par les attraits de la chair. Me croyant désormais le seul philosophe sur terre, ne voyant plus aucune attaque à redouter, je commençai, moi qui avais toujours vécu dans la plus grande continence, à lâcher la bride à mes passions ; et plus j'avançais dans la voie de la philosophie et de la théologie, plus je m'éloignais, par l'impureté de mes mœurs, des philosophes et des saints. Car il est certain que les philosophes ne pouvant être encore saints, je veux dire ne pouvant appliquer leur cœur aux préceptes de l'Écriture, ont dû leur grandeur surtout à leur chasteté[2]. J'étais donc dévoré par la fièvre de l'orgueil et de la luxure ; la grâce divine vint me guérir malgré moi de ces deux maladies ; de la luxure d'abord, puis de l'orgueil : de la luxure, en me privant des moyens de la satisfaire ; de l'orgueil de la science des lettres, suivant cette parole de l'apôtre[3] : « La science enfle le cœur », en m'humiliant par la condamnation au feu du livre fameux[4] dont je tirais particulièrement vanité. Je veux t'initier à cette double histoire ; je veux que tu la connaisses non par les rumeurs, mais par l'exposition même des faits ; je suivrai l'ordre des événements.

J'avais de l'aversion pour les commerces impurs des prostituées ; la préparation laborieuse de mes leçons ne

me permettait guère de fréquenter la société des
femmes de noble naissance ; j'étais aussi presque sans
relations avec celles de la bourgeoisie[1]. La fortune me
caressant, comme on dit, pour me trahir, trouva un
moyen séduisant pour me faire tomber du faîte de ces
hauteurs, et ramener, par l'humiliation, au sentiment du
devoir envers Dieu le cœur superbe qui avait méconnu
les bienfaits de sa grâce.

Il y avait dans la ville même de Paris une jeune fille
nommée Héloïse[2], nièce d'un chanoine appelé Fulbert,
lequel, dans sa tendresse, n'avait rien négligé pour la
pousser dans l'étude de toute science des lettres[3]. Phy-
siquement, elle n'était pas des plus mal ; par l'étendue
du savoir, elle était des plus distinguées. Plus cet avantage de l'instruction est rare chez les femmes, plus il
ajoutait d'attrait à cette jeune fille : aussi était-elle déjà
en grand renom dans tout le royaume[4]. La voyant[5]
donc parée de tous les charmes qui attirent les amants,
je pensai qu'il serait agréable de nouer avec elle une
liaison amoureuse, et je crus que rien ne serait plus
facile. J'avais une telle renommée, une telle grâce de
jeunesse[6] et de beauté, que je pensais n'avoir aucun refus à craindre, quelle que fût la femme que j'honorasse
de mon amour. Je me persuadai d'ailleurs que la jeune
fille répondrait à mes désirs d'autant plus volontiers,
qu'elle était instruite et avait le goût de l'instruction ;
même séparés, nous pourrions nous rendre présents
l'un à l'autre par un échange de lettres et écrire des
choses plus hardies que dans nos entretiens ; ainsi se
perpétueraient des entretiens délicieux.

Tout enflammé de passion pour cette jeune fille, je
cherchai l'occasion de nouer des rapports intimes et
journaliers qui la familiariseraient avec moi et l'amène-
raient plus aisément à céder. Pour y arriver, j'entrai en

relation avec son oncle par l'intermédiaire de quelques-
uns de ses amis ; ils l'engagèrent à me prendre dans sa
maison, qui était très voisine de mon école[1], moyennant
une pension dont il fixerait le prix. J'alléguai pour motif
que les soins d'un ménage nuisaient à mes études et
m'étaient trop onéreux. Fulbert aimait l'argent et il était
très soucieux de faire toujours progresser sa nièce dans
la connaissance des lettres. En flattant ces deux passions, j'obtins sans peine son consentement, et j'arrivai
à ce que je souhaitais : il se jeta sur l'argent et crut que
sa nièce profiterait de mon savoir. Répondant même à
mes vœux sur ce point au-delà de toute espérance, et
servant lui-même mon amour, il confia Héloïse à ma
direction pleine et entière, m'invita à consacrer à son
éducation tous les instants de loisir que me laisserait
l'école, la nuit comme le jour, et quand je la trouverais
en faute, à ne pas craindre de la châtier. Sur ce point je
fus absolument stupéfait de sa naïveté : confier ainsi
une tendre brebis à un loup affamé ! Me la donner non
seulement à instruire, mais à châtier sévèrement, était-
ce autre chose que d'offrir toute licence à mes désirs et
me fournir, fût-ce contre mon gré, l'occasion de triompher par les menaces et par les coups, si les caresses
étaient impuissantes ? Mais deux choses écartaient de
l'esprit de Fulbert tout soupçon d'infamie : la tendresse
filiale de sa nièce et ma réputation de continence[2].

Que dire de plus ? Nous fûmes d'abord réunis par le
même toit, puis par le cœur. Sous prétexte d'étudier,
nous étions donc tout entiers à l'amour ; ces mystérieux
entretiens, que l'amour appelait de ses vœux, les leçons
nous en ménageaient l'occasion. Les livres étaient ouverts, mais il se mêlait plus de paroles d'amour que de
philosophie, plus de baisers que d'explications ; mes
mains revenaient plus souvent à ses seins qu'à nos

livres ; nos yeux se cherchaient, réfléchissant l'amour, plus souvent qu'ils ne se portaient sur les textes. Pour mieux éloigner les soupçons, j'allais parfois jusqu'à la frapper, coups donnés par l'amour, non par l'exaspération, par la tendresse, non par la haine, et ces coups dépassaient en douceur tous les baumes[1]. Que vous dirais-je ? dans notre ardeur, nous avons traversé toutes les phases de l'amour ; tout ce que la passion peut imaginer de raffinement insolite, nous l'avons ajouté. Plus ces joies étaient nouvelles pour nous, plus nous les prolongions avec ardeur : nous ne pouvions nous en lasser.

Cependant, à mesure que la passion du plaisir m'envahissait, je pouvais de moins en moins vaquer à la philosophie et prendre soin de mon enseignement. C'était pour moi un violent ennui d'y aller ou d'y rester ; c'était aussi une fatigue, mes nuits étant données à l'amour, mes journées au travail. Je ne faisais plus mes leçons qu'avec indifférence et tiédeur ; je ne parlais plus d'inspiration, je produisais tout de mémoire : je ne faisais guère que répéter mes anciennes leçons, et si j'avais assez de liberté d'esprit pour composer quelques pièces de vers, c'était l'amour, non la philosophie qui me les dictait. De ces vers, vous le savez, la plupart, devenus populaires en maint pays, sont encore chantés fréquemment par ceux qui connaissent le bonheur d'une vie semblable[2].

Quelles furent la tristesse, la douleur, les plaintes de mes élèves, quand ils s'aperçurent de la préoccupation, que dis-je ? du trouble de mon esprit, on peut à peine s'en faire une idée.

Une chose aussi visible ne pouvait guère échapper qu'à celui à la honte duquel elle tournait, je veux dire surtout à l'oncle de la jeune fille. On avait essayé de lui donner des inquiétudes, il n'avait pu le croire, d'abord, ainsi que je l'ai dit, à cause de l'affection sans bornes qu'il avait pour sa nièce, ensuite à cause de ma réputation de continence. On ne croit pas aisément à l'infamie de ceux qu'on aime, et, dans un cœur rempli d'une tendresse profonde, il n'y a point place pour les souillures du soupçon. De là vient que le bienheureux Jérôme écrit dans sa lettre à Castricien[1] : « Nous sommes toujours les derniers à connaître les plaies de notre maison, et nous ignorons encore les vices de nos enfants et de nos épouses, quand déjà les voisins en ricanent. » Mais ce qu'on apprend après les autres, on finit toujours par l'apprendre, et ce qui est connu de tous ne peut rester caché à un seul. Ce fut ce qui, après quelques mois, nous arriva. Quel déchirement pour l'oncle à cette découverte ! Quelle douleur pour les amants contraints de se séparer ! Quelle honte, quelle confusion pour moi ! De quel cœur brisé fus-je affligé de l'affliction de la jeune fille ! et quels flots de désespoir souleva dans son âme la pensée de mon propre déshonneur ! Nous gémissions chacun, non sur notre propre sort, mais sur le sort de l'autre ; chacun de nous déplorait l'infortune de l'autre, non la sienne. Mais la séparation des corps ne faisait que resserrer nos cœurs ; privé de toute satisfaction, notre amour s'en enflammait davantage[2] ; une fois la honte passée, la passion nous ôta toute pudeur, le sentiment de la honte nous devenait d'autant plus indifférent que la jouissance de la possession était plus douce. Il nous arriva donc ce que les poètes racontent de Mars et de Vénus, quand ils furent surpris[3]. Peu après, la jeune fille sentit qu'elle était mère, et elle me l'écrivit aussitôt avec des transports d'allégresse[4], me consultant sur ce qu'elle devait faire. Une nuit, pendant l'absence de son oncle, je l'enlevai, ainsi que nous en étions convenus, et je la fis immédiatement passer en

Bretagne, où elle resta chez ma sœur jusqu'au jour où elle donna naissance à un fils qu'elle nomma Astrolabe[1].

Cette fuite rendit Fulbert comme fou ; il faut avoir été témoin de la violence de sa douleur, des abattements de sa honte, pour en concevoir une idée. Que faire contre moi ? Quelles embûches me tendre ? Il ne le savait. Me tuer, me mutiler ? Avant tout, il craignait d'appeler les représailles des miens, en Bretagne, sur sa nièce chérie. Se saisir de moi pour me mettre en prison était chose impossible : je me tenais en garde, convaincu qu'il était homme à oser tout ce qu'il pourrait, tout ce qu'il croirait pouvoir faire.

Enfin, touché de compassion pour l'excès de sa douleur et m'accusant moi-même de la tromperie que lui avait faite mon amour, comme de la dernière des trahisons, j'allai le trouver ; je le suppliai, je lui promis toutes les réparations qu'il lui plairait d'exiger ; je protestai que ce que j'avais fait ne surprendrait aucun de ceux qui avaient éprouvé la violence de l'amour et qui savaient dans quels abîmes, depuis la naissance du monde, les femmes avaient précipité les plus grands hommes. Pour mieux l'apaiser encore, je lui offris une satisfaction qui dépassait tout ce qu'il avait pu espérer : je lui proposai d'épouser celle que j'avais séduite[2], à la seule condition que le mariage fût tenu secret, afin de ne pas nuire à ma réputation. Il accepta, il m'engagea sa foi et celle des siens, et scella de ses baisers la réconciliation que je sollicitais. C'était pour me mieux trahir[3].

J'allai aussitôt en Bretagne, afin d'en ramener mon amie et d'en faire ma femme. Mais elle n'approuva pas le parti que j'avais pris ; bien plus, elle me détourna de le suivre pour deux raisons : le danger d'abord, puis le déshonneur auquel j'allais m'exposer. Elle jurait qu'aucune satisfaction n'apaiserait son oncle ; et la suite le prouva. Elle demandait quelle gloire on pouvait tirer d'un mariage qui ruinerait ma gloire et l'humilierait, elle comme moi. Et puis quelle expiation le monde ne serait-il pas en droit d'exiger d'elle, si elle lui enlevait une si grande lumière ! Quelles malédictions elle appellerait sur sa tête ! Quel préjudice ce mariage porterait à l'Église[1] ! Quelles larmes il coûterait à la philosophie ! Quel acte indécent et lamentable, moi que la nature avait créé pour tous, de m'asservir à une seule femme et de me soumettre à une si grande honte ! Elle repoussait donc énergiquement cette union comme un déshonneur et comme une charge pour moi. Elle me représentait à la fois l'infamie et les difficultés du mariage, difficultés que l'apôtre nous exhorte à éviter quand il dit[2] : « Es-tu libre d'épouse ? ne cherche point d'épouse. Se marier, pour l'homme, n'est point pécher ; ce n'est point pécher non plus pour une vierge. Cependant ils seront soumis aux tribulations de la chair, et je veux vous épargner. » Et encore[3] : « Je veux que vous soyez sans inquiétude. » Si je ne me rendais ni au conseil de l'apôtre, ni aux exhortations des saints sur le poids du joug conjugal, je devais au moins, disait-elle, écouter les philosophes et prendre en considération ce qui avait été écrit, à ce sujet, soit par eux soit pour eux. C'est ce que font souvent les saints pour nous avertir avec zèle. Ainsi, Jérôme — contre Jovinien, livre I[4] — rappelle que Théophraste, après avoir retracé en détail les intolérables ennuis du mariage et ses perpétuelles inquiétudes, prouve, par les arguments les plus convaincants, que le sage ne doit pas se marier, et couronne lui-même ces conseils de la philosophie par cette observation : « Quel est le chrétien qui ne serait pas confondu par l'argumentation de Théophraste ? » Dans le même livre[5], continuait-elle, Cicéron, sollicité par Hircius d'épouser sa sœur après la répudiation de Terentia, s'y refusa formellement, disant qu'il ne pouvait donner à égalité ses soins à une femme et à la philosophie. Il ne dit pas « donner ses soins », mais il ajoute « à égalité », ne voulant rien faire qui pût l'occuper autant que l'étude de la philosophie.

Mais ne parlons pas, poursuivait-elle, des entraves qu'une femme apporterait à tes études de philosophie, et songe à la situation que te donnerait une alliance légitime. Quel rapport peut-il y avoir entre les travaux de l'école et le train d'une maison, entre un pupitre et un berceau, un livre ou une tablette et une quenouille, un style ou une plume et un fuseau ? Est-il un homme qui, livré aux méditations de l'Écriture ou de la philosophie, puisse supporter les vagissements d'un nouveau-né, les chants de la nourrice qui l'endort, le va-et-vient du service, hommes et femmes de la maison, les odeurs incessantes et la malpropreté de l'enfance[1] ? Les riches le font bien, diras-tu : oui, sans doute, parce qu'ils ont dans leurs palais ou dans leurs vastes demeures des appartements réservés, parce que leur opulence ne regarde pas à la dépense et n'est pas tourmentée par les soucis de chaque jour. Mais la condition des philosophes n'est pas la même que celle des riches, et ceux qui cherchent la fortune ou dont la vie appartient aux choses de ce monde ne se livrent guère à l'étude de l'Écriture ou de la philosophie[2]. Aussi voyons-nous les philosophes célèbres du temps passé, pleins de mépris pour le monde, quittant, voire fuyant le siècle, s'interdire toute espèce de plaisir et ne se reposer que dans les bras de la philosophie. C'est ainsi que l'un d'eux, le grand Sénèque, dit dans ses lettres à Lucilius[3] : « Ce n'est pas dans ses moments perdus qu'il convient de se livrer à la philosophie : il faut tout négliger pour s'y livrer sans partage ; on ne lui donnera jamais assez de temps. La laisser de côté pour un moment, c'est presque même chose que d'y renoncer. Toute interruption en fait perdre le fruit. Il faut donc résister aux occupations, et, loin de les mener à bien, les écarter loin de soi. » Ce que les moines véritablement dignes de ce nom acceptent chez nous en vue de l'amour de Dieu, tous les philosophes distingués l'ont pratiqué par amour de la philosophie. Chez tous les peuples, en effet, gentils, juifs ou chrétiens, il s'est de tout temps rencontré des hommes s'élevant au-dessus des autres par la foi ou par la sévérité des mœurs, et se séparant de la foule par une continence ou par une austérité singulières. Tels furent, dans l'antiquité, chez les Juifs, les Nazaréens[1] qui se consacraient au service du Seigneur suivant la loi, et les fils des prophètes, sectateurs d'Élie et d'Élisée que l'Ancien Testament, d'accord avec le témoignage du bienheureux Jérôme[2], nous représente comme des moines. Telles, plus tard, ces trois sectes de philosophie que Josèphe[3], dans son dix-huitième livre des *Antiquités*, distingue sous le nom de Pharisiens, de Saducéens et d'Esséens. Tels, chez nous, les moines qui vivent en commun, suivant l'exemple des apôtres, ou qui prennent pour modèle la vie solitaire et primitive de Jean[4]. Tels enfin, chez les Gentils, les philosophes ; car c'est moins à l'intelligence de la science qu'à l'austérité de la conduite que ce nom de sagesse ou de philosophie était attribué, ainsi que nous l'apprennent l'étymologie du mot et le témoignage des saints, comme le dit le bienheureux Augustin dans ce passage du huitième livre de la *Cité de Dieu*[5] où il établit la distinction des philosophes : « L'école italique eut pour fondateur Pythagore de Samos qui passe pour avoir donné son nom à la philosophie elle-même : avant lui, on appelait sages les hommes qui semblaient l'emporter sur les autres par un genre de vie digne d'éloge ; mais interrogé un jour sur sa profession, il répondit qu'il était philosophe, c'est-à-dire désireux d'étudier et d'aimer la sagesse, trouvant qu'on ne pouvait sans orgueil faire profession d'être sage. » Cette expression : « ceux qui semblaient l'emporter sur les autres par un genre de vie digne d'éloge » indique clairement que les sages chez les Gentils, c'est-à-dire les philosophes, devaient ce nom à leur conduite plutôt qu'à leur savoir. Quant à la sagesse de leur conduite, je ne chercherai pas à en rassembler les preuves ; je ne veux pas avoir l'air de faire la leçon à Minerve. Mais si les laïques et les Gentils ont ainsi vécu, sans être astreints à aucune espèce de vœux religieux, toi qui es clerc et revêtu du canonicat, iras-tu préférer des voluptés honteuses à ton ministère sacré[1], te précipiter dans ce gouffre de Charybde, te plonger, bravant toute honte, dans ces obscénités ? Si tu ne tiens compte des devoirs du clerc, songe au moins à sauvegarder la dignité du philosophe. Si tu foules aux pieds le respect de Dieu, que le sentiment de l'honneur du moins mette un frein à ton impudeur. Rappelle-toi que Socrate a été marié et par quelle triste peine il expia cette tache imprimée à la philosophie, comme pour que son exemple servît à rendre les hommes plus prudents. Ce trait n'a pas échappé à Jérôme qui, dans son premier livre contre Jovinien, écrit au sujet même de Socrate[2] : « Un jour ayant voulu tenir tête à l'orage d'injures que Xantippe faisait tomber sur lui d'un étage supérieur, il fut arrosé d'eau sale : « Je savais bien », dit-il pour toute réponse, en s'essuyant la tête, « que ce tonnerre amènerait de la pluie[3] ». Enfin, parlant en son nom, elle me représentait combien il serait dangereux pour moi de la ramener à Paris, combien le titre d'amie, plus honorable pour moi, lui serait, à elle, plus cher que celui d'épouse[1], à elle qui voulait me conserver par le charme de la tendresse, non m'enchaîner par les liens du mariage ; et elle ajoutait que nos séparations momentanées rendraient les instants de réunion d'autant plus doux qu'ils seraient plus rares. Puis, voyant que ces efforts pour me convaincre et me dissuader venaient échouer contre ma folie, et n'osant me heurter de front, elle termina ainsi à travers les sanglots et les larmes : « C'est la seule chose qui nous reste à faire, si nous voulons nous perdre tous deux, et nous préparer un chagrin égal à notre amour. » Et en cela, le monde entier l'a reconnu, elle eut les lumières de l'esprit de prophétie[2].

Nous confions donc à ma sœur notre jeune enfant[3], et nous revenons secrètement à Paris. Quelques jours plus tard, après avoir passé une nuit à célébrer vigiles dans une église, à l'aube du matin, en présence de l'oncle d'Héloïse et de plusieurs de nos amis et des siens, nous fûmes unis par la bénédiction nuptiale[4]. Puis nous nous retirâmes secrètement chacun de notre côté, et dès lors nous ne nous vîmes plus qu'à de rares intervalles et furtivement, afin de tenir le plus possible notre union cachée.

Mais son oncle et sa famille, pour se venger de l'affront qu'ils avaient reçu, se mirent à divulguer le mariage et à violer envers moi la foi jurée. Héloïse protestait hautement du contraire, et jurait que rien n'était plus faux. Fulbert, exaspéré, l'accablait de mauvais traitements.

Informé de cette situation[5], je l'envoyai[6] à une abbaye de moniales voisine de Paris et appelée Argenteuil[7], où elle avait été élevée et instruite dans sa première jeunesse, et je lui fis faire et prendre, à l'exception du voile, les habits de religion en harmonie avec la vie monastique. À cette nouvelle, son oncle et ses parents ou alliés pensèrent que je m'étais joué d'eux et que j'avais mis Héloïse au couvent pour m'en débarrasser. Outrés d'indignation, ils s'entendirent, et une nuit, pendant que je reposais chez moi, dans une chambre retirée, un de mes serviteurs, corrompu par eux, les ayant introduits, ils me firent subir la plus barbare et la plus honteuse des vengeances, vengeance que le monde entier apprit avec stupéfaction : ils me tranchèrent les parties du corps avec lesquelles j'avais commis ce dont ils se plaignaient[1], puis ils prirent la fuite[2]. Deux d'entre eux qu'on put arrêter furent énucléés et châtrés. L'un d'eux était le serviteur particulièrement attaché à ma personne, que la cupidité avait poussé à la trahison.

Le matin venu, la ville entière était rassemblée autour de moi. Dire l'étonnement et la stupeur générale, les lamentations auxquelles on se livrait, les cris, les gémissements dont on me fatiguait, dont on me torturait, serait chose difficile, impossible. Les clercs surtout, et plus particulièrement mes élèves, me martyrisaient par leurs lamentations et leurs gémissements intolérables. Je souffrais de leur compassion plus que de ma blessure ; je sentais ma honte plus que ma mutilation ; j'étais plus accablé par la confusion que par la douleur. Mille pensées se présentaient à mon esprit : de quelle gloire je jouissais encore naguère ; avec quelle facilité elle avait été, en un moment, abaissée, détruite ! Combien était juste le jugement de Dieu qui me frappait dans la partie de mon corps qui avait péché ! Combien étaient légitimes les représailles de Fulbert qui m'avait rendu trahison pour trahison ! Quelle exaltation, chez mes ennemis, à la vue de cette si manifeste équité ! Quelle peine inconsolable ma plaie porterait dans l'âme de mes parents et de mes amis ! Avec quel essor l'histoire de ce déshonneur sans précédent allait se répandre dans le monde entier ! Où passer maintenant ? Avec quelle contenance me produire en public ? J'allais être montré au doigt par tout le monde, déchiré par toutes les langues, devenir pour tous un monstrueux spectacle. Ce qui contribuait encore à m'atterrer, c'était la pensée que, selon la lettre meurtrière de la loi, les eunuques sont en telle abomination devant Dieu, que les hommes réduits à cet état par l'amputation ou l'écrasement des testicules sont repoussés du seuil de l'Église comme fétides et immondes, et que les animaux eux-mêmes, lorsqu'ils sont ainsi mutilés, sont rejetés du sacrifice. Au Livre des Nombres, chapitre LXXIV[1] : « Tout animal dont les testicules ont été froissés, écrasés, coupés ou enlevés, ne sera pas offert au Seigneur », dit le *Lévitique* ; et dans le *Deutéronome*, chapitre XXI[2] : « L'eunuque, dont les testicules auront été écrasés ou amputés, n'entrera point dans l'assemblée de Dieu. » Dans cet état d'abattement et de confusion, ce fut, je l'avoue, un sentiment de honte plutôt que le vœu de changer de vie qui me poussa vers l'ombre d'un cloître[3]. Héloïse, suivant mes ordres avec abnégation, avait déjà pris le voile et était entrée dans un monastère.

Nous revêtîmes donc tous deux en même temps l'habit religieux, moi dans l'abbaye de Saint-Denis[4], elle, dans le couvent d'Argenteuil dont j'ai parlé plus haut. On voulait, je m'en souviens, soustraire sa jeunesse au joug de la règle monastique, comme à un insupportable supplice, on s'apitoyait sur son sort ; elle ne répondit qu'en laissant échapper à travers les pleurs et les sanglots la plainte de Cornélie[5] :

Ô le sublime époux !
Si peu digne d'être contraint à ma couche !

> Mon destin avait-il ce droit sur pareille tête ?
> Pourquoi, impie que je suis, t'ai-je épousé,
> Si c'est pour ton malheur ?
> Reçois mon châtiment en expiation :
> Je veux m'en acquitter avec abnégation.

C'est en prononçant ces mots qu'elle s'avança vers l'autel, reçut des mains de l'évêque le voile béni et prononça publiquement le serment de la profession monastique[1].

À peine étais-je convalescent de ma blessure, qu'accourant en foule, les clercs commencèrent à fatiguer notre abbé, à me fatiguer moi-même de leurs prières : ils voulaient que ce que j'avais fait jusque-là par amour de l'argent ou de la gloire, je le fisse maintenant pour l'amour de Dieu ; ils disaient que le talent dont le Seigneur m'avait doté, il m'en demanderait compte avec usure, que je ne m'étais guère encore occupé que des riches, que je devais me consacrer maintenant à l'éducation des pauvres ; que je ne pouvais méconnaître, que si la main de Dieu m'avait touché, c'était afin qu'affranchi des séductions de la chair et de la vie tumultueuse du siècle, je pusse me livrer à l'étude des lettres, et de philosophe du monde devenir le vrai philosophe de Dieu. Or l'abbaye où je m'étais retiré était livrée à tous les désordres de la vie mondaine[2]. L'abbé[3] lui-même tenait le premier rang entre tous, moins par son titre que par la dissolution et l'infamie notoire de ses mœurs. Je m'étais plus d'une fois élevé contre ces scandaleuses obscénités tantôt en particulier, tantôt en public, et je m'étais ainsi rendu odieux et insupportable à tous ; si bien que, heureux des instances journellement répétées de mes disciples, ils profitèrent de l'occasion pour m'écarter. Pressé par les sollicitations incessantes des

écoliers, et cédant à l'intervention de l'abbé et des frères, je me retirai dans un prieuré[1], pour reprendre mes
habitudes d'enseignement ; et telle fut l'affluence des
auditeurs, que le lieu ne suffisait pas à les loger, ni la
terre à les nourrir. Là, conformément à ma profession
religieuse, je me livrai particulièrement à l'enseignement
de la théologie ; toutefois je ne répudiai pas entièrement
l'étude des arts séculiers dont j'avais plus particulièrement l'habitude et qu'on attendait spécialement de
moi ; j'en fis comme un hameçon[2] pour attirer ceux que
la saveur de la philosophie avait appâtés à l'étude de la
vraie philosophie, selon la méthode attribuée par l'*Histoire ecclésiastique*[3] au plus grand des philosophes chrétiens, Origène. Et comme le Seigneur semblait ne
m'avoir pas moins favorisé pour l'intelligence des Saintes Écritures que pour celle des lettres profanes, le nombre de mes auditeurs, attirés par les deux cours, ne
tarda pas à s'accroître, tandis que l'auditoire des autres
se dépeuplait : ce qui excita contre moi l'envie et l'ini-
mitié des maîtres[4]. Tous travaillaient à me dénigrer ;
mais deux surtout profitaient de mon éloignement pour
m'opposer que rien n'était plus contraire au but de la
profession monastique que de s'arrêter à l'étude des
livres profanes, et qu'il y avait présomption, de ma part,
à monter dans une chaire de théologie sans avoir eu
de maître. Ce qu'ils voulaient, c'était me faire interdire
l'exercice de tout enseignement, et ils y poussaient sans
relâche les évêques, les archevêques, les abbés, en un
mot, toutes les personnes ayant nom dans la hiérarchie
ecclésiastique[5].

Or il arriva que je m'attachai d'abord à discuter le
principe fondamental de notre foi par des analogies, et
que je composai un traité sur l'unité et la trinité divine
à l'usage de mes élèves[6], qui demandaient sur ce sujet

des raisonnements humains et philosophiques, et auxquels il fallait des démonstrations plutôt que des discours[1]. Ils disaient, en effet, qu'ils n'avaient pas besoin de vaines paroles, qu'on ne peut croire que ce que l'on a compris, et qu'il est ridicule de prêcher aux autres ce qu'on ne comprend pas soi-même plus que ceux auxquels on s'adresse ; que le Seigneur lui-même condamne les aveugles qui conduisent les aveugles[2].

On vit ce traité, on le lut, et généralement on en fut content, parce qu'il semblait répondre à tous les points du sujet. Et ces points paraissant d'une difficulté transcendante, plus on en reconnaissait la gravité, plus on en admirait la subtilité de la solution. Mes rivaux furieux assemblèrent contre moi un concile. À leur tête étaient particulièrement deux meneurs d'autrefois, Albéric et Lotulphe, qui, depuis la mort de nos maîtres communs[3], Guillaume et Anselme, avaient la prétention de régner seuls et de se porter leurs héritiers.

Ils tenaient tous deux école à Reims ; par leurs suggestions réitérées, ils déterminèrent leur archevêque Raoul[4] à appeler Conon, évêque de Préneste, qui remplissait alors en France la mission de légat[5], à réunir une sorte d'assemblée, sous le nom de concile, dans la ville de Soissons[6], et à m'inviter à leur apporter ce fameux ouvrage que j'avais composé sur la Trinité. Ainsi fut-il fait. Et mes deux rivaux m'avaient tellement calomnié dans le clergé et dans le peuple, qu'il s'en fallut de peu qu'à mon arrivée à Soissons, la foule ne me lapidât[7], moi et les quelques disciples qui m'accompagnaient, sous le prétexte que j'enseignais et que j'avais écrit qu'il y avait trois Dieux. C'était ce qu'on leur avait persuadé. Dès mon arrivée dans la ville, j'allai trouver le légat, je lui remis mon livre, l'abandonnant à son examen et à son jugement, et me déclarant prêt, soit à amender ma doctrine, soit à faire réparation, si j'avais rien écrit ou dit qui s'écartât des principes de la foi catholique. Le légat m'enjoignit aussitôt de porter le livre à l'archevêque et à mes deux rivaux, me renvoyant au jugement de ceux qui m'accusaient[1] ; en sorte que la parole divine fut ainsi accomplie envers moi : « et nos ennemis sont nos juges[2]. »

Ceux-ci, après avoir feuilleté et scruté le livre en tous sens, n'y trouvant rien qu'ils osassent produire contre moi à l'audience, ajournèrent à la fin du concile cette condamnation à laquelle ils aspiraient. Pour moi, j'avais employé tous les jours qui avaient précédé le concile à établir publiquement les bases de la foi catholique dans le sens de mes écrits, et tous mes auditeurs exaltaient avec une admiration sans réserve mes commentaires et leur esprit. Le peuple et le clergé, témoins de ce spectacle, commencèrent à se dire : « Voici maintenant qu'il parle ouvertement, et que personne ne le contredit, et le concile qu'on nous disait réuni principalement contre lui touche à sa fin : est-ce que les juges auraient reconnu que l'erreur est plutôt de leur côté que du sien ? » Et ce langage excitait chaque jour davantage la fureur de mes rivaux.

Un jour, Albéric, dans l'intention de me tendre un piège, vint me trouver avec quelques-uns de ses disciples. Après quelques mots aimables, il me dit qu'il avait remarqué dans mon livre un passage qui l'avait étonné : « Dieu ayant engendré Dieu, et Dieu n'étant qu'un, comment pouvais-je nier que Dieu se fût engendré lui-même ? — Si tu veux, répondis-je aussitôt, c'est une thèse que je vais démontrer rationnellement. — En telle matière, répondit-il, nous ne tenons point compte de la raison humaine et de notre sentiment : nous ne reconnaissons que les paroles de l'autorité. — Eh bien, lui

dis-je, tourne le feuillet et tu trouveras l'autorité. »
Nous avions justement sous la main le livre, qu'il avait
pris avec lui. Je me reportai au passage que je connaissais et qui lui avait échappé ou qu'il n'avait pas voulu
voir, parce qu'il ne cherchait dans mon livre que ce qui
pouvait me nuire. Et la volonté de Dieu fit que je trouvai aussitôt ce que je voulais. C'était la citation d'Augustin sur la Trinité, livre 1er[1] : « Celui qui suppose à Dieu
la puissance de s'être engendré lui-même se trompe
d'autant plus que ce n'est pas à l'égard de Dieu seulement qu'il n'en est pas ainsi, mais à l'égard de toute
créature spirituelle ou corporelle : il n'y a absolument
rien, en effet, qui s'engendre soi-même. »

À la lecture de cette citation, les disciples d'Albéric,
qui étaient là, rougirent de stupéfaction. Quant à lui,
cherchant à se retrancher de son mieux : « Le tout, dit-
il, est de bien comprendre. — Mais, répliquai-je, cela
n'est point une opinion nouvelle, et pour le moment,
au surplus, il importe peu, puisque ce sont des paroles
que tu demandes, et non un sens. » J'ajoutai que, s'il
voulait établir un sens et en appeler à la raison, j'étais
prêt à raisonner et à lui démontrer par ses propres paroles qu'il était tombé dans l'hérésie de ceux qui préten-
dent que le père est à lui-même son propre fils. À ces
mots, comme fou de fureur, il s'emporta en menaces,
s'écriant que ni mes raisonnements ni mes autorités ne
me sauveraient. Et là-dessus il se retira. Le dernier jour
du concile, avant l'ouverture de la séance, le légat et
l'archevêque eurent avec mes rivaux et quelques autres
personnes un long entretien, pour savoir ce qu'on déci-
derait de moi et de mon livre, qui avait été l'objet principal de la convocation. Et comme ni mes paroles ni
l'écrit qu'ils avaient sous les yeux ne leur fournissaient
matière à incrimination, il y eut un moment de silence,

et mes détracteurs étaient déjà moins hardis, lorsque Geoffroy, évêque de Chartres, qui, par sa réputation de sainteté comme par l'importance de son siège[1], avait la prééminence sur les autres évêques, prit la parole en ces termes : « Vous savez tous, messeigneurs ici présents, que le savoir universel de cet homme et sa supériorité dans toutes les études auxquelles il s'est attaché lui ont fait de nombreux et fidèles partisans ; qu'il a, plus que qui que ce soit, étouffé la renommée de ses maîtres et des nôtres, et que sa vigne, si je puis m'exprimer ainsi, a étendu ses rameaux d'une mer à l'autre[2]. Si vous faites peser sur lui le poids d'une condamnation sans l'avoir entendu, ce que je ne pense pas, sa condamnation, fût-elle juste, blessera bien des gens, et il s'en trouvera plus d'un qui voudra prendre sa défense, surtout quand nous ne voyons, dans l'écrit incriminé, rien qui ressemble à une attaque ouverte. On dira, selon le mot de Jérôme[3] : « La force qui se montre attire les jaloux, de même que les hautes cimes appellent la foudre ». Craignez donc que des procédés violents contre cet homme n'aient d'autre résultat que d'accroître sa renommée, et que, par suite de la malveillance publique, l'accusation ne fasse plus de tort aux juges que la sentence à l'accusé. « Car un faux bruit est vite étouffé, dit le même docteur[4], et la seconde période de la vie prononce sur la première. » Mais si vous voulez procéder canoniquement contre lui, que son enseignement ou que son livre soient produits en pleine assemblée, qu'on l'interroge et qu'il lui soit permis de répondre librement, en sorte que, confondu, il en vienne à confesser sa faute, ou bien qu'il soit réduit au silence, suivant le mot du bienheureux Nicodème qui, voulant sauver le Seigneur, disait[5] : « Depuis quand notre loi juge-t-elle un homme sans l'avoir entendu, et sans qu'on ait vérifié ce qu'il a fait ? » — À ces mots, mes rivaux murmurent et s'écrient : « Ô le sage conseil de vouloir nous faire engager la lutte contre le verbiage d'un homme dont les arguments et les sophismes triompheraient du monde entier[1] ! » Certes il était plus difficile d'engager la lutte avec Jésus lui-même, et cependant Nicodème invitait les juges à l'entendre, suivant les règles de la loi. Geoffroy, ne pouvant les amener à sa proposition, essaie d'un autre moyen pour mettre un frein à leur haine ; il déclare que, dans une matière d'une telle gravité, le petit nombre des personnes présentes ne peut suffire, et que la question réclame un examen plus étendu : son avis est donc que mon abbé, qui siégeait, me ramène dans mon abbaye, c'est-à-dire au monastère de Saint-Denis[2] ; là, on convoquerait un plus grand nombre de docteurs éclairés qui, après mûr examen, statueraient sur le parti à prendre. Le légat approuva cette dernière motion, et après lui tout le monde. Quelques instants après, il se leva pour aller célébrer la messe avant d'entrer au concile, et il me fit transmettre par l'évêque Geoffroy l'autorisation qui m'était accordée de revenir au monastère pour y attendre le résultat de la mesure arrêtée. Alors mes ennemis, réfléchissant que tout était perdu, si l'affaire se passait hors de leur diocèse, c'est-à-dire en un lieu où ils n'auraient plus droit de siéger[3], et peu confiants dans la justice, persuadèrent à l'archevêque que ce serait pour lui une grande honte que la cause fût déférée à un autre tribunal, et qu'il y aurait péril à me laisser échapper ainsi. Et aussitôt, courant trouver le légat, ils le firent changer d'avis et l'amenèrent malgré lui à condamner, sans examen, mon livre, à le brûler immédiatement sous les yeux du public et à prononcer contre moi-même la réclusion perpétuelle dans un monastère étranger. Ils disaient que, pour justifier la condamnation de mon livre, ce devait être assez que j'eusse osé le lire publiquement et le donner à copier à plusieurs personnes sans avoir obtenu la permission du Pape ni celle de l'Église, et qu'il serait éminemment utile à la foi qu'un exemple prévînt pour l'avenir une telle présomption[1]. Le légat n'était pas aussi instruit qu'il aurait dû l'être ; en toute chose, il se laissait guider par l'archevêque, comme l'archevêque par eux. Pressentant le résultat de ces intrigues, l'évêque de Châlons m'en avertit, m'engageant vivement à ne répondre à une violence évidente que par un redoublement de douceur. Cette violence si manifeste, disait-il, ne pouvait que tourner contre eux et revenir à mon avantage ; quant à la réclusion dans un monastère, il n'y avait pas à s'en effrayer, sachant que le légat, qui n'agissait que par contrainte, ne manquerait pas, aussitôt après son départ, de me rendre ma pleine liberté. C'est ainsi que, mêlant ses larmes aux miennes, il me consola de son mieux.

Appelé au concile, je m'y rendis sur-le-champ ; et là, sans discussion, sans examen, on me força à jeter de ma propre main le livre au feu. Il fut brûlé au milieu d'un silence qui ne paraissait pas devoir être rompu, quand un de mes adversaires murmura timidement qu'il y avait trouvé écrite cette proposition que Dieu le Père est seul tout-puissant[2]. Le prélat se récria vivement et répondit que la chose n'était pas possible, qu'un enfant ne tomberait pas dans une telle erreur, puisque la foi commune tient et professe qu'il y a trois tout-puissants. À quoi le maître d'une école, un certain Thierry[3], répliqua ironiquement par ce mot d'Athanase[4] : « Et cependant il n'y a pas trois tout-puissants, mais un seul tout-puissant. » Comme son évêque commençait à le blâmer et voulait l'arrêter comme coupable de manque de respect, Thierry lui tint tête hardiment, et s'écria, emprun-

tant les paroles de Daniel[1] : « Ainsi, fils insensés d'Israël, sans avoir vérifié la vérité, vous avez condamné le
fils d'Israël. Revenez sur votre jugement et jugez le juge
lui-même, vous qui l'avez établi juge pour l'enseignement de la foi et le redressement de l'erreur ; lorsqu'il
devait juger, il s'est condamné par sa propre bouche.
L'innocence de l'accusé a été dévoilée aujourd'hui par
la miséricorde divine le libérant, comme autrefois Suzanne, de ses faux accusateurs. » Alors l'archevêque se
levant, et changeant un peu la formule, selon l'exigence
du moment, confirma, en ces termes, l'opinion du
légat : « À coup sûr, monseigneur, le Père est tout-puissant, le Fils tout-puissant, le Saint-Esprit tout-puissant.
Quiconque s'écarte de ce dogme est évidemment hors
des voies et ne mérite pas d'être entendu. Toutefois, si
vous le voulez bien, il serait bon que notre frère exposât
sa foi publiquement, afin qu'on pût, selon qu'il convien-
dra, ou l'approuver, ou la désapprouver, ou la redres-
ser. » Et comme je me levais pour confesser et exposer
ma foi avec l'intention d'en développer l'expression à
ma manière[2], mes adversaires dirent que je n'avais pas
besoin d'autre chose que de réciter le symbole d'Athanase[3] : ce que le premier enfant venu aurait pu faire
aussi bien que moi. Et afin qu'il me fût impossible de
prétexter l'ignorance, ils firent apporter le texte écrit
pour me le faire lire, comme si la teneur ne m'en était
pas familière. Je lus au milieu des sanglots, des soupirs
et des larmes, comme je pus. Livré ensuite comme coupable et convaincu à l'abbé de Saint-Médard[4], qui était
présent, je suis traîné à son cloître comme à une prison,
et aussitôt le concile est dissous.

L'abbé et les moines de ce monastère, persuadés que
j'allais leur rester, me reçurent avec des transports de
joie et me prodiguèrent toutes sortes d'attentions, es-

sayant vainement de me consoler. Dieu, qui juges les
cœurs droits, tu le sais, tel était le fiel de mon âme, telle
était l'amertume de mon cœur, que dans mon aveuglement, dans mon délire, j'osai me révolter et vous accuser, répétant sans cesse la plainte du bienheureux Antoine[1] : « Jésus, mon Sauveur, où étiez-vous ? » Fièvre
de la douleur, confusion de la honte, trouble du désespoir, tout ce que j'éprouvai alors, je ne saurais l'exprimer aujourd'hui. Je rapprochais le supplice infligé à
mon corps des tortures de mon âme, et je m'estimais
le plus malheureux des hommes. Comparée à l'outrage
présent, la trahison d'autrefois me paraissait peu de
chose, et je déplorais moins la mutilation de mon corps
que la flétrissure de mon nom : j'avais provoqué la première par ma faute ; la persécution qui m'accablait
aujourd'hui n'avait d'autre cause que l'intention droite
et l'attachement à la foi qui m'avaient poussé à écrire.

Cet acte de cruauté et d'injustice avait soulevé la réprobation de tous ceux qui en avaient eu connaissance,
si bien que les membres du concile s'en rejetaient les
uns aux autres la responsabilité ; mes rivaux eux-mêmes
se défendaient de l'avoir provoqué, et le légat déplorait
publiquement, à ce sujet, les emportements de haine
des Francs[2]. Bientôt même, cédant au repentir, ce prélat, qui n'avait, un moment, donné satisfaction à leur
malveillance que malgré lui, me tira de cette abbaye
étrangère pour me renvoyer dans la mienne. J'y retrou-
vai dans presque tous les frères d'anciens ennemis. Le
dérèglement de leur vie, leurs habitudes de licencieux
commerce, dont j'ai parlé plus haut, rendaient suspect
à leurs yeux un homme dont ils avaient à supporter les
vives censures.

Quelques mois à peine s'étaient écoulés, que la
fortune leur offrit l'occasion de me perdre. Un jour,

dans une lecture, je tombai sur un passage de l'exposition des Actes des Apôtres de Bède, où cet auteur pré-
tend que Denis l'Aréopagite était évêque de Corinthe,
non d'Athènes[1]. Cette opinion contrariait vivement les
moines de Saint-Denis, qui se vantent que leur Denis
est précisément l'Aréopagite et que ce dernier, sa *Vie*
l'atteste, est évêque d'Athènes[2]. Je communiquai à quelques frères qui m'entouraient le passage de Bède qui
nous faisait objection. Aussitôt, transportés d'indignation, ils s'écrièrent que Bède était un imposteur, qu'ils
tenaient pour plus digne de foi le témoignage d'Hilduin, leur abbé, qui avait longtemps parcouru la Grèce
pour vérifier le fait, et qui, après en avoir reconnu
l'exactitude, avait péremptoirement levé tous les doutes
dans son histoire de Denis l'Aréopagite. L'un d'eux me
priant alors avec instance de faire connaître mon avis
sur le litige de Bède et d'Hilduin, je répondis que l'autorité de Bède, dont les écrits sont suivis par toute
l'Église latine, me paraissait plus considérable[3]. Enflammés de fureur, ils commencèrent à crier que je venais
de prouver manifestement que j'avais toujours été le
fléau du monastère, et que j'étais traître au royaume
tout entier auquel je voulais enlever une gloire qui lui
était particulièrement chère, en niant que l'Aréopagite
fût leur patron. Je répondis que je n'avais rien nié, et
qu'au surplus il importait peu que leur patron fût Aréopagite ou d'un autre pays, puisqu'il avait obtenu de
Dieu une si belle couronne. Mais ils coururent aussitôt
trouver l'abbé et lui répétèrent ce qu'ils m'avaient fait
dire. Celui-ci s'en réjouit, heureux de trouver une occasion de me perdre ; car il me craignait d'autant plus
qu'il était encore plus débauché que ses moines. Il réunit donc son conseil, et devant tous les frères assemblés
il me fit de sévères menaces, déclarant qu'il allait immé-

diatement m'envoyer au roi pour qu'il me punît comme un homme qui avait attenté à la gloire du royaume et porté la main sur sa couronne[1]. Et il recommanda de me surveiller de près, jusqu'à ce qu'il m'eût remis entre les mains du roi. Pour moi, j'offris de me soumettre à la règle disciplinaire de l'ordre, si j'avais été coupable : ce fut en vain[2]. Alors, ne pouvant plus résister au sentiment d'horreur que m'inspirait leur méchanceté, exaspéré par les coups de la fortune et profondément désespéré comme si l'univers entier conspirait contre moi, je profitai de l'aide de quelques frères émus de pitié pour mon sort et de l'appui d'un petit nombre de disciples, pour m'évader secrètement, la nuit, et me réfugier sur une terre du comte Thibaud[3], située dans le voisinage, et dans laquelle j'avais précédemment occupé un prieuré. Le comte lui-même m'était un peu connu ; il n'ignorait pas mes malheurs et il y compatissait pleinement. Je séjournai d'abord au château de Provins[4], dans la dépendance d'un monastère de Troyes ; j'avais été autrefois en relation avec le prieur, et il m'aimait beaucoup : il me reçut avec joie et m'entoura de toutes sortes d'attentions.

Or il advint un jour que notre abbé[5] vint, au château même, trouver le comte pour quelques affaires personnelles. Instruit de cette visite, j'allai trouver le comte avec le prieur, le suppliant d'intercéder en ma faveur, et d'obtenir pour moi le pardon et la permission de vivre monastiquement dans la retraite qui me conviendrait le mieux. L'abbé et ceux qui l'accompagnaient mirent la chose en délibération ; car ils devaient rendre réponse au comte, le jour même, avant de repartir. La délibération commencée, ils se dirent que mon intention était de passer dans une autre abbaye, ce qui serait pour eux une grande honte. En effet, ils considéraient comme un titre de gloire pour eux que j'eusse choisi pour me retirer leur couvent de préférence à tous, et maintenant ils disaient que ce serait pour eux un déshonneur très grand que je les abandonnasse pour passer chez d'autres. Ils ne voulurent donc rien entendre là-dessus, ni de ma part ni de celle du comte. Ils me menacèrent même de m'excommunier[1] si je ne me hâtais de revenir, et ils firent défense absolue au prieur chez qui je m'étais réfugié de me retenir plus longtemps, sous peine d'être inclus dans la même excommunication. Cette décision nous plongea, le prieur et moi, dans la plus grande anxiété. Mais l'abbé, qui s'était retiré en persistant dans sa décision, mourut quelques jours après[2]. Je vins trouver son successeur avec l'évêque de Meaux pour le prier de m'accorder ce que j'avais demandé à son prédécesseur. Et comme il ne semblait pas disposé à y acquiescer tout de suite, j'employai l'intermédiaire de quelques amis pour présenter ma requête au roi en son conseil ; j'arrivai ainsi à ce que je voulais. Étienne[3], alors officier de bouche du roi, fit venir l'abbé et ses amis, leur demanda pourquoi ils voulaient me retenir malgré moi et s'exposer, sans aucun avantage possible, à un scandale inévitable, aucun accord ne pouvant s'établir entre leur genre de vie et le mien. Je savais que l'avis du conseil était que l'abbaye devait racheter l'irrégularité de ses mœurs par une soumission plus grande au roi, et que son utilité allait jusqu'aux contributions temporelles[4] : c'était ce qui m'avait fait espérer que j'obtiendrais facilement l'assentiment du roi et de ses conseillers. Ainsi arriva-t-il. Toutefois, pour que notre monastère ne perdît pas l'honneur qu'il prétendait tirer de mon nom, on ne m'accorda la permission de me retirer dans la retraite de mon choix, qu'à la condition que je ne me mettrais sous la dépendance d'aucune abbaye. Cette convention fut réglée, de part et d'autre, en présence du roi et de ses ministres. Je me retirai donc sur le territoire de Troyes, en un lieu désert qui m'était connu[1], et quelques personnes m'ayant fait don d'une terre, j'élevai, avec le consentement de l'évêque du diocèse, une sorte d'oratoire de roseaux et de chaume, que je plaçai sous l'invocation de la Sainte Trinité[2]. Là, caché avec un de mes clercs, je pouvais véritablement chanter au Seigneur[3] : « Voilà que je me suis éloigné par la fuite, et je me suis arrêté dans la solitude. »

Ma retraite ne fut pas plus tôt connue, que les disciples arrivèrent de toutes parts, abandonnant villes et châteaux pour habiter un désert, quittant de vastes demeures pour de petites cabanes qu'ils se construisaient de leurs mains, des mets délicats pour des herbes sauvages et un pain grossier, des lits moelleux pour le chaume et la paille, leurs tables pour des mottes de terre. On aurait cru vraiment qu'ils avaient à cœur de suivre l'exemple des premiers philosophes, au sujet desquels saint Jérôme, dans son IIe livre contre Jovinien, dit[4] : « Les sens sont comme des fenêtres par où les vices s'introduisent dans l'âme. La métropole et la citadelle de l'esprit ne peuvent être prises, tant que l'armée ennemie n'a pas passé les portes. Si quelqu'un prend plaisir à regarder les jeux du cirque, les combats des athlètes, le jeu des histrions, la beauté des femmes, l'éclat des pierreries et des étoffes, et tout le reste, la liberté de son âme se trouve prise par les fenêtres de ses yeux, et alors s'accomplit cette parole du prophète[5] : « La mort est entrée par nos fenêtres. » Lors donc que l'armée des troubles, faisant irruption, aura pénétré dans la citadelle de notre âme, où sera la liberté ? où sera la force ? où sera la pensée de Dieu ? surtout que le sens du toucher retrace les images mêmes des plaisirs passés, réveille le

souvenir des passions, force l'âme à en subir de nouveau les effets et à accomplir, en quelque sorte, des actes imaginaires. » Telles sont les raisons qui déterminèrent nombre de philosophes à s'éloigner des villes
peuplées et des jardins de plaisance où se trouvaient
réunis la fraîcheur des campagnes, le feuillage des ar-
bres, le ramage des oiseaux, le cristal des sources, le
murmure des ruisseaux, tout ce qui peut charmer les
oreilles et les yeux : ils craignaient qu'au milieu de la
profusion du luxe et de l'abondance, la vigueur de leur
âme ne fût énervée, sa pureté souillée. Et, en effet, il est
inutile de voir souvent les choses qui peuvent séduire
et de s'exposer à la tentation de celles dont on ne pourrait plus se passer sans peine : voilà pourquoi les Pytha-
goriciens, évitant tout ce qui pouvait flatter les sens,
vivaient dans la solitude et les déserts. Platon lui-même,
qui était riche et dont Diogène foulait un jour le lit sous
ses pieds souillés de boue, Platon, afin de pouvoir se
livrer tout entier à la philosophie, choisit, pour siège de
son académie, une campagne déserte et même pestilen-
tielle, loin de la ville, afin que la perpétuelle préoccupation des soins nécessités par la maladie brisât la fougue
des passions, et que ses disciples ne connussent d'autres
jouissances que celles qu'ils tireraient de l'étude[1]. Tel
fut aussi, dit-on, le genre de vie des fils des prophètes,
adeptes d'Élisée[2]. Jérôme, qui parle d'eux comme des
moines de ce temps, dit entre autres choses[3] : « Les fils
des prophètes, que l'Ancien Testament nous représente
comme des moines, se bâtissaient de petites cabanes
vers le cours du Jourdain, et abandonnaient la foule des
villes, pour aller vivre de bouillie et d'herbes sauvages. »
De même, mes disciples, élevant de petites cellules sur
les bords de l'Ardusson, ressemblaient plutôt à des ermites qu'à des étudiants. Mais plus leur affluence était

considérable, plus les privations qu'ils s'imposaient, suivant mes principes, étaient rigoureuses, plus mes rivaux y voyaient de gloire pour moi et de honte pour eux. Après avoir tout fait pour me nuire, ils souffraient de voir tout tourner à mon avantage ; et, selon le mot de Jérôme[1], loin des villes, loin des affaires publiques, des procès, de la foule, l'envie, comme dit aussi Quintilien, vint me relancer dans ma retraite[2]. Se plaignant en leur cœur et gémissant tout bas, ils disaient[3] : « Voici que tout le monde s'en est allé après lui » : nos persécutions n'ont rien fait ; nous n'avons réussi qu'à augmenter sa gloire. Nous voulions éteindre l'éclat de son nom, nous l'avons fait resplendir. Voici que les étudiants, qui ont sous la main, dans les villes, tout ce qui leur est nécessaire, dédaignent les jouissances des villes, courent chercher les privations de la solitude et se réduisent volontairement à la misère.

À ce moment, ce fut l'excès de la pauvreté qui me détermina à ouvrir une école[4] : « Je n'avais pas la force de labourer la terre et je rougissais de mendier. » Ayant donc recours à l'art que je connaissais, pour remplacer le travail des mains, je dus faire office de ma langue[5]. De leur côté, mes disciples pourvoyaient d'eux-mêmes à tout ce qui m'était nécessaire : nourriture, vêtements, culture des champs, constructions, si bien qu'aucun soin domestique ne me distrayait de l'étude. Mais, comme notre oratoire ne pouvait contenir qu'un petit nombre d'entre eux, ils se trouvèrent dans la nécessité de l'agrandir, et ils le rebâtirent d'une manière plus solide, en pierres et en bois.

Fondé d'abord au nom de la Sainte Trinité, placé ensuite sous son invocation, il fut appelé Paraclet[6], en mémoire de ce que j'y étais venu en fugitif, et qu'au milieu de mon désespoir j'y avais trouvé quelque repos

dans les consolations de la grâce divine. Cette dénomi-
nation fut accueillie par plusieurs avec un grand étonnement, et quelques-uns l'attaquèrent avec violence, sous
prétexte qu'il n'était pas permis de consacrer spécialement une église au Saint-Esprit, pas plus qu'à Dieu le
Père, mais qu'il fallait, suivant l'usage ancien, la dédier
soit au Fils seul, soit à la Trinité. Leur erreur, dans cette
attaque, provenait de ce qu'ils ne voyaient pas la distinction qui existe entre l'Esprit Paraclet et le Paraclet[1].
En effet, la Trinité elle-même et toutes les personnes de
la Trinité, de même qu'elle est appelée Dieu et Protecteur, peut être parfaitement invoquée sous le nom de
Paraclet, c'est-à-dire consolateur, selon la parole de
l'apôtre[2] : « Béni soit Dieu et le Père de Notre-Seigneur
Jésus-Christ, le père des miséricordes, le Dieu de toutes
les consolations, qui nous console de toutes les tribulations » ; et aussi selon ce que dit la Vérité[3] : « Il vous
donnera un autre consolateur. » Qui est-ce qui empêche, en effet, puisque toute église est également consacrée au nom du Père, du Fils et du Saint-Esprit, et
qu'elle est la possession indivise des trois, qui est-ce qui
empêche de dédier la maison du Seigneur au Père ou
au Saint-Esprit, aussi bien qu'au Fils ? Qui oserait effacer du front du vestibule le nom de celui à qui appartient la demeure ? Ou bien encore, puisque le Fils s'est
offert en sacrifice au Père, et qu'en conséquence, dans
la célébration des messes, c'est spécialement au Père
que s'adressent les prières et pour lui que se fait l'immo-
lation de l'hostie, pourquoi l'autel n'appartiendrait-il
pas plus particulièrement à celui auquel se rapportent
plus particulièrement la supplication et le sacrifice ?
N'est-il pas plus juste de dire que l'autel appartient à
celui auquel on immole, qu'à celui qui est immolé ?
Quelqu'un oserait-il dire que c'est plutôt l'autel de la

croix de Jésus, ou de son sépulcre, ou du bienheureux Michel, Jean ou Pierre, ou de quelque autre saint, qui ne sont ni les victimes, ni les objets des sacrifices et des prières ? Chez les idolâtres eux-mêmes, les autels et les temples n'étaient placés que sous l'invocation de ceux qui étaient l'objet des sacrifices et des hommages.

Peut-être dira-t-on qu'il ne faut dédier au Père ni les églises ni les autels, parce qu'il n'existe aucun fait qui puisse justifier une solennité spéciale en son honneur. Mais ce raisonnement, qui ne va à rien moins qu'à enlever le même privilège à la Trinité, n'enlève rien au Saint-Esprit, dont la venue constitue comme une fête qui lui est spéciale, la solennité de la Pentecôte, de même que la venue du Fils lui assure en propre la fête de la Nativité. En effet, l'Esprit-Saint, qui a été envoyé aux disciples de Jésus-Christ, comme le Fils a été envoyé au monde, peut revendiquer sa fête à lui.

Il semble même qu'il y aurait plus de raisons de lui vouer un temple qu'à aucune autre personne de la Sainte Trinité, pour peu que l'on regarde à l'autorité apostolique et à l'œuvre du Saint-Esprit lui-même. Effectivement, l'apôtre n'assigne de temple particulier à aucune autre personne qu'au Saint-Esprit[1]. Il ne dit pas, en effet, le temple du Père, le temple du Fils, comme il dit le temple du Saint-Esprit, dans la première lettre aux Corinthiens[2] : « Celui qui s'attache au Seigneur n'est qu'un seul esprit avec lui » ; et plus loin[3] : « Ne savez-vous pas que vos corps sont le temple de l'Esprit-Saint qui est en vous, que vous avez reçu de Dieu, et que vous ne vous appartenez pas ? » De plus, qui pourrait méconnaître que les bienfaits des sacrements divins conférés par l'Église sont spécialement dus à l'opération de la grâce divine, c'est-à-dire du Saint-Esprit ? C'est par l'eau et le Saint-Esprit, en effet, que nous renaissons dans le baptême, et que nous devenons un temple spécial pour le Seigneur. Et pour achever ce temple, l'Esprit-Saint nous est communiqué sous la forme de sept dons, et les effets de la grâce en sont les ornements et la dédicace. Qu'y a-t-il donc d'étonnant que nous attribuions un temple corporel à celui auquel l'apôtre attribue spécialement un temple spirituel ? À quelle personne une église sera-t-elle plus justement dédiée qu'à celle à l'œuvre de laquelle sont rapportés tous les bienfaits des grâces de l'Église ? Ce n'est pas qu'en appelant mon oratoire Paraclet, j'aie eu l'intention de le dédier à une seule personne ; je lui ai donné cette appellation pour le motif dont j'ai parlé plus haut, c'est-à-dire en mémoire de la consolation que j'y trouvai : je veux dire seulement que, si j'avais agi dans les intentions qu'on me suppose, je n'aurais rien fait de contraire à la raison, bien que la chose fût étrangère à l'usage[1].

J'étais, de corps, caché en ce lieu ; mais ma renommée parcourait le monde entier et le remplissait de ma parole, comme ce personnage de la fable appelé Écho[2], qui a plusieurs voix, mais aucune substance. Mes anciens rivaux, ne se sentant plus par eux-mêmes assez de crédit, suscitèrent contre moi de nouveaux apôtres en qui le monde avait foi. L'un d'eux se vantait d'avoir ressuscité les principes des chanoines réguliers[3] ; l'autre, ceux des moines[4]. Ces hommes, dans leurs prédications à travers le monde, me déchirant sans pudeur de toutes leurs forces, parvinrent à exciter momentanément contre moi le mépris de certaines puissances ecclésiastiques et séculières, et réussirent, à force de débiter, tant sur ma foi que sur ma vie, des choses monstrueuses, à détacher de moi quelques-uns de mes principaux amis ; ceux mêmes qui me conservaient quelque affection n'osaient plus, par peur, me la témoigner. Dieu m'est témoin que je n'apprenais pas la réunion d'une assemblée d'ecclésiastiques, sans penser qu'elle avait ma condamnation pour objet. Frappé d'effroi, et comme sous la menace d'un coup de foudre, je m'attendais à être, d'un moment à l'autre, traîné comme un hérétique ou un impur dans les conciles ou dans les assemblées. Et s'il est permis de comparer la puce au lion, la fourmi à l'éléphant, mes rivaux me poursuivaient avec la même hargne que jadis les hérétiques avaient déployée contre le bienheureux Athanase[1]. Souvent, Dieu le sait, je tombai dans un tel désespoir, que je songeais à quitter les pays chrétiens pour passer chez les infidèles, et acheter, au prix d'un tribut quelconque, le droit d'y vivre chrétiennement parmi les ennemis du Christ[2]. Je me disais que les païens me feraient d'autant meilleur accueil, que l'accusation dont j'étais l'objet les mettrait en doute sur mes sentiments de chrétien, et qu'ils en concevraient l'espérance de me convertir plus aisément à leur idolâtrie.

Tandis que, sous le coup de ces attaques incessantes, je ne voyais plus d'autre parti que de me réfugier dans le Christ, chez les ennemis du Christ, saisissant une occasion à la faveur de laquelle j'avais espéré me soustraire un peu aux embûches, je tombai entre les mains de chrétiens et de moines mille fois plus cruels et pires que les Gentils. Il y avait en Bretagne, dans l'évêché de Vannes, une abbaye de Saint-Gildas-de-Rhuys[3], que la mort du pasteur laissait désorganisée. Le choix unanime des moines, d'accord avec le seigneur du pays, m'appela à ce siège ; le consentement de l'abbé et des frères de Saint-Denis ne fut pas difficile à obtenir[4] ; et c'est ainsi que la jalousie des Francs me poussa vers l'Occident, comme celle des Romains l'avait fait jadis pour Jérôme vers l'Orient. Jamais, en effet (j'en prends Dieu à témoin), jamais je n'aurais acquiescé à une telle offre, si

ce n'eût été pour échapper, n'importe comment, aux
vexations dont j'étais incessamment accablé. C'était une
terre barbare, une langue[1] inconnue de moi, chez les
moines des habitudes de vie d'un emportement notoire-
ment rebelle à tout frein et une population grossière et
sauvage. Ainsi, tel un homme qui, pour éviter un glaive
suspendu sur sa tête, se lance de terreur dans un préci-
pice, et, pour retarder d'une seconde la mort qui le menace, se jette dans un autre, tel je m'élançai sciemment
d'un péril dans un autre. Et là, sur le rivage de l'Océan
aux voix effrayantes, aux extrémités d'une terre qui
m'interdisaient la possibilité de fuir plus loin, je répétais
souvent dans mes prières[2] : « Des extrémités de la terre
j'ai crié vers vous, Seigneur, tandis que mon cœur était
dans les angoisses. » Quelles angoisses, en effet, me
torturaient, nuit et jour, corps et âme, quand je me re-
présentais l'indiscipline des moines que j'avais entrepris
de gouverner, je pense que personne ne l'ignore. Tenter
de les ramener à la vie régulière dont ils avaient fait
profession, c'était jouer ma vie ; d'autre part, ne pas
faire, en vue d'une réforme[3], tout ce que je pouvais,
c'était damner mon âme. Ajoutez que le seigneur du
pays, qui avait un pouvoir sans limites, profitant du désordre qui régnait dans le monastère, avait depuis
longtemps réduit l'abbaye sous son joug : il s'était ap-
proprié toutes les terres domaniales et faisait peser sur
les moines des exactions plus lourdes que celles mêmes
dont les Juifs étaient accablés[4]. Les moines m'obsé-
daient pour leurs besoins journaliers, car la communauté ne possédait rien que je pusse distribuer, et chacun prenait sur sa bourse pour se soutenir lui et sa
concubine, et ses fils et ses filles. Non seulement ils se
faisaient un plaisir de me tourmenter ainsi, mais ils vo-
laient et emportaient tout ce qu'ils pouvaient prendre,

pour me créer des embarras dans mon administration, et me forcer ainsi, soit à relâcher les règles de la discipline, soit à me retirer tout à fait. Et toute la horde de la contrée étant également sans loi ni frein, il n'était personne dont je pusse réclamer l'aide : aucun rapport entre leur vie et la mienne. Au dehors, le seigneur et ses gardes ne cessaient de m'accabler ; au dedans, les frères me tendaient perpétuellement des pièges. Il semblait que la parole de l'apôtre eût été écrite spécialement pour moi[1] : « Au-dehors les combats, au-dedans les craintes. »

Je considérais en gémissant combien ma vie était stérile et malheureuse : stérile pour moi comme pour les autres, tandis qu'elle était jadis si utile à mes disciples ; je me disais qu'aujourd'hui que je les avais abandonnés pour les moines, je ne pouvais, ni dans les moines, ni dans les clercs, produire aucun fruit : j'étais frappé d'impuissance dans toutes mes entreprises, dans tous mes efforts, et l'on pouvait justement m'appliquer ce mot[2] : « Cet homme a commencé à bâtir, et il n'a pu achever. » J'étais profondément désespéré, quand je me rappelais les périls auxquels j'avais échappé, quand j'envisageais ceux auxquels j'étais exposé ; mes épreuves passées ne me paraissaient plus rien, et je répétais en gémissant sur moi : « Ce châtiment est juste : j'ai abandonné le Paraclet, c'est-à-dire le Consolateur, et je me suis précipité moi-même dans la désolation ; pour éviter des menaces, j'ai été chercher le danger. » Ce qui surtout me torturait, c'était la pensée qu'après avoir abandonné mon oratoire, je ne pouvais pas prendre les mesures nécessaires pour y faire célébrer l'office divin : l'extrême pauvreté de l'endroit pouvait à peine suffire à l'entretien d'un seul desservant. Mais le véritable Paraclet apporta lui-même une consolation à cette douleur, et il pourvut à son oratoire, comme il convenait.

Il advint, en effet, que mon abbé ayant réclamé, comme une annexe autrefois soumise à sa juridiction, l'abbaye d'Argenteuil, dans laquelle ma sœur en Jésus-Christ, plutôt que mon épouse, avait pris l'habit, et, l'ayant obtenue, en expulsa violemment la congrégation des moniales dont notre compagne était prieure[1]. Les voyant dispersées de tous côtés par l'exil, je compris que c'était une occasion qui m'était offerte par le Seigneur pour assurer le service de mon oratoire[2]. J'y retournai donc, j'invitai Héloïse à y venir avec les religieuses de sa communauté ; et, lorsqu'elles furent arrivées, je leur fis donation entière de l'oratoire et de ses dépendances, donation dont, avec l'assentiment et par l'intervention de l'évêque du diocèse, le pape Innocent II leur confirma le privilège à perpétuité pour elles et pour celles qui leur succéderaient[3]. Pendant quelque temps, elles y vécurent dans la misère et la désolation ; mais un regard de la divine Providence, qu'elles servaient pieusement, leur apporta bientôt la consolation : pour elles aussi, le Seigneur se montrant le véritable Paraclet, toucha de pitié et de bienveillance les populations environnantes. En une seule année, j'en atteste Dieu, les biens de la terre se multiplièrent autour d'elles plus que je n'aurais pu faire moi-même en cent ans, si je fusse resté. C'est que, si le sexe des femmes est plus faible[4], leur détresse émeut d'autant plus aisément les cœurs, et, comme aux hommes, leur vertu est aussi plus agréable à Dieu. Le Seigneur accorda à notre chère sœur, qui dirigeait la communauté, de trouver grâce devant les yeux de tout le monde : les évêques la chérissaient comme leur fille, les abbés comme leur sœur[5], les laïques comme leur mère ; tous également admiraient sa piété, sa sagesse et son incomparable douceur de patience[6]. Moins elle se laissait voir, plus elle se renfermait

dans son oratoire pour se livrer entièrement à ses méditations saintes et à ses prières, et plus ceux du dehors
sollicitaient avec ardeur sa présence et les instructions
de ses entretiens[1].

Tous leurs voisins me blâmaient vivement de ne pas
faire tout ce que je pouvais, tout ce que je devais, pour
venir en aide à leur misère, quand, par la prédication,
la chose m'était si facile. Je leur fis donc des visites plus
fréquentes, afin de travailler à leur être utile. La malveillance et les insinuations ne manquèrent pas de s'attacher à ces visites : ce qu'une sincère charité me poussait
à faire, mes ennemis, avec leur méchanceté accoutumée,
le tournaient à mal ignominieusement. « On voyait bien,
disaient-ils, que j'étais encore dominé par l'attrait des
plaisirs charnels, puisque je ne pouvais supporter ni peu
ni beaucoup l'absence de la femme que j'avais aimée. »
Je me rappelais alors la plainte du bienheureux Jérôme
dans sa lettre à Asella sur les faux amis : « La seule
chose qu'on me reproche, disait-il[2], c'est mon sexe, et
l'on n'y songerait pas, si Paule n'était allée avec moi à
Jérusalem. » Et ailleurs[3] : « Avant que je connusse la
maison de Paule, c'était sur moi, dans la ville, un concert de louanges ; de l'avis de tous, j'étais digne du souverain pontificat ; mais je sais qu'on arrive au royaume
des cieux à travers la bonne et la mauvaise renommée. »
Et, reportant mon esprit sur les outrages que la calomnie avait fait souffrir à un si grand homme, j'en tirais de
grands sujets de consolation. Oh ! me disais-je, si mes
ennemis trouvaient en moi pareille matière à leurs soupçons, combien leur malveillance m'accablerait ! Mais
aujourd'hui que la divine miséricorde m'a mis à l'abri
des soupçons, comment se fait-il que le soupçon per-
siste, quand pour moi le moyen d'accomplir ces turpitudes n'est plus ? Que veut dire la scandaleuse accusation

qu'on élève contre moi ? L'état où je suis repousse tellement l'idée des turpitudes de ce genre, que c'est l'usage
de tous ceux qui font garder des femmes d'en laisser
approcher des eunuques. Ainsi le rapporte l'histoire sacrée au sujet d'Esther et des autres femmes d'Assuérus[1].
Nous lisons que le tout-puissant eunuque de la reine
Candace veillait sur tout le trésor ; c'est lui que l'apôtre
Philippe alla convertir et baptiser, conduit par l'ange[2].
Si de tels hommes ont toujours occupé auprès des
femmes honnêtes et modestes des postes si élevés et si
intimes, c'est qu'ils étaient hors de la portée de tous les
soupçons. C'est pour les écarter complètement que le
plus grand des philosophes chrétiens, Origène, voulant
se consacrer à l'éducation des femmes, attenta sur lui-
même, au rapport de l'*Histoire ecclésiastique* (livre VI)[3].

Je me disais qu'en cela la miséricorde divine s'était
montrée plus bienveillante pour lui que pour moi ; ce
qu'il avait fait lui-même avait encouru le blâme, comme
un acte peu sage, tandis que, pour moi, c'était une main
étrangère qui avait été coupable et qui m'avait affranchi[4]. Mes douleurs mêmes avaient été moindres, par
cela seul qu'elles avaient été soudaines et plus courtes :
surpris dans mon sommeil, j'avais à peine senti
lorsqu'ils avaient porté la main sur moi. Mais ce que
j'avais peut-être subi de moins en souffrance matérielle
était compensé par ce que j'éprouvais des coups prolon-
gés de la calomnie ; les atteintes portées à ma renommée
étaient pour moi une torture plus grande que la mutilation de mon corps. Car, ainsi qu'il est écrit[5], « bonne
renommée vaut mieux que grande richesse ». — « Celui
qui se fie à sa conscience et néglige sa réputation, dit[6]
aussi le bienheureux Augustin dans un sermon sur la
vie et les mœurs du clergé, est cruel à lui-même ». Et
plus haut : « Cherchons à faire le bien, dit l'apôtre[7],

non seulement devant Dieu, mais devant les hommes. »
Pour nous, c'est assez du témoignage de notre conscience ; pour les autres, il importe que notre réputation ne
soit pas souillée et qu'elle brille sans tache. La conscience et la réputation sont deux choses : la conscience
est pour toi, la réputation pour ton prochain.

Mais qu'aurait objecté leur jalousie au Christ lui-
même ou à ses membres, c'est-à-dire les prophètes, les
apôtres, les saints Pères, s'ils eussent vécu du même
temps, quand ils les auraient vus, le corps intact, vivre
dans une intime familiarité avec des femmes [1] ? Le bienheureux Augustin, dans son livre sur l'œuvre des moines, prouve que les femmes étaient des compagnes si
inséparables du Christ et des apôtres, qu'elles les accompagnaient même dans leurs prédications. « C'est
ainsi, dit-il [2], qu'on voyait avec eux des femmes pour-
vues des biens de ce monde, qui entretenaient autour
d'eux l'abondance, en sorte qu'ils ne manquaient d'aucune des choses nécessaires à la vie. » Et ceux qui seraient tentés de croire que ce n'étaient point les apôtres
qui permettaient à ces saintes femmes de les suivre partout où ils portaient l'Évangile, n'ont qu'à écouter
l'Évangile pour reconnaître qu'ils ne faisaient qu'imiter
l'exemple du Seigneur. En effet, il est écrit dans l'Évangile [3] : « Dès lors, il allait par les cités et les villes, évan-
gélisant le royaume de Dieu ; et avec lui ses douze apôtres et quelques femmes, qui avaient été guéries
d'esprits immondes et d'infirmités : Marie, surnommée
Madeleine, Jeanne, épouse de Cuza, l'intendant d'Hérode, et Suzanne, et plusieurs autres, qui employaient
leurs richesses à pourvoir à ses besoins. » D'autre part,
Léon IX, réfutant la lettre de Parménien sur le goût de
la vie monastique, dit [4] : « Nous professons absolument
qu'il n'est pas permis à un évêque, prêtre, diacre, sous-

diacre, de se dispenser, pour cause de religion, des soins auxquels il est tenu envers son épouse, non qu'il lui soit permis de la posséder selon la chair, mais il lui doit la nourriture et le vêtement. » Et ainsi vécurent les saints apôtres. « N'avons-nous pas le droit de mener partout avec nous une femme qui serait notre sœur, de même que les frères du Seigneur et Céphas ? » lisons-nous dans saint Paul[1]. Remarquez bien qu'il ne dit pas : N'avons-nous pas le droit de posséder une femme qui serait notre sœur, mais, de mener ; ils pouvaient, en effet, subvenir aux besoins de leurs femmes avec le produit des prédications, sans qu'il existât entre eux de liens charnels. Certes le Pharisien qui dit en lui-même, à propos du Seigneur[2] : « Si celui-ci était prophète, il saurait bien qui est celle qui le touche et que c'est une pécheresse », le Pharisien pouvait, sans doute, dans l'ordre des jugements humains, former sur le Seigneur des conjectures honteuses plus naturellement qu'on ne l'a fait sur moi ; et tous ceux qui voyaient la Mère du Christ recommandée à un jeune homme, et les prophètes vivant sous le même toit dans l'intimité de femmes veuves, pouvaient en concevoir des soupçons beaucoup plus vraisemblables.

Qu'auraient dit encore mes détracteurs, s'ils avaient vu Malchus, ce moine captif dont parle le bienheureux Jérôme, vivant avec son épouse dans une commune retraite ? Comme ils auraient condamné ce que le saint docteur exalte en ces termes[3] : « Il y avait là un vieillard, nommé Malchus, né dans l'endroit même ; une vieille femme partageait sa demeure : tous deux pleins de zèle pour la religion, et si assidus sur les marches de l'église, qu'on les aurait pris pour le Zacharie et l'Élisabeth de l'Évangile, si ce n'est que Jean n'était pas au milieu d'eux ! » Pourquoi enfin la calomnie ne s'attaque-t-elle pas aux saints Pères qui, ainsi que nous le lisons souvent, ainsi que nous l'avons vu, ont établi et entretenu tant de monastères de femmes, à l'exemple des sept diacres par lesquels les apôtres se firent remplacer auprès des religieuses dans tous les soins de l'approvisionnement et du service ? En effet, le sexe faible ne peut se passer de l'aide du sexe fort : aussi l'apôtre déclare-t-il que l'homme est la tête de la femme[1], et c'est en signe de cette vérité qu'il ordonne à la femme d'avoir toujours la tête voilée.

De là vient que je ne suis pas médiocrement étonné de voir invétérée dans les couvents l'habitude de mettre des abbesses à la tête des femmes, comme on fait les abbés pour les hommes, et la même règle imposée par les vœux aux femmes qu'aux hommes, bien que cette règle contienne plus d'un point qui ne puisse être observé par des femmes, qu'elles soient supérieures ou subordonnées. Presque partout même l'ordre naturel est renversé, et nous voyons les abbesses et les moniales dominer les prêtres eux-mêmes auxquels le peuple est soumis, avec une facilité pour les induire en mauvais désirs d'autant plus grande que plus grand est leur pouvoir, plus importante leur autorité[2]. C'est ce qu'avait en vue l'auteur des *Satires*, quand il disait[3] : « Rien n'est plus intolérable qu'une femme puissante. »

D'après ces réflexions, j'étais résolu à faire de mon mieux pour prendre soin de mes sœurs du Paraclet, administrer leurs affaires, augmenter leurs sentiments de respect en les tenant en éveil même par ma présence corporelle, de façon à étendre de plus près ma prévoyance à tous leurs besoins. Poursuivi avec plus de persistance et de fureur par mes fils que jadis par mes frères, je voulais me réfugier auprès d'elles, loin des bourrasques de la tempête, comme dans un port tranquille pour y trouver enfin un peu de repos : ne pouvant plus faire de bien parmi les moines, peut-être pourrais-je en accomplir un peu pour elles ; ainsi du moins je travaillerais à mon salut avec d'autant plus d'efficacité, que mon soutien était plus nécessaire à leur faiblesse.

Mais tels sont les obstacles que la haine de Satan a multipliés autour de moi, que je ne puis trouver un abri pour me reposer, ni même pour vivre. Errant, fugitif, il semble que je traîne partout la malédiction de Caïn. Je le répète, « au dehors les combats, au dedans les craintes[1] », me tiennent incessamment en proie ; bien plus, au dehors comme au dedans ce sont autant de combats que de craintes. Les persécutions de mes fils sont cent fois plus hargneuses et plus redoutables que celles de mes ennemis ; car mes fils sont toujours là, je suis perpétuellement exposé à leurs embûches : pour mes ennemis, s'ils me préparent quelque violence, je les vois venir, quand je sors du cloître, tandis que c'est dans le cloître que j'ai à soutenir contre mes fils, c'est-à-dire avec les moines qui me sont confiés comme à un abbé, c'est-à-dire comme à un père, une lutte sans relâche de violence et de ruse. Combien de fois n'ont-ils pas tenté de m'empoisonner, comme on l'a fait pour le bienheureux Benoît[2] ! La même cause qui décida un si grand pasteur à abandonner ses pervers enfants aurait pu me déterminer à suivre son exemple : car s'exposer à un péril certain, c'est tenter Dieu et non l'aimer, c'est courir le risque d'être considéré comme le meurtrier de soi-même. Et comme je me tenais en garde contre leurs tentatives de tous les jours en surveillant autant que je le pouvais ce qu'on me donnait à manger et à boire, ils essayèrent de m'empoisonner pendant le sacrifice, en mettant du poison dans le calice[3]. Un autre jour que j'étais venu à Nantes visiter le comte malade[4], et que j'étais logé chez un de mes frères selon la chair, ils voulurent se défaire de moi à l'aide du poison par la main d'un serviteur de ma suite, comptant, sans doute, que j'étais moins en éveil contre cette sorte de machination. Mais le ciel voulut que je ne touchasse pas aux aliments qui m'avaient été préparés, et un moine que j'avais amené avec moi de l'abbaye, en ayant mangé par ignorance, mourut sur-le-champ ; le frère servant, épouvanté par le témoignage de sa conscience non moins que par l'évidence du fait, prit la fuite.

Dès lors, leur méchanceté ne pouvant plus être mise en doute, je commençais à prendre ouvertement toutes les précautions contre leurs pièges ; je m'absentais souvent de l'abbaye, et je restais dans des dépendances avec un petit nombre de frères. Mais lorsqu'ils venaient à apprendre que je devais passer par quelque endroit, ils apostaient sur les grandes routes ou dans les sentiers de traverse des brigands corrompus par l'argent pour me tuer. Tandis que je vivais en peine au milieu de ces périls de toute sorte, un jour je tombai de ma monture, et la main du Seigneur me frappa rudement, car j'eus les vertèbres du cou brisées. Cette chute m'abattit et m'affaiblit bien plus encore que ma première plaie.

Parfois cependant je tentai de réprimer par l'excommunication leur insubordination indomptable ; j'arrivai même à contraindre quelques-uns de ceux dont j'avais le plus à craindre, à me promettre, sous la foi de leur parole ou par un serment public, qu'ils se retireraient pour toujours du monastère et qu'ils ne m'inquiéteraient plus en quoi que ce fût. Mais ils violèrent ouvertement et sans pudeur parole et serments. Enfin l'autorité du pape Innocent[1], par l'intermédiaire d'un légat expressément envoyé, les obligea à renouveler leurs serments sur ce point et sur d'autres, en présence du comte

et des évêques. Même depuis cela, ils ne se tinrent pas
en repos. Et tout récemment, depuis l'expulsion de
ceux dont j'ai parlé, j'étais revenu à l'abbaye, faisant
confiance au reste des frères qui m'inspiraient moins de
défiance : je les trouvai encore pires que les autres. Ce
n'était plus de poison qu'il s'agissait, mais d'une épée
qu'ils tiraient contre ma gorge. J'eus grand-peine à leur
échapper, sous la conduite d'un des puissants du pays.
Mêmes périls me menacent encore, et tous les jours je
vois le glaive levé sur ma tête : à table même, je puis à
peine respirer, ainsi qu'il est dit de cet homme qui pla-
çait le bonheur suprême dans la puissance et dans les
trésors de Denys le Tyran [1], et qui, à la vue d'une épée
suspendue sur sa tête par un fil, apprit quelle félicité
accompagne le pouvoir terrestre. J'éprouve sans répit le
sort du pauvre moine promu à l'abbatiat, et d'autant
plus malheureux qu'il est devenu plus grand, afin que,
par mon exemple aussi, les ambitieux mettent un frein
à leur désir [2].

Voici, très cher frère dans le Christ, l'histoire de mes
malheurs, dans lesquels je me débats sans cesse et presque depuis le berceau ; je l'ai écrite seulement en pensant à ton affliction et aux injustices que tu as subies.
J'ai voulu, comme je te le disais en commençant, que,
comparant tes épreuves aux miennes, tu en puisses con-
clure qu'elles ne sont rien ou peu de chose, et que tu
puisses les supporter avec plus de patience, les trouvant
plus légères : prends en consolation ce que le Seigneur
a prédit à ses membres touchant les membres du démon [3] : « S'ils m'ont persécuté, ils vous persécuteront
aussi ; si le monde vous hait, sachez que le premier de
tous j'ai éprouvé la haine du monde ; si vous aviez été
du monde, le monde aurait aimé ce qui lui appartenait » ; et ailleurs [4] : « Tous ceux, dit l'apôtre, qui veu-

lent vivre pieusement en Jésus-Christ souffriront la persécution » ; et encore[1] : « Est-ce que je cherche à plaire
aux hommes ? si je plaisais aux hommes, je ne serais
pas serviteur de Dieu » ; et le Psalmiste[2] : « Ceux, dit-
il, qui plaisent aux hommes ont été confondus, parce
que Dieu les a rejetés. » C'est dans cet esprit que le
bienheureux Jérôme, dont je me regarde particulièrement comme l'héritier pour les calomnies de la haine,
dit dans sa lettre à Népotien[3] : « Si je plaisais encore
aux hommes, je ne serais pas serviteur du Christ. Il a
cessé de plaire aux hommes, et il est devenu le serviteur
du Christ. » Le même, écrivant à Asella sur les faux
amis, dit[4] : « Je rends grâce à mon Dieu de m'avoir fait
digne de la haine du monde » ; et au moine Héliodore[5] :
« C'est une erreur, mon frère, oui, c'est une erreur de
croire que le chrétien puisse jamais éviter la persécution : notre ennemi, comme un lion rugissant, rôde autour de nous et cherche à nous dévorer. Et tu penses à
la paix ? Le voleur est en embuscade et guette les
riches. » Encouragés par ces enseignements et par ces
exemples, sachons donc supporter les épreuves avec
d'autant plus de confiance qu'elles sont plus injustes. Si
elles ne servent pas à nos mérites, elles contribuent du
moins, n'en doutons pas, à quelque expiation. Et puisque une divine ordonnance préside à toute chose, que
chaque fidèle, au moment de l'épreuve, se console par
la pensée qu'il n'est rien que la souveraine bonté de
Dieu laisse accomplir en dehors de l'ordre providentiel,
et que tout ce qui arrive contrairement à cet ordre, il se
charge lui-même de le ramener à bonne fin. Voilà pourquoi il est sage de dire sur toute chose[6] : « Que votre
volonté soit faite. » Que de puissantes consolations
ceux qui aiment Dieu peuvent enfin trouver dans l'autorité apostolique qui dit[7] : « Nous savons que tout con-

court au bien de ceux qui aiment Dieu. » C'est cette vérité qu'avait en vue le sage des sages, lorsqu'il écrivait dans ses Proverbes[1] : « Le juste ne sera pas attristé, quoi qu'il lui arrive. » Ainsi démontre-t-il que ceux-là s'écartent du sentier de la justice, qui s'irritent contre une épreuve qu'ils savent dispensée par la main de Dieu ; hommes soumis à leur propre volonté plutôt qu'à la volonté divine, dont la bouche dit : que votre volonté soit faite, mais dont secrètement le cœur se révolte, mettant leur volonté avant celle du Seigneur. Adieu.

Lettre deuxième

HÉLOÏSE À ABÉLARD

À son maître, ou plutôt à son père ; à son époux, ou plutôt à son frère : sa servante, ou plutôt sa fille ; son épouse, ou plutôt sa sœur ; à Abélard, Héloïse.

La lettre que tu as adressée à un ami pour le consoler, mon bien-aimé, un hasard l'a fait venir dernièrement jusqu'à moi. Au seul caractère de la suscription reconnaissant aussitôt qu'elle était de toi, je la dévorai avec une ardeur égale à ma tendresse pour celui qui l'avait écrite : si j'avais perdu sa personne, ses paroles du moins allaient me rendre en partie son image. Hélas ! chaque ligne, pour ainsi dire, de cette lettre encore présente à ma mémoire[1] était pleine de fiel et d'absinthe[2], car elle retraçait la déplorable histoire de notre conversion et de tes épreuves sans trêve, ô mon unique.

Tu as bien rempli la promesse qu'en commençant tu faisais à ton ami : ses peines, au prix des tiennes, il a pu s'en convaincre, ne sont rien ou peu de chose. Après avoir rappelé les persécutions dirigées contre toi par tes maîtres, et les plus grands outrages lâchement infligés à ton corps, tu as peint l'odieuse jalousie et l'acharnement passionné dont tes condisciples aussi, Albéric de Reims et Lotulphe de Lombardie, t'ont poursuivi. Tu n'as ou-

blié ni ce que leurs cabales ont fait de ton glorieux ouvrage de théologie, ni ce qu'elles ont fait de toi-même,
condamné à une sorte de prison. De là tu arrives aux
machinations de ton abbé[1] et de tes perfides frères[2],
aux épouvantables calomnies de ces deux faux apôtres
déchaînés contre toi par ces indignes rivaux, au scandale soulevé dans la foule à propos du nom de Paraclet
donné, contre l'usage, à ton oratoire ; enfin, passant aux
vexations intolérables dont ta vie aujourd'hui encore n'a
pas cessé d'être l'objet, de la part de ce persécuteur
impitoyable et de ces méchants moines que tu appelles
tes enfants, tu as mis les derniers traits à cette pitoyable
histoire.

Je doute que personne puisse lire ou entendre sans
pleurer le récit de telles épreuves[3]. Pour moi, il a renou-
velé mes douleurs avec d'autant plus de violence que le
détail en était plus exact et plus expressif ; il les a même
augmentées en me montrant tes périls toujours crois-
sants. Voilà donc tout ton troupeau[4] réduit à trembler
pour ta vie, et chaque jour nos cœurs émus, nos poitri-
nes palpitantes attendent pour dernier coup la nouvelle
de ta mort.

Aussi nous t'en conjurons, au nom de celui qui, pour
son service, te couvre encore à quelques égards de sa
protection ; au nom du Christ, dont nous sommes, ainsi
que de toi-même, les petites servantes, daigne nous
écrire fréquemment et nous dire les orages au sein desquels tu es encore ballotté ; que nous du moins, qui te
restons seules au monde, nous puissions avoir part à tes
peines et à tes joies. D'ordinaire, la sympathie est un
allégement à la douleur, et tout fardeau qui pèse sur
plusieurs est plus léger à soutenir, plus facile à porter.
Si la tempête vient à se calmer un peu, hâte-toi d'autant
plus d'écrire que les nouvelles seront plus agréables à

recevoir. Mais, quel que soit l'objet de tes lettres, elles ne laisseront pas de nous faire un grand bien, par cela seul qu'elles seront une preuve que tu ne nous oublies pas[1].

Combien sont agréables à recevoir les lettres d'un ami absent, Sénèque nous l'enseigne par son propre exemple dans le passage où il écrit à Lucilius[2] : « Tu m'écris souvent, et je t'en remercie ; tu te montres ainsi à moi de la seule manière qui te soit possible ; je ne reçois jamais une de tes lettres qu'aussitôt nous ne soyons ensemble. Si les portraits de nos amis absents nous sont doux, s'ils ravivent leur souvenir et, vaine et trompeuse consolation, allègent le regret de leur absence, combien plus douces sont les lettres qui nous apportent l'empreinte véritable de l'ami absent. »

Grâce à Dieu, le moyen te reste encore de nous rendre ta présence ; l'hostilité ne te l'interdit pas, et rien ne s'y oppose : ne la retarde, je t'en supplie, d'aucune négligence.

Tu as écrit à ton ami une longue lettre de consolation, en vue de ses malheurs sans doute, mais c'est des tiens que tu lui parles. Tandis que tu les rappelles avec exactitude en travaillant à le consoler, tu n'as pas peu ajouté à notre désolation ; en voulant panser ses blessures, tu as ouvert dans notre douleur des plaies nouvelles et tu as élargi les anciennes. Guéris, je t'en conjure, les maux que tu as faits toi-même, puisque tu prends souci de soigner ceux que d'autres ont faits. Tu as donné satisfaction à un ami, à un compagnon d'études ; tu as acquitté la dette de l'amitié et de la confraternité ; mais elle est bien plus pressante l'obligation que tu as contractée envers nous ; car nous sommes, nous, non des amies, mais les plus dévouées des amies ; non des compagnes, mais des filles ; c'est le nom qui nous convient, celui-là ou un autre, s'il s'en peut imaginer, qui soit plus doux et plus sacré.

Si tu pouvais douter de la grandeur de la dette qui t'oblige envers nous, ni les raisons ni les témoignages ne nous manqueraient pour l'établir[1] : dût tout le monde se taire, les faits parlent d'eux-mêmes assez haut. Après Dieu, tu es le seul fondateur de cet asile, le seul architecte de cet oratoire, le seul créateur de cette congrégation. Tu n'as point bâti sur un fondement étranger[2]. Tout ce qui existe ici est ta création. Cette solitude, jadis fréquentée seulement par des bêtes féroces et des brigands, n'avait jamais connu d'habitation humaine, jamais vu de maison. C'est parmi des tanières de bêtes féroces, parmi des repaires de brigands, là où d'ordinaire le nom de Dieu n'est pas même prononcé, que tu as érigé un divin tabernacle et dédié un temple au Saint-Esprit[3]. Pour l'édifier, tu n'as rien emprunté aux richesses des rois et des princes dont tu aurais pu obtenir le concours le plus large et le plus puissant ; tu as voulu que rien de ce qui se ferait ne pût être attribué qu'à toi seul. Ce sont les élèves et les écoliers qui, s'empressant à l'envi à tes leçons, te fournissaient toutes les ressources nécessaires ; ceux-là mêmes qui vivaient des bénéfices de l'Église et qui ne savaient guère que recevoir des offrandes et non en faire, ceux qui jusqu'alors n'avaient eu des mains que pour prendre, non pour donner, devenaient pour toi prodigues et t'accablaient de leurs libéralités.

Elle est donc à toi, oui, bien à toi, cette plantation nouvelle dans le saint dessein, cette plantation toute remplie de jeunes rejetons, qui, pour profiter, demandent à être arrosés. Par la nature même de son sexe, elle est faible et fragile ; ne fût-elle pas nouvelle, à ce titre seul, elle serait faible : aussi exige-t-elle une culture

plus attentive et plus assidue, selon la parole de l'apôtre[1] : « J'ai planté, Apollos a arrosé ; mais c'est Dieu
qui a donné l'accroissement. » L'apôtre, par les enseignements de sa prédication, avait planté et établi dans
la foi les Corinthiens auxquels il écrivait ; Apollos, son
disciple, les avait ensuite arrosés par ses saintes exhortations, et c'est alors que la grâce divine avait donné à
leurs vertus de croître.

C'est vainement que tu cultives cette vigne que tu
n'as pas plantée de ta main, et dont « la douceur a
tourné pour toi en amertume[2] » ; tes admonitions incessantes sont stériles, tes sacrés entretiens inutiles : songe
à ce que tu dois à la tienne, au lieu de consacrer ainsi
tes soins à celle d'autrui. Tu enseignes, tu prêches des
rebelles : peine perdue. C'est en vain que tu sèmes devant des pourceaux les perles de la parole divine[3] ; tu
te prodigues à des âmes endurcies. Considère plutôt ce
que tu dois à des cœurs dociles. Tu te donnes à des
ennemis ; pense à ce que tu dois à tes filles. Et sans
parler des autres, pèse le poids de la dette que tu as
contractée envers moi. Peut-être mettras-tu plus de zèle
à t'acquitter vis-à-vis de toutes ces femmes qui se sont
données à Dieu dans la personne de celle qui s'est donnée exclusivement à toi.

Combien de longs traités les saints Pères ont adressés
à de saintes femmes pour les éclairer, pour les encourager, ou même pour les consoler ; quel soin ils ont mis à
les écrire, ta science supérieure le sait mieux que notre
humble ignorance. Il n'est donc pas peu surprenant que
tu aies depuis longtemps oublié les commencements encore fragiles de notre vie monastique, et que, ni par
respect pour Dieu, ni par amour pour nous, ni pour
suivre l'exemple des saints Pères, tu n'aies essayé,
quand je chancelle, épuisée par une douleur invétérée,

soit de venir me consoler par ta parole, soit de m'écrire de loin [1]. Et cependant, tu ne l'ignores pas, ce qui rend plus impérieuse l'obligation qui te lie envers moi, c'est le nœud qui nous enchaîne par le sacrement du mariage ; obligation d'autant plus étroite pour toi que je t'ai toujours aimé, à la face du ciel, d'un amour sans mesure.

Tu sais, mon bien-aimé, et nul n'ignore tout ce que j'ai perdu en toi ; tu sais par quel déplorable coup l'indigne et publique trahison dont tu as été victime m'a retranchée du monde en même temps que toi-même, et que ce qui cause incomparablement ma plus grande douleur, c'est moins la manière dont je t'ai perdu que de t'avoir perdu. Plus est grand l'objet de ma peine, plus doivent être grands les remèdes de la consolation. Au moins n'est-ce point un autre, c'est toi, toi, seul sujet de mes souffrances, qui peux seul en être le consolateur [2]. Unique objet de ma tristesse, il n'est que toi qui puisses me rendre la joie ou m'apporter du soulagement. Tu es le seul pour qui ce soit un pressant devoir : car toutes tes volontés, je les ai aveuglément accomplies, à ce point que, ne pouvant me décider à t'opposer la moindre résistance, j'ai eu le courage, sur un mot de toi, de me perdre moi-même. J'ai fait plus encore : étrange chose ! mon amour s'est tourné en délire ; ce qui était l'unique objet de ses ardeurs, il l'a sacrifié sans espérance de le recouvrer jamais ; par ton ordre, j'ai pris avec un autre habit un autre cœur, afin de te montrer que tu étais le maître unique de mon cœur aussi bien que de mon corps [3]. Jamais, Dieu m'en est témoin, je n'ai cherché en toi que toi-même ; c'est toi seul, non tes biens que j'aimais. Je n'ai songé ni aux liens du mariage, ni à la dot, ni à mes jouissances et à mes volontés personnelles. Ce sont les tiennes, tu le sais toi-même, que j'ai eu à cœur de satisfaire. Bien que le nom d'épouse paraisse plus sacré et plus fort, j'aurais mieux aimé pour moi celui d'amie, ou même, sans vouloir te choquer, celui de concubine et de putain ; dans la pensée que, plus je me ferais humble pour toi, plus je m'acquerrais de titres à tes bonnes grâces, et moins je porterais atteinte au glorieux éclat de ton génie [1].

Toi-même, en parlant de toi, tu n'as pas tout à fait oublié ces sentiments dans ta lettre de consolation à un ami. Tu n'as pas dédaigné de rappeler quelques-unes des raisons par lesquelles je m'efforçais de te détourner d'un fatal hymen, mais tu as passé sous silence presque toutes celles qui me faisaient préférer l'amour au mariage, la liberté à une chaîne. J'en prends Dieu à témoin, Auguste, le maître du monde, m'eût-il jugée digne de l'honneur de son alliance et à jamais assuré l'empire de l'univers, il m'aurait semblé plus cher et plus noble d'être appelée ta putain plutôt que son impératrice ; car ce n'est ni la richesse ni la puissance qui font la grandeur : les premières sont l'effet de la fortune ; la dernière, du mérite.

C'est se vendre, qu'on le sache bien, que d'épouser un riche de préférence à un pauvre, que de chercher dans un mari ses biens plutôt que lui-même. Certes, celle qu'une telle convoitise conduit au mariage mérite d'être payée plutôt qu'aimée ; car il est clair que c'est à la fortune qu'elle est attachée, non à la personne, et qu'elle n'eût demandé, l'occasion échéant, qu'à se prostituer à un plus riche. Telle est l'induction de la philosophe Aspasie dans son entretien avec Xénophon et sa femme, entretien rapporté par Eschine, disciple de Socrate [2]. Cette philosophe, qui s'était proposé de réconcilier les deux époux, conclut en ces termes : « Dès le moment que vous aurez réalisé ce point, qu'il n'y ait

pas sur la terre d'homme supérieur, ni de femme plus
aimable, vous n'aurez d'autre ambition que le bonheur
qui vous paraîtra le bonheur suprême : vous, d'être le
mari de la meilleure des femmes ; vous, la femme du
meilleur des maris[1]. »

Sainte morale assurément et plus que philosophique,
expression de la sagesse même plutôt que de la philosophie ! Sainte erreur, heureuse tromperie, entre des
époux, que celle où une sympathie parfaite garde intacts
les liens du mariage, moins par la continence des corps
que par la délicatesse des âmes !

Mais ce que l'erreur démontre aux autres femmes,
c'est pour moi la vérité la plus claire qui me l'avait démontré : en effet, ce qu'elles seules pouvaient penser de
leur époux, le monde entier le pensait, mieux, le savait
de toi comme moi-même ; en sorte que mon amour
pour toi était d'autant plus véritable qu'il était plus loin
de l'erreur. Était-il, en effet, un roi, un philosophe, dont
la renommée pût être égalée à la tienne ? Quelle contrée, quelle cité, quel village n'était agité du désir de te
voir ? Paraissais-tu en public, qui, je le demande, ne se
précipitait pour te voir ? qui, lorsque tu te retirais, ne
te suivait le cou tendu, le regard fixe ? Quelle épouse,
quelle fille ne brûlait pour toi en ton absence et ne s'em-
brasait à ta vue ? Quelle reine, quelle princesse n'a
point envié et mes joies et mon lit ?

Tu avais, entre tous, deux talents faits pour séduire
dès l'abord le cœur de toutes les femmes : le talent du
poète et celui du chanteur ; je ne sache pas que jamais
philosophe les ait possédés au même degré. C'est grâce
à ces dons que, pour te délasser comme en jouant de
tes exercices philosophiques, tu as composé tant de vers
et de chants d'amour qui partout répétés, à cause de la
grâce sans égale et de la poésie et de la musique,

tenaient incessamment ton nom sur les lèvres de tout le monde ; la douceur seule de la mélodie empêchait les ignorants mêmes de t'oublier. C'était là surtout ce qui faisait soupirer pour toi le cœur des femmes. Et la plus grande partie de ces vers célébrant nos amours, mon nom ne tarda pas à se répandre en maints pays, et à enflammer bien des jalousies[1].

En effet, quels avantages de l'esprit et du corps n'embellissaient ta jeunesse ? Parmi les femmes qui enviaient alors mon bonheur, en est-il une aujourd'hui, qui, me sachant privée de telles délices, ne compatirait à mon infortune ? Quel est celui, quelle est celle dont le cœur, fût-ce le cœur d'un ennemi, ne s'attendrirait pour moi d'un juste sentiment de compassion ?

Bien coupable sans doute, je suis aussi, tu le sais, bien innocente, car le crime est dans l'intention, non dans le fait. Ce n'est pas l'acte en lui-même, c'est la pensée qui a inspiré l'acte que pèse l'équité. De quels sentiments j'ai toujours été animée pour toi, toi qui les as éprouvés, tu peux seul en juger. Je remets tout en ta balance, je m'abandonne à ta décision.

Après notre entrée en religion, dont toi seul as pris la décision, je me trouve si négligée et si oubliée que je n'aie ni l'encouragement de tes entretiens et de ta présence, ni, en ton absence, la consolation d'une lettre ; dis-le-moi, je le répète, si tu le peux, ou je dirai, moi, ce que je pense et ce qui est sur les lèvres de tout le monde. Ah ! c'est la concupiscence plutôt que la tendresse qui t'a attaché à moi, c'est l'ardeur des sens plutôt que l'amour ; et voilà pourquoi, tes désirs une fois éteints, toutes les démonstrations qu'ils inspiraient se sont évanouies avec eux. Cette supposition, mon bien-aimé, n'est pas tant la mienne que celle de tous ; ce n'est pas un sentiment particulier, c'est l'idée de tout

le monde[1]. Plût à Dieu qu'elle me fût propre, et que
ton amour trouvât des défenseurs dont les excuses pussent un peu faire tomber ma douleur ! Plût à Dieu que
je pusse imaginer des raisons qui, en t'excusant, cou-
vrissent en quelque sorte ma bassesse !

Considère, je t'en supplie, ce que je demande : c'est
si peu de chose, et chose si facile. Si ta présence m'est
dérobée, que la tendresse de tes mots, dont tu es si
riche, me rende du moins la douceur de ton image.
Puis-je espérer te trouver libéral dans les choses, quand
je te vois avare de paroles ? J'avais cru jusqu'ici m'être
assuré bien des titres à tes égards, ayant tout fait pour
toi, et ne persévérant dans la retraite que pour t'obéir :
car ce n'est pas la vocation, c'est ta volonté, oui, ta volonté seule qui a jeté ma jeunesse dans les austérités
de la profession monastique. Si tu ne m'en tiens aucun
compte, vois combien le sacrifice aura été vain. Je n'ai
point de récompense à en attendre de Dieu, puisque je
n'ai rien fait par amour pour lui.

Lorsque tu es allé à Dieu, je t'ai suivi, que dis-je ? je
t'ai précédé ; comme si le souvenir de la femme de Loth
et le regard qu'elle jeta derrière elle[2] te préoccupait, tu
m'as fait la première revêtir l'habit et prêter les vœux
monastiques, tu m'as vouée à Dieu avant toi-même.
Cette défiance, la seule que tu m'aies jamais témoignée,
me pénétra, je l'avoue, de douleur et de honte[3] ; moi
qui, sur un mot, Dieu le sait, t'aurais, sans hésiter, précédé ou suivi jusque dans les abîmes enflammés des enfers[4] ! car mon cœur n'était plus avec moi, mais avec
toi. Et si, aujourd'hui plus que jamais, il n'est pas avec
toi, il n'est nulle part. Ou plutôt il ne peut exister sans
toi. Mais fais qu'il soit bien avec toi, je t'en supplie. Et
il sera bien avec toi, s'il te trouve bienveillant, si tu lui
rends amour pour amour[5], peu pour beaucoup, des

mots pour des choses. Plût à Dieu, mon bien-aimé, que tu fusses moins sûr de ma tendresse, tu serais plus inquiet. Mais plus j'ai fait pour t'en assurer, plus j'ai à souffrir aujourd'hui de ta négligence. Ah ! rappelle-toi, je t'en supplie, ce que j'ai fait, et songe à ce que tu me dois.

Tandis que je goûtais avec toi les plaisirs de la chair, on a pu se demander si c'était la voix de l'amour que je suivais ou celle du plaisir. On peut voir maintenant à quels sentiments j'ai, dès le principe, obéi. Pour me conformer à ta volonté, j'en suis arrivée à m'interdire tous les plaisirs ; je ne me suis rien réservé de moi-même, si ce n'est de me faire toute à toi. Quelle injustice de ta part, vois donc, si tu accordes de moins en moins à qui mérite de plus en plus, si tu refuses absolument tout, quand on te demande si peu et une chose si facile.

Au nom donc de celui auquel tu t'es consacré, au nom de Dieu même, je t'en supplie, rends-moi ta présence, autant qu'il est possible, en m'envoyant quelques lignes de consolation ; si tu ne le fais pour moi, fais-le du moins pour que, puisant ainsi des forces nouvelles, je vaque avec plus de ferveur au service de Dieu. Quand tu me poussais jadis aux voluptés honteuses, tu me visitais coup sur coup par tes lettres, et tes vers mettaient sans cesse le nom de ton Héloïse sur les lèvres de la foule ; c'était de mon nom que retentissaient toutes les places, de mon nom toutes les demeures. Combien il serait plus juste aujourd'hui d'exciter à l'amour de Dieu celle que tu provoquais alors à l'amour du plaisir ! Considère, je t'en supplie, ce que tu dois, regarde ce que je demande, et je termine d'un mot cette longue lettre : adieu, mon unique.

Lettre troisième

ABÉLARD À HÉLOÏSE

*À Héloïse sa bien-aimée sœur dans le Christ, Abélard
son frère dans le Christ*[1].

Si, depuis que nous avons quitté le siècle pour Dieu,
je ne t'ai pas encore adressé un mot de consolation ou
d'exhortation, ce n'est point à ma négligence qu'il faut
en attribuer la cause, mais à ta prudence dans laquelle
j'ai toujours eu une absolue confiance. Je n'ai point cru
qu'aucun de ces secours fût nécessaire à celle à qui Dieu
a départi tous les dons de sa grâce, à celle qui, par ses
paroles et ses exemples, est capable elle-même d'éclairer
les esprits troublés, de soutenir les pusillanimes, d'exhorter les tièdes. C'est ce que tu faisais il y a déjà
longtemps, alors que, subordonnée à une abbesse, tu
n'avais à remplir que les soins d'un prieuré[2]. Aujour-
d'hui, si tu veilles sur tes filles avec autant de zèle que
jadis tu veillais sur tes sœurs, c'est assez pour m'autoriser à penser qu'instructions ou exhortations de ma part
sont tout à fait superflues. Toutefois, si ton humilité en
juge autrement, et si, même dans les choses qui regardent le ciel, tu éprouves le besoin d'avoir notre direction et nos conseils écrits, mande-moi sur quel sujet tu
veux que je t'éclaire, et je répondrai pour autant que le
Seigneur y consentira[3].

Je rends grâces à Dieu, qui inspire à vos cœurs tant de sollicitude pour mes cruelles et incessantes épreuves, et qui vous fait participer à mon affliction. Faites, par l'assistance de vos prières, que la miséricorde divine me protège et écrase bientôt Satan sous nos pieds. À cet effet, j'ai hâte de t'envoyer la prière que tu me demandes avec tant d'instance, ô sœur jadis si chère dans le siècle, mais bien plus chère aujourd'hui dans le Christ[1] : qu'elle te serve à offrir au Seigneur un perpétuel sacrifice de prières pour expier nos grands et nombreux péchés, pour conjurer les périls dont je suis journellement menacé !

Quelle place ont auprès de Dieu et des saints les prières de ses fidèles, surtout les prières des femmes, pour ceux qui leur sont chers, et des épouses pour leurs époux ; les témoignages et les exemples qui le prouvent se présentent en foule à ma mémoire. C'est dans la pensée de cette efficacité que l'apôtre nous recommande de prier sans cesse[2]. Nous lisons que le Seigneur dit à Moïse[3] : « Laisse-moi, afin que ma fureur s'embrase » ; et à Jérémie[4] : « Cesse d'intercéder pour ce peuple et ne me fais point obstacle. » Par ces paroles, le Seigneur déclare lui-même manifestement que les prières des saints mettent, pour ainsi dire, à sa colère un frein qui l'enchaîne et l'empêche de sévir contre les coupables dans la mesure de leurs fautes. La justice le conduit naturellement à la répression ; mais les supplications des fidèles fléchissent son cœur, et lui faisant, en quelque sorte, violence, l'arrêtent malgré lui. Il est dit, en effet, à celui qui prie ou qui priera : « Laisse-moi et ne me fais point obstacle. » Le Seigneur ordonne de ne pas prier pour les impies. Le juste prie malgré la défense du Seigneur, et il obtient de lui ce qu'il demande, et il change la sentence du juge irrité. Car il est ajouté, à propos de

Moïse[1] : « Et le Seigneur apaisé suspendit la punition qu'il voulait infliger à son peuple. »

Il est écrit ailleurs, touchant la création du monde[2] : « Il dit, et le monde fut. » Mais ici on rapporte qu'il avait dit le châtiment que son peuple avait mérité, et, arrêté par la vertu de la prière, il n'accomplit pas ce qu'il avait dit. Voyez donc quelle est la vertu de la prière, si nous prions dans le sens qui nous est prescrit, puisque ce que le Seigneur avait défendu au prophète de lui demander par sa prière, sa prière l'obtint et le détourna de ce qu'il avait prononcé. Un autre prophète lui dit encore[3] : « Et lorsque vous serez irrité, Seigneur, souvenez-vous de votre miséricorde ! »

Qu'ils écoutent, qu'ils s'instruisent, les grands de la terre qui poursuivent avec plus d'obstination que de justice les infractions faites à leurs arrêts, qui rougiraient de paraître faibles s'ils étaient miséricordieux, et menteurs s'ils changeaient quelque chose à une décision, ou s'ils n'exécutaient pas une mesure imprévoyante, et si l'exécution en amendait les termes : dignes, en vérité, d'être comparés à Jephté qui, après avoir fait un vœu insensé, l'exécuta de manière plus insensée encore en sacrifiant sa fille unique[4].

Quiconque veut devenir un membre de l'Éternel dit avec le Psalmiste[5] : « Je chanterai, Seigneur, votre miséricorde et votre justice. » — « La miséricorde, est-il écrit, rehausse la justice. » — Il se souvient de cette menace de l'Écriture[6] : « Justice sans miséricorde contre celui qui ne fait point miséricorde. »

Pénétré du sens de cette maxime, le Psalmiste, à la prière de l'épouse de Nabal, du Carmel, cassa, par miséricorde, le serment qu'il avait fait, dans un sentiment de justice, d'anéantir Nabal et toute sa maison. Il préféra donc la prière à la justice ; et le crime du mari fut effacé par les supplications de l'épouse[7].

Que ceci te soit un exemple, ma sœur, et un gage de sécurité : si la prière de cette femme eut tant d'empire sur un homme, vois ce que pourrait la tienne pour moi auprès de Dieu. Dieu, qui est notre père, aime ses enfants plus que David, cette femme suppliante. David, il est vrai, passait pour un homme pieux et miséricordieux, mais Dieu est la piété et la miséricorde mêmes. Et cette femme suppliante appartenait au siècle, au monde profane : elle ne s'était pas donnée à Dieu par les vœux d'une sainte profession. Si ce n'était pas assez de toi pour être exaucée, cette sainte communauté de vierges et de veuves qui vit avec toi obtiendra ce que par toi seule tu ne pourrais obtenir. Car le Dieu de vérité a dit à ses disciples [1] : « Quand deux ou trois sont assemblés en mon nom, je suis au milieu d'eux » ; et ailleurs [2] : « Si deux de vous s'accordent entièrement sur ce qu'ils me demandent, mon Père les exaucera. » Qui pourrait donc méconnaître ce que vaut auprès de Dieu la prière assidue d'une sainte congrégation ? Si, comme le dit l'apôtre [3], « la prière assidue d'un juste est puissante », que ne peut-on attendre des prières réunies d'une sainte congrégation ?

Tu as vu, très chère sœur, dans la trente-huitième homélie du bienheureux Grégoire [4], quelle assistance la prière d'une communauté de frères apporta à un frère qui refusait cette assistance ou du moins qui ne s'y prêtait pas. Il se croyait à l'extrémité : à quelle terreur, à quelles angoisses sa malheureuse âme était en proie ! avec quel désespoir et quel dégoût de la vie il détournait ses frères de prier pour lui ! Le détail de ce précieux récit n'a pas échappé à ta sagesse. Puisse cet exemple t'engager avec plus d'assurance, ainsi que la communauté de tes saintes sœurs, dans les voies de la prière, afin que je vous sois conservé vivant par celui dont la

grâce, au témoignage de Paul, accorda à des femmes la
résurrection de leurs morts[1].

En effet, tu n'as qu'à parcourir l'Ancien et le Nouveau Testament ; tu trouveras que les plus grands miracles de résurrection ont été accomplis presque exclusivement ou particulièrement sous les yeux des femmes,
et pour elles ou sur elles. L'Ancien Testament fait mention de deux morts ressuscités à la prière d'une mère :
l'un par Élie, et l'autre par son disciple Élisée[2]. D'autre
part, l'Évangile contient l'histoire de la résurrection de
trois morts accomplie par le Seigneur, et qui, surtout en
direction des femmes, confirme par des faits la parole
de l'apôtre que nous avons rappelée plus haut[3] : « les
femmes obtinrent la résurrection de leurs morts. »

C'est à une veuve, en effet, que le Seigneur, touché
de compassion, rendit son fils, aux portes de Naïm[4].
Lazare[5] aussi, Lazare qu'il aimait, c'est à la prière de
ses sœurs Marthe et Marie qu'il le ressuscita. Quand il
accorda la même grâce à la fille du chef de la synagogue[6], cette fois encore, ce sont « des femmes qui obtinrent la résurrection de leurs morts » ; car, par sa résurrection, la fille du chef de la synagogue avait recouvré
sur la mort son propre corps, de même que les autres
avaient recouvré les corps de ceux qui leur étaient
chers. Et ces résurrections furent accomplies sur l'intervention de peu de personnes. Les nombreuses et communes prières de votre piété obtiendront donc aisément
la conservation de notre vie.

Plus Dieu a pour agréable ma pénitence et la chasteté
que vous lui consacrez, plus vous le trouverez propice
à vos prières. Ajoutez que la plupart de ceux qui furent
ressuscités n'étaient peut-être pas des fidèles ; ainsi on
ne dit pas que la veuve de Naïm, à laquelle le Seigneur
rendit son fils, ait vécu dans la foi ; tandis que nous,

outre l'intégrité de la foi qui nous unit, nous sommes associés par la communauté des vœux.

Mais laissons de côté votre sainte congrégation, dans laquelle tant de vierges et de veuves portent pieusement le joug du Seigneur ; c'est à toi seule que je m'adresse, à toi dont je ne saurais douter que la sainteté soit très puissante auprès de Dieu et qui me dois tout particulièrement ton secours dans les épreuves d'une si grande adversité. Souviens-toi donc, dans tes prières, de celui qui t'appartient en propre, et veille en priant, d'autant plus confiante que tu sais cette demande juste, ce qui la rend acceptable par celui que tu dois prier.

Écoute, je t'en prie, avec l'oreille du cœur, ce que tu as souvent entendu avec l'oreille du corps. Il est écrit dans les Proverbes[1] : « La femme vigilante est une couronne pour son mari. » Et ailleurs[2] : « Celui qui a trouvé une femme de bien a trouvé un véritable bien, et il a reçu du Seigneur une source de joie. » Et ailleurs : « La maison, les richesses sont données par les parents ; mais c'est Dieu lui-même qui donne une femme sage. » Et dans l'Ecclésiastique[3] : « Heureux le mari d'une femme de bien ! » Et quelques lignes plus bas[4] : « Une femme de bien est un bon partage. » Et enfin, au témoignage de l'apôtre[5] : « L'époux infidèle est sanctifié par l'épouse fidèle. »

La grâce divine nous a particulièrement fourni dans notre royaume de France une expérience mémorable de cette vérité, quand le roi Clovis, converti à la foi du Christ par la prière de son épouse plutôt que par les prédications des saints, soumit tout le royaume à la loi divine, afin que l'exemple des grands invitât les petits à persévérer dans la prière[6]. C'est à cette persévérance que nous invite vivement la parabole du Seigneur. « Qu'il persévère, est-il écrit[7], à frapper à la porte ; je vous le dis, et son ami, qui ne lui donnerait rien à titre d'ami, se lèvera fatigué de son importunité et lui donnera tout ce dont il a besoin. » Oui, c'est par cette sorte d'importunité de prière que Moïse parvint à adoucir la rigueur de la justice divine et à faire changer ses arrêts.

Tu sais, ma bien-aimée, quelle ardeur de charité votre couvent témoignait jadis pour moi dans ses prières en ma présence. Tous les jours, pour clore les heures canoniales, une prière était offerte à mon intention, et, après avoir chanté le répons et le verset, des prières et une collecte étaient récitées, dont voici les termes :

« *Répons :* Ne m'abandonnez pas, ne vous éloignez pas de moi, Seigneur.

« *Verset :* Soyez toujours prêt à me secourir, Seigneur.

« *Prière :* Préservez de tout danger, mon Dieu, votre serviteur qui espère en vous. Seigneur, prêtez l'oreille à ma prière et que mon cri vienne jusqu'à vous.

« *Oraison :* Dieu, qui par la main de votre humble serviteur avez daigné rassembler en votre nom vos humbles servantes, nous vous prions de lui accorder ainsi qu'à nous de persévérer dans votre volonté. Par Notre-Seigneur, etc. »

Aujourd'hui que je suis loin de vous, l'assistance de vos prières m'est d'autant plus nécessaire que je suis en proie aux angoisses d'un plus grand péril ; je vous demande en suppliant et vous supplie en demandant de me prouver que votre charité pour l'absent est sincère, en ajoutant à la fin de chaque heure canoniale :

« *Répons :* Ne m'abandonnez pas, Seigneur, père et maître absolu de ma vie, de peur que je ne tombe sous les yeux de mes adversaires et que mon ennemi ne se réjouisse de ma perte.

« *Verset :* Saisissez vos armes et votre bouclier, et

levez-vous pour ma défense, de peur que mon ennemi ne se réjouisse.

« *Prière* : Sauvez, mon Dieu, votre serviteur qui espère en vous. Envoyez-lui, Seigneur, votre secours du Saint des saints ; du haut de Sion, protégez-le. Soyez pour lui, Seigneur, une imprenable forteresse à la face de l'ennemi. Seigneur, prêtez l'oreille à ma prière et que mon cri vienne jusqu'à vous.

« *Oraison* : Ô Dieu, qui par votre petit serviteur avez daigné rassembler en votre nom vos petites servantes, nous vous en supplions, protégez-le de toute adversité, et rendez-le sain et sauf à vos servantes. Par Notre-Seigneur, etc. »

S'il arrive que le Seigneur me livre aux mains de mes ennemis et que ceux-ci, triomphants, me donnent la mort, ou si, loin de vous, quelque accident me mène sur la route où s'achemine toute chair, que mon cadavre, qu'il ait été enterré ou abandonné, soit rapporté par vos soins, je vous en supplie, dans votre cimetière, afin que la vue habituelle de mon tombeau invite tes filles, que dis-je, tes sœurs dans le Christ, à répandre plus souvent pour moi leurs prières devant le Seigneur[1]. Il n'est point pour une âme contrite et désolée de ses péchés, il n'est point, à mon avis, de plus sûr et de plus salutaire asile que celui qui a été spécialement consacré au véritable Paraclet, c'est-à-dire au Consolateur, et qui est particulièrement ennobli de son nom. Je ne crois point d'ailleurs qu'il y ait chez les fidèles un lieu plus convenable pour une sépulture chrétienne qu'au milieu de femmes dévouées au Christ. Ce sont des femmes qui, prenant soin de la sépulture de Notre-Seigneur Jésus-Christ, embaumèrent son corps de parfums précieux, le précédèrent, le suivirent, veillèrent à la garde de son tombeau et déplorèrent la mort de l'époux[2], ainsi qu'il est écrit[1] : « Les femmes, assises auprès du tombeau, se lamentaient en pleurant le Seigneur. » Aussi furent-elles les premières consolées au pied même du tombeau par l'apparition et les paroles de l'ange qui leur annonça la résurrection ; et elles méritèrent ensuite de goûter les joies mêmes de la résurrection et de toucher de leurs mains le Christ qui, deux fois, leur apparut.

Enfin ce que je vous demande par-dessus toute chose, c'est de reporter sur le salut de mon âme l'inquiétude trop vive où vous jettent aujourd'hui les périls de mon corps, et de prouver au mort l'ardeur de l'attachement que vous éprouviez pour le vivant, par l'assistance spéciale et toute particulière de vos prières[2].

> Vis et porte-toi bien.
> Que vivent et se portent bien tes sœurs.
> Vivez, mais dans le Christ.
> Je vous en prie, souvenez-vous de moi.

Lettre quatrième

RÉPONSE D'HÉLOÏSE À ABÉLARD

À son unique après le Christ, son unique dans le Christ

Je m'étonne[1], ô mon unique, que dérogeant aux règles de la correspondance et même à l'ordre naturel des
choses, tu aies mis, dans le titre et la salutation de ta
lettre, mon nom avant le tien, c'est-à-dire la femme
avant l'homme, l'épouse avant le mari, la servante avant
le maître, la moniale avant le moine, la diaconesse avant
le prêtre, l'abbesse avant l'abbé. Il est, en effet, dans
l'ordre et l'usage, lorsque nous écrivons à des supérieurs
ou à des égaux, de placer leurs noms avant les nôtres ;
et si l'on s'adresse à des inférieurs, l'ordre des noms
doit suivre celui des dignités.

Une autre chose nous a étonnées et émues : ta lettre
qui aurait dû nous apporter quelque consolation n'a fait
qu'accroître notre douleur, et tu as fait jaillir la source
des larmes que tu devais essuyer[2]. Qui d'entre nous, en
effet, aurait pu, les yeux secs, entendre le passage de la
fin de ta lettre où tu dis : « S'il arrive que le Seigneur
me livre entre les mains de mes ennemis, et que ceux-
ci, triomphants, me donnent la mort... » Ô mon bien-
aimé, une telle pensée a-t-elle pu te venir à l'esprit, un
tel langage sur les lèvres ? Que jamais Dieu n'oublie à

ce point ses servantes, de les faire survivre à ta perte !
Que jamais il ne nous laisse une vie qui serait plus insupportable que tous les genres de mort ! C'est à toi
qu'il appartient de célébrer nos obsèques, de recommander nos âmes à Dieu et de lui envoyer avant toi
celles dont tu as fait son troupeau ; afin que tu n'aies
plus sur elles aucun sujet de trouble et d'inquiétude,
afin que tu nous suives avec d'autant plus de joie que
tu seras plus rassuré sur notre salut.

Épargne-nous, je t'en supplie, ô mon maître, épargne-nous de telles paroles qui rendent très malheureuses des femmes malheureuses, et ne nous enlève pas,
avant la mort, ce que nous vivons tant bien que mal.
« À chaque jour suffit son mal[1] », et ce jour fatal[2], tout
enveloppé d'amertume, apportera assez de douleur à
ceux qu'il trouvera de ce monde. « À quoi bon, dit Sénèque[3], aller au-devant des maux et perdre la vie avant
la mort ? »

Tu demandes, ô mon unique, si quelque accident met
fin à ta vie loin de nous, tu demandes que nous fassions
transporter ton corps à notre cimetière, afin que l'inces-
sante présence de ton souvenir t'assure de notre part
une plus abondante moisson de prières. Mais penses-tu
donc que ton souvenir puisse jamais nous quitter ?
Sera-ce d'ailleurs le moment de prier, lorsque le boule-
versement de notre âme nous aura ravi tout repos ?
lorsque notre âme aura perdu le sentiment de la raison,
notre langue, l'usage de la parole ? lorsque notre esprit
devenu fou et s'emportant contre Dieu lui-même, pour
ainsi dire, bien loin de se résigner, sera moins disposé
à l'apaiser par ses prières qu'à l'irriter par ses plaintes ?
Pleurer, voilà tout ce que nous pourrons faire dans notre infortune ; prier nous ne saurons : nous serons plus
pressées de te suivre sans retard que de pourvoir à ta

sépulture ; nous serons bonnes à être enterrées nous-mêmes avec toi plutôt qu'à t'enterrer. En toi nous aurons perdu notre vie ; sans toi, nous ne pourrons plus vivre. Ah ! puissions-nous ne pas vivre même jusque-là ! Parler de ta mort est déjà pour nous une sorte de mort ; que sera-ce donc, si la réalité de cette mort nous trouve encore vivantes ? Non, Dieu ne permettra jamais que nous te survivions pour te rendre ce devoir, pour te prêter cette assistance que nous attendons de toi comme un dernier service. En cela, c'est à nous, et le ciel m'entende, c'est à nous de te précéder, non de te suivre. Ménage-nous donc, je t'en supplie, ménage du moins, ô mon unique, celle qui est tienne : trêve de ces mots qui nous percent le cœur comme des glaives de mort et qui nous font une agonie plus douloureuse que la mort même.

Un cœur accablé par le chagrin ne saurait être calme, un esprit en proie à tous les troubles ne peut sincèrement s'occuper de Dieu. Je t'en conjure, ne nous empêche pas de remplir les saints devoirs auxquels tu nous as particulièrement consacrées. Lorsqu'un coup est inévitable, lorsqu'il doit apporter avec lui une douleur immense, il faut souhaiter qu'il soit soudain, et ne pas anticiper par d'inutiles craintes les tortures que nulle prévoyance humaine ne saurait détourner ! C'est ce qu'un poète a bien senti dans cette prière[1] : « Tout ce que tu prépares, que cela soit subit ; que l'esprit humain s'aveugle sur sa destinée ; permets d'espérer à celui qui craint ! »

Et cependant, toi perdu, quelle espérance me reste-t-il ? Quelle raison aurai-je de prolonger un pèlerinage où je n'ai de remède que toi, où je n'ai d'autre bonheur que de savoir que tu vis, puisque tout autre plaisir de toi m'est interdit et qu'il ne m'est même pas permis de jouir de ta présence, qui parfois du moins pourrait me rendre à moi-même ?

Ô, s'il était permis de le dire : « Dieu, qui m'êtes cruel en toutes choses ! ô clémence inclémente ! ô fortune infortunée[1] ! » Oui la fortune a si bien épuisé contre moi tous les traits de ses efforts qu'il ne lui en reste plus pour frapper les autres ; elle a si bien vidé sur moi un plein carquois que nul n'a plus à redouter ses coups. Et si quelque flèche lui restait encore, elle ne trouverait plus en moi la place d'une nouvelle blessure. Après tant de coups, la seule chose qu'elle ait à craindre, c'est que la mort ne mette un terme à tant de souffrances. Et bien qu'elle ne cesse pas de frapper, elle craint de voir arriver ce dernier moment qu'elle hâte.

Ô malheureuse des malheureuses, infortunée des infortunées, faut-il que ton amour ne m'ait élevée entre toutes les femmes, que pour être précipitée de plus haut par un coup également douloureux et pour toi et pour moi ! Plus grande en effet est l'élévation, plus lourde est la chute. Parmi les femmes nobles et puissantes, en est-il une dont la fortune ait dépassé ou même égalé la mienne ? en est-il une qu'elle ait fait tomber plus bas et dans une telle douleur ? Quelle gloire elle m'a donnée en toi ! en toi quelle ruine elle m'a portée ! Elle a été violemment pour moi d'un excès à l'autre ; dans les biens comme dans les maux elle n'a gardé aucune mesure. C'est pour faire de moi la plus malheureuse des femmes qu'elle en avait d'abord fait la plus heureuse ; afin qu'en pensant à tout ce que j'ai perdu, les tortures de la douleur fussent égales à l'étendue de la perte, l'amertume des regrets égale à la jouissance de la possession, afin qu'aux délices de la volupté succédât l'accablement du suprême désespoir[2].

Et pour que l'injustice soulevât une indignation plus

grande, tous les droits de l'équité ont été bouleversés contre nous. En effet, tandis que nous goûtions les délices d'un amour inquiet, ou, pour me servir d'un terme plus cru mais plus expressif, tandis que nous nous livrions à la fornication, la sévérité du ciel nous a épargnés ; et c'est quand nous avons légitimé cet amour illégitime, quand nous avons couvert des voiles du mariage la honte de notre fornication, que la colère du Seigneur a rudement appesanti sa main sur nous ; et notre lit purifié n'a pas trouvé grâce devant celui qui en avait si longtemps toléré la souillure.

Pour des hommes surpris dans quelque adultère, le supplice que tu as subi aurait été une peine assez grave. Et ce que les autres méritent pour l'adultère, tu l'as encouru, toi, par le mariage qui te semblait une réparation de tous tes torts. Ce que les femmes adultères attirent à leurs complices, c'est ta légitime épouse qui te l'a attiré ; et cela, non pas lorsque nous nous livrions aux plaisirs d'autrefois, mais quand, déjà séparés momentanément, nous vivions dans la chasteté, toi à Paris, à la tête des écoles ; et moi, selon tes ordres, à Argenteuil, dans la compagnie des religieuses ; nous étant ainsi divisés pour être, toi, avec plus de zèle, à la direction des écoles, moi, avec plus de liberté, à la prière et à la méditation des livres saints : c'est pendant que nous menions cette vie aussi sainte que chaste, que tu as payé seul dans ton corps un péché qui nous était commun. Nous avions été deux pour la faute, tu as été seul pour la peine ; tu étais le moins coupable, et c'est toi qui as tout expié.

En effet, ne devais-tu pas avoir d'autant moins à craindre de la part de Dieu, comme de la part de ces traîtres, que tu avais donné plus largement satisfaction en t'abaissant pour moi, en m'élevant moi et toute ma famille ? Malheureuse que je suis, d'être venue au

monde pour être la cause d'un si grand crime ! Les
femmes seront donc toujours le fléau des grands hommes ! Voilà pourquoi il est écrit dans les *Proverbes*, afin
qu'on se garde de la femme [1] : « Maintenant, mon fils,
écoute-moi, et sois attentif aux paroles de ma bouche.
Que ton cœur ne se laisse pas entraîner dans les voies
de la femme ; ne t'égare pas dans ses sentiers ; car elle
en a renversé et fait tomber un grand nombre : les plus
forts ont été tués par elle. Sa maison est le chemin des
enfers, elle conduit aux abîmes de la mort. » Et dans
l'Ecclésiaste [2] : « J'ai considéré toute chose avec les yeux
de mon âme, et j'ai trouvé la femme plus amère que la
mort ; elle est le filet du chasseur ; son cœur est un
piège, ses mains sont des chaînes : celui qui est agréable
à Dieu lui échappera, mais le pécheur sera sa proie. »

Dès l'origine, la femme détourna l'homme du paradis
terrestre ; et celle qui avait été créée par le Seigneur
pour lui venir en aide a été l'instrument de sa perte [3].
Ce puissant Nazaréen, cet homme du Seigneur dont un
ange avait annoncé la naissance, c'est Dalila seule qui
l'a vaincu ; c'est elle qui le livra à ses ennemis, le priva
de la vue et le réduisit à un tel désespoir, qu'il finit par
s'ensevelir lui-même sous les ruines du temple avec ses
ennemis [4]. Le sage des sages, Salomon [5], ce fut la femme
à laquelle il s'était uni qui lui fit perdre la raison et qui
le précipita dans un tel excès de folie, que lui, que le
Seigneur avait choisi pour bâtir son temple, de préférence à David, son père, qui pourtant était juste, il
tomba dans l'idolâtrie et y resta plongé jusqu'à la fin de
ses jours ; infidèle au culte du vrai Dieu, dont il avait,
par ses écrits, par ses discours, célébré la gloire et répandu les enseignements. Ce fut contre sa femme, qui
l'excitait au blasphème, que Job, ce saint homme, eut à
soutenir le dernier et le plus rude des combats [6]. Le très

rusé tentateur savait bien, il avait maintes fois reconnu par l'expérience cette vérité, que les hommes ont toujours, dans leurs femmes, une cause de chute toute prête.

C'est lui enfin qui, étendant jusqu'à nous sa malice accoutumée, a perdu par le mariage celui qu'il n'avait pas terrassé par la fornication ; il a fait le mal avec le bien, n'ayant pu faire le mal avec le mal.

Grâces à Dieu, du moins, s'il a pu faire servir ma passion à son œuvre de malice, il n'a pu faire consentir mon cœur à la faute comme les femmes dont j'ai cité l'exemple. Et cependant, bien que la pureté de mes intentions me justifie, bien que mon consentement n'ait point eu de part à la réalité du crime, j'avais auparavant commis trop de péchés pour m'en croire tout à fait innocente. Oui, dès longtemps asservie aux attraits des voluptés de la chair, j'ai mérité alors ce que je subis aujourd'hui ; c'est le juste châtiment de mes fautes passées. Toute mauvaise fin est la conséquence d'un mauvais commencement. Et plaise à Dieu que je fasse de ce péché particulièrement une digne pénitence, une pénitence qui, par la longueur de l'expiation, compense, s'il est possible, le cruel châtiment qui t'a été infligé ; plaise au ciel que ce que tu as souffert un moment dans ta chair, je le souffre, moi, comme il est juste, par la contrition de mon âme, pendant toute la vie, et qu'ainsi je t'offre à toi, sinon à Dieu, une espèce de satisfaction !

S'il faut, en effet, mettre à nu toute la faiblesse de mon misérable cœur, je ne trouve pas en moi un repentir capable d'apaiser Dieu ; je ne puis me retenir d'accuser son impitoyable cruauté au sujet de l'outrage qui t'a été infligé, et je ne fais que l'offenser par mes murmures rebelles à ses décrets, bien loin de donner satisfaction par ma pénitence. Peut-on dire, en effet, qu'on fait pénitence, quel que soit le traitement infligé au corps, alors que l'âme conserve encore l'idée de pécher et brûle des mêmes passions qu'autrefois ? Il est facile de confesser ses fautes et de s'en accuser, et même de soumettre son corps à des macérations extérieures ; mais ce qui est difficile, c'est d'arracher son âme aux désirs des plus douces voluptés. Voilà pourquoi le saint homme Job, après avoir dit avec raison[1] : « Je lancerai mes paroles contre moi-même » — c'est-à-dire, je délierai ma langue et j'ouvrirai ma bouche par la confession pour m'accuser de mes péchés —, ajoutait aussitôt : « Je parlerai dans l'amertume de mon âme. » Et le bienheureux Grégoire, rapportant ce passage, dit[2] : « Il y en a qui confessent leurs péchés à haute voix, qui pourtant dans leur confession ne savent pas gémir, et qui disent en riant ce qu'ils devraient dire avec des sanglots. Il ne suffit donc pas d'avouer ses fautes en les détestant, il faut de plus les détester dans l'amertume de son âme, afin que cette amertume elle-même soit la punition des fautes qu'accuse la langue conduite par l'esprit. »

Mais cette amertume du vrai repentir est bien rare, et le bienheureux Ambroise en fait la remarque. « J'ai trouvé, dit-il[3], plus de cœurs qui ont conservé leur innocence que de cœurs qui ont fait pénitence. » Quant à moi, ces voluptés de l'amour que nous avons goûtées ensemble m'ont été si douces, que le souvenir ne peut m'en déplaire ni même s'effacer de ma mémoire. De quelque côté que je me tourne, elles se présentent, elles s'imposent à mes regards avec les désirs qu'elles réveillent ; leurs trompeuses images n'épargnent même pas mon sommeil. Il n'est pas jusqu'à la solennité de la messe, là où la prière doit être très pure, pendant laquelle les représentations obscènes de ces voluptés ne s'emparent si bien de mon âme misérable, que je suis plus occupée de leurs turpitudes que de la prière. Je devrais gémir des fautes que j'ai commises, et je soupire après celles que j'ai perdues[1].

Ce n'est pas seulement ce que nous avons fait, ce sont les heures, ce sont les lieux témoins de ce que nous avons fait, qui sont si profondément gravés dans mon cœur avec toi, que je me retrouve avec toi dans les mêmes lieux, aux mêmes heures, faisant les mêmes choses : même en dormant, je ne trouve point le repos. Parfois les mouvements de mon corps trahissent les pensées de mon âme, des mots m'échappent que je n'ai pu retenir. Ah ! je suis vraiment malheureuse, et elle est bien faite pour moi cette plainte d'une âme gémissante : « Infortuné que je suis, qui me délivrera de ce corps de mort[2] ? » Plût au ciel que je pusse ajouter avec vérité ce qui suit[3] : « c'est la grâce de Dieu, par Jésus-Christ, notre Seigneur ! » Cette grâce, ô mon bien-aimé, t'est venue à toi, sans que tu la demandes : une seule plaie de ton corps, en apaisant en toi ces aiguillons du désir, a guéri toutes les plaies de ton âme ; et tandis que Dieu semblait te traiter avec rigueur, il se montrait, en réalité, secourable : tel le médecin de confiance qui n'épargne pas la douleur pour assurer la guérison. Chez moi, au contraire, les feux d'une jeunesse ardente au plaisir et l'épreuve que j'ai faite des plus douces voluptés enflamment ces aiguillons de la chair ; et les assauts sont d'autant plus pressants que plus faible est la nature qu'ils attaquent.

On vante ma chasteté : c'est qu'on ne connaît pas mon hypocrisie[4]. On porte au compte de la vertu la pureté de la chair ; mais la vertu, c'est l'affaire de l'âme, non du corps. On me loue parmi les hommes, mais je n'ai aucun mérite devant Dieu qui sonde les cœurs et les reins[5], et qui voit ce que l'on cache. On loue ma religion dans un temps où la religion n'est plus en grande partie qu'hypocrisie, où, pour être exaltée, il suffit de ne point heurter les jugements humains.

Il se peut, sans doute, qu'il y ait quelque mérite, même aux yeux de Dieu, à ne point scandaliser l'Église par de mauvais exemples, quelles que soient d'ailleurs les intentions, et à ne point donner aux infidèles le prétexte de blasphémer le nom du Seigneur, aux débauchés l'occasion de diffamer l'ordre de sa profession religieuse. Cela même jusqu'à un certain point est un don de la grâce divine qui entraîne non seulement à faire le bien, mais aussi à s'abstenir du mal. Mais en vain fait-on le premier pas, s'il n'est suivi du second, ainsi qu'il est écrit[1] : « Éloigne-toi du mal et fais le bien » ; en vain même pratiquerait-on ces deux préceptes, si ce n'est pas l'amour de Dieu qui vous conduit.

Or, dans tous les états de ma vie, Dieu le sait, jusqu'ici j'ai toujours eu plus de peur de t'offenser que de l'offenser lui-même ; et c'est à toi bien plus qu'à lui-même que j'ai le désir de plaire : c'est un mot de toi qui m'a fait prendre l'habit monastique, et non la vocation divine. Vois quelle vie infortunée, quelle vie misérable entre toutes que la mienne, si je supporte tout cela en vain, pour moi qui ne dois en recevoir dans l'avenir aucune récompense. Ma dissimulation, sans doute, t'a longtemps trompé comme tout le monde ; tu as attribué à la religion ce qui n'était qu'hypocrisie. Et voilà pourquoi tu te recommandes particulièrement à nos prières, pourquoi tu réclames de moi ce que j'attends de toi. Ah ! je t'en conjure, ne présume pas de moi, afin de continuer à m'aider de tes prières. Garde-toi de penser que je suis guérie : je ne puis me passer du secours de tes soins. Garde-toi de me croire au-dessus de tout besoin, pour ne pas différer ton aide dans la nécessité

Garde-toi de m'estimer si forte : je pourrais tomber avant que ta main vînt me soutenir. La flatterie a causé la perte de bien des âmes, en leur enlevant l'appui qui leur était indispensable. Le Seigneur s'écrie par la bouche d'Isaïe[1] : « Ô mon peuple, ceux qui t'exaltent te trompent et brouillent la route que tu suis » ; et par la bouche d'Ézéchiel[2] : « Malheur à vous qui placez des coussins sous les coudes et des oreillers sous la tête du monde pour abuser les âmes ! » Tandis qu'il est dit par Salomon[3] : « Les paroles des sages sont comme des aiguillons, comme des clous enfoncés profondément », qui ne savent pas caresser une plaie, mais qui la percent.

Trêve donc, je t'en prie, à tes éloges, si tu ne veux encourir le honteux reproche adressé aux artisans de flatterie et de mensonge. Si tu crois qu'il y ait en moi quelque chose de bon, prends garde que tes éloges ne le fassent évanouir au souffle de la vanité. Il n'est point de médecin habile en son art qui, aux symptômes extérieurs, ne reconnaisse le mal du dedans. Et tout ce qui est commun aux réprouvés et aux élus est sans mérite aux yeux de Dieu. Or, telles sont les pratiques extérieures, auxquelles les saints ne se conforment jamais avec autant de zèle que les hypocrites[4].

« Le cœur de l'homme est mauvais et insondable ; qui le connaîtra[5] ? » — « Il y a des voies de l'homme qui paraissent droites et qui aboutissent à la mort[6]. » — « Le jugement de l'homme est téméraire dans les choses dont l'examen est réservé à Dieu seul[7]. » — C'est pourquoi il est écrit[8] : « Vous ne louerez pas un homme pendant sa vie. » Cela veut dire qu'il ne faut pas louer un homme, de peur que, en le louant, tu le rendes indigne de ta louange.

L'éloge venant de toi est d'autant plus dangereux pour moi qu'il m'est plus doux : il me séduit, il m'enivre d'autant plus que j'ai un plus grand désir de te plaire en toute chose. Aie toujours plus de crainte que de confiance en ce qui me touche, je t'en supplie, afin que ta sollicitude me vienne toujours en aide. Et c'est aujourd'hui surtout qu'il faut craindre, puisque mon incontinence ne peut plus trouver de remède en toi.

Je ne veux pas que, pour m'exhorter à la vertu et pour m'exciter au combat, tu dises[1] : « La vertu est perfectionnée par la faiblesse » et[2] : « Celui-là ne sera pas couronné qui n'aura pas combattu loyalement. » Je ne cherche point la couronne de la victoire, ce m'est assez d'éviter le péril. Il est plus sûr de fuir le danger que d'engager la bataille. Dans quelque coin du ciel que Dieu me donne une place, il aura fait assez pour moi. Là, personne ne portera envie à personne, chacun se contentera de sa part.

Pour donner, moi aussi, à mes conseils l'appui d'une autorité, écoutons le bienheureux Jérôme : « J'avoue ma faiblesse, dit-il[3], je ne veux pas combattre dans l'espérance de remporter la victoire, de peur de la perdre. Quel besoin d'abandonner le certain pour suivre l'incertain ? »

Lettre cinquième

RÉPONSE D'ABÉLARD À HÉLOÏSE

À l'épouse du Christ, le serviteur du même Christ[1].

Ta dernière lettre se résume, si ma mémoire ne me trompe, en quatre points qui contiennent l'expression émue de tes griefs[2]. D'abord tu me reproches d'avoir contrevenu à l'usage épistolaire et même à l'ordre naturel, en mettant ton nom avant le mien dans la formule de salutation de ma lettre. En second lieu, dis-tu, bien loin de vous apporter le remède de ma consolation, j'ai augmenté votre douleur et fait jaillir les larmes que je devais apaiser, en vous écrivant . « S'il arrive que le Seigneur me fasse tomber entre les mains de mes ennemis et que ceux-ci, triomphants, me donnent la mort... » Puis, en troisième lieu, sont revenus ces anciens et éternels murmures contre Dieu au sujet de notre conversion et de la cruelle trahison dont j'ai été l'objet. Enfin, à l'éloge que je faisais de toi tu opposes un acte d'accusation contre toi-même, non sans me supplier avec instance de ne pas présumer ainsi de toi.

Je veux répondre à chacun de ces points, moins pour me défendre personnellement que pour t'éclairer toi-même et te fortifier. Tu te rendras d'autant plus aisément, je pense, à mes demandes, que tu en auras mieux compris la sagesse ; tu écouteras d'autant plus volontiers mes avis en ce qui te touche, que tu me trouveras moins répréhensible en ce qui me regarde ; tu seras d'autant moins disposée à rejeter mes conseils, que tu me jugeras moins digne de critique.

S'agissant de la formule de salutation dont j'ai, dis-tu, renversé l'ordre, je n'ai fait, rends-t'en bien compte, que me conformer à ta pensée. N'est-il pas de règle commune, en effet, et ne dis-tu pas toi-même que, lorsqu'on écrit à des supérieurs, leurs noms doivent être placés les premiers ? Or, sache-le bien, tu as été ma supérieure du jour où tu as commencé à être ma maîtresse en devenant l'épouse de mon maître, selon ces paroles du bienheureux Jérôme écrivant à Eustochie [1] ·
« J'écris donc : ma maîtresse ; car je dois appeler ma maîtresse celle qui a épousé mon maître. » Heureux changement de lien conjugal : épouse naguère d'un homme misérable, tu as été élevée à l'honneur de partager la couche du roi des rois, et cet honneur insigne t'a mise non seulement au-dessus de ton premier époux, mais de tous les autres serviteurs de ce roi. Ne t'étonne donc pas si je me recommande particulièrement, vivant ou mort, à tes prières : c'est un point de droit constant, que l'intervention d'une épouse auprès du maître est plus puissante que celle de la maison entière, et que la maîtresse a plus de crédit que le serviteur. Vois le modèle qui en est tracé dans le portrait de la reine, épouse du souverain roi, au psaume où il est dit [2] : « La reine est assise à ta droite. » C'est comme si l'on disait plus explicitement, qu'unie à son époux par le lien le plus étroit elle se tient à ses côtés et marche de pair avec lui, tandis que tous les autres restent à distance ou suivent de loin. C'est dans le fier sentiment de ce glorieux privilège que l'épouse du Cantique des cantiques, cette

Éthiopienne avec laquelle Moïse [1] s'unit, pour ainsi dire, s'écrie [2] : « Je suis noire, mais je suis belle, filles de Jérusalem : voilà pourquoi Dieu m'a aimée et m'a introduite dans sa chambre [3]. » Et ailleurs [4] : « Ne considérez pas que je suis basanée et que le soleil a changé mon teint. »

Il est vrai que ces paroles sont appliquées généralement à la description de l'âme contemplative, qui est spécialement nommée l'épouse du Christ ; toutefois l'habit même que vous portez témoigne qu'elles se rapportent encore plus expressément à vous-même. En effet, ces vêtements de couleur noire et d'étoffe grossière, semblables au lugubre costume de ces saintes veuves gémissant sur la mort des époux qu'elles avaient chéris, montrent que vous êtes véritablement en ce monde ces veuves désolées dont parle l'apôtre [5], et que l'Église doit vous soutenir de ses deniers. Elle est même dépeinte dans l'Écriture, la douleur de ces épouses qui pleurent leur époux mort : « Les femmes assises auprès du sépulcre, est-il dit, se lamentaient en pleurant le Seigneur. »

Quant à l'Éthiopienne, si elle a le teint noir et paraît, à ne juger que par les dehors, moins belle que les autres femmes, elle ne leur cède en rien par les beautés intérieures ; elle est même plus blanche et plus belle en plus d'une partie, les os, par exemple, et les dents [6]. La blancheur de ses dents est vantée par l'époux lui-même, qui dit [7] : « et ses dents sont plus blanches que le lait. » Elle est donc noire au dehors, mais au dedans elle est belle ; c'est la multitude des adversités et des tribulations dont son corps est affligé dans cette vie qui noircissent la surface de sa peau, selon la parole de l'apôtre [8] : « Tous ceux qui veulent vivre pieusement en Jésus-Christ souffriront des tribulations. » En effet, comme le blanc désigne le bonheur, de même on peut dire que le noir représente l'adversité. Mais au-dedans, elle est blanche jusque dans la moelle des os, parce que son âme est riche de vertus, ainsi qu'il est écrit[1] : « Toute la gloire de la fille du Roi vient du dedans. » En effet, ses os, qui sont au dedans, recouverts au dehors par la chair dont ils sont le soutien et l'appui, la force et la vigueur, représentent bien l'âme qui vivifie le corps où elle réside, le soutient, le fait mouvoir, le gouverne et lui communique toute sa puissance. Sa blancheur et sa beauté, ne sont-ce pas les vertus dont elle est ornée ? Si elle est noire à l'extérieur, c'est aussi parce que, pendant la durée de son exil et de son pèlerinage sur cette terre, elle vit dans l'abjection et l'humilité jusqu'au jour où, appelée à cette autre vie qui est cachée avec le Christ en Dieu, elle entre en possession de sa patrie. Le soleil de la vérité change son teint, c'est-à-dire que l'amour de son céleste époux l'humilie et l'accable de tribulations douloureuses, de peur que la prospérité ne l'enorgueillisse. Il change son teint, c'est-à-dire qu'il la rend différente des autres femmes qui aspirent aux biens de la terre et cherchent la gloire du monde, afin qu'elle devienne, par son humilité, le véritable lis des vallées[2], non pas le lis des montagnes, comme ces vierges folles[3] qui, toutes glorieuses de leur pureté charnelle et de leur continence extérieure, sont intérieurement brûlées par le feu des tentations. Et, s'adressant aux filles de Jérusalem, c'est-à-dire à ces fidèles imparfaits qui méritent plutôt le nom de filles que celui de fils, elle leur dit avec raison : « Ne prenez pas garde à mon teint. » C'est comme si elle eût dit clairement : si je m'humilie ainsi, si je supporte avec ce courage toutes les épreuves, ce n'est pas un effet de ma vertu, c'est par la grâce de celui que je sers. Tout autre est la conduite des hérétiques ou des hypocrites, qui, dans l'espérance de jouir des gloires de ce monde, font montre, tant qu'ils sont sous les regards des hommes, de s'humilier profondément et de supporter beaucoup d'inutiles épreuves. Humilité, épreuves qui nous étonnent : quelle vie, en effet, plus misérable que celle de ces hommes qui n'ont part ni aux biens de la terre ni à ceux du ciel ! Aussi est-ce dans cette vue que l'épouse dit[1] : « Ne vous étonnez pas que j'agisse ainsi. » Ce dont il faut s'étonner, c'est de la conduite de ceux qui, brûlant du vain désir des gloires de ce monde, se privent des biens de ce monde : malheureux ici-bas comme dans l'éternité. Telle la continence des vierges folles qui sont repoussées du seuil de l'époux.

C'est encore à bon droit qu'elle affirme avoir été aimée parce qu'elle est noire et belle, comme il est écrit ; le roi l'a introduite dans sa chambre, c'est-à-dire dans ce lieu de retraite tranquille et de contemplation, dans cette couche dont elle dit ailleurs[2] : « Durant les nuits, j'ai cherché dans ma couche celui que mon âme chérit. » Car la couleur noire de son teint se plaît dans l'ombre plutôt qu'à la lumière, et dans la solitude plutôt que dans la foule. Une telle épouse recherche plutôt les secrètes jouissances que les joies publiques du mariage ; elle préfère les émotions du lit que se faire voir à table. Souvent d'ailleurs il arrive que la chair des femmes noires, moins agréable à la vue, est plus douce au toucher, et que les plaisirs secrets qu'on goûte dans leur amour sont plus délicieux et plus charmants que ceux que procure l'admiration du monde ; aussi leurs maris, pour jouir de leurs attraits, aiment-ils mieux les introduire dans leur chambre que les produire dans le monde[3]. C'est conformément à cette image, que l'épouse spirituelle, après avoir dit : « Je suis noire, mais belle », ajoute aussitôt : « Voilà pourquoi le roi m'a aimée et m'a introduite dans sa chambre » ; soit, en rapprochant les termes un à un : « parce que je suis belle, il m'a aimée ; parce que je suis noire, il m'a introduite dans sa chambre. » Belle au dedans, ainsi que je l'ai dit, des vertus que chérit l'époux ; noire au dehors des traces de ses adversités et de ses tribulations corporelles.

Cette noirceur même des tribulations corporelles arrache aisément le cœur des fidèles à l'amour des choses terrestres, pour les attacher aux désirs de l'éternelle vie ; souvent elle les enlève à la tumultueuse agitation de la vie du siècle et les pousse vers les mystères de la vie contemplative. C'est ainsi que, selon le bienheureux Jérôme, Paul embrassa le premier notre genre de vie, je veux dire la vie monacale [1].

Ces vêtements grossiers aussi sont plutôt faits pour la retraite que pour le monde ; ils sont proprement en harmonie avec la pauvreté et la solitude qui conviennent au caractère de nos vœux. Car rien n'excite plus vivement à se produire en public que le luxe de la toilette, luxe qu'on ne recherche qu'en vue des pompes de ce monde et d'une vaine gloire, ainsi que le démontre le bienheureux Grégoire par ces paroles [2] : « On ne se pare point dans la solitude, mais là où l'on peut être vu. »

Quant à cette chambre dont parle l'épouse, c'est celle que l'époux désigne lui-même pour la prière, dans le passage où il dit [3] : « Mais toi, quand tu voudras prier, entre dans ta chambre et ferme la porte pour prier ton père » ; soit, en d'autres termes : « tu ne prieras pas sur les places et dans les lieux publics, comme les hypocrites. » Il entend donc par cette chambre un endroit retiré, loin de l'agitation et de la vue du siècle, où la prière puisse être plus calme et plus pure. Telles les retraites des solitudes monastiques, où la règle prescrit de clore sa porte, c'est-à-dire de fermer tous les accès, de peur que la pureté de la prière ne soit troublée et que notre œil ne porte le ravage dans notre malheureuse âme. Aussi gémissons-nous douloureusement de voir encore, parmi ceux qui ont revêtu notre habit, tant de contempteurs de ce conseil ou plutôt de ce divin précepte. Lorsqu'ils célèbrent les saints offices, ils ouvrent portes et sanctuaire ; ils affrontent impudemment, à la face du ciel, les regards des femmes et des hommes, et cela surtout dans les solennités où ils resplendissent de l'éclat de leurs précieux ornements, comme les hommes du siècle auxquels ils se donnent en spectacle. À leur avis, la fête est d'autant plus belle qu'on déploie plus de magnificence dans les ornements extérieurs, plus de somptuosité dans les offrandes[1].

Malheureux aveuglement, radicalement contraire à la religion chrétienne, c'est-à-dire à la religion des pauvres, et dont il vaut mieux ne rien dire pour éviter le scandale d'en parler. Judaïsant[2] de cœur, ils ne suivent d'autre règle que leur coutume ; à cause de leurs traditions au nom desquelles ils se conforment non au devoir, mais à l'habitude, ils ont fait des commandements de Dieu une lettre morte ; et cependant, ainsi que le rappelle le bienheureux Augustin[3], le Seigneur a dit[4] : « Je suis la vérité », et non pas : je suis la coutume.

Se recommande qui voudra à ces prières faites à portes ouvertes ; mais vous, que le Roi du ciel a introduites lui-même dans sa chambre, vous qui reposez sur son sein et qui vous donnez à lui tout entières, la porte toujours close, plus vous vous unissez intimement à lui — selon le mot de l'apôtre[5] : « Celui qui s'unit au Seigneur ne fait plus avec lui qu'un esprit » —, plus j'ai confiance dans la pureté et dans l'efficacité de tes prières. Et c'est pour cela que j'en sollicite si vivement l'assistance. Car je pense que tu les adresseras avec d'autant plus de ferveur, que nous sommes plus étroitement unis ensemble par les liens d'une mutuelle affection.

Si, en parlant du péril que je cours et de la mort que je crains, je vous ai bouleversées, cela aussi, je ne l'ai fait que pour répondre à ta demande, à ta sollicitation pressante. En effet, la première lettre que tu m'as adressée contient un passage ainsi conçu : « Au nom de celui qui semble encore te protéger pour son service, au nom du Christ dont nous sommes, ainsi que de toi-même, les petites servantes, nous t'en conjurons, daigne nous dire, par des lettres fréquentes, au sein de quels orages tu es encore ballotté : nous sommes les seules qui te restions au monde ; que nous puissions avoir part à tes peines et à tes joies ! D'ordinaire la sympathie est un allégement dans la douleur ; tout fardeau qui pèse sur plusieurs est plus léger à soutenir, plus facile à porter. » Pourquoi donc me reprocher de vous avoir fait participer à mes angoisses, quand c'est toi qui, par tes sollicitations pressantes, m'y as forcé ! Tandis que ma vie est en proie à toutes les tortures du désespoir, conviendrait-il que vous fussiez, vous, dans la joie ? Ou bien ne voudriez-vous avoir part qu'à mes joies et non à mes peines, rire avec ceux qui rient, non pleurer avec ceux qui pleurent[1] ? Entre les vrais et les faux amis, la vraie différence, c'est que les uns s'associent au malheur, les autres à la prospérité[2]. Trêve donc, de grâce, à ces reproches ; trêve à ces plaintes qui sont si loin de sortir des entrailles de la charité. Mais si tu es troublée par mon récit, songe que dans l'imminence du péril où je me trouve, dans le désespoir auquel toutes les heures de ma vie sont en proie, il convient que je m'inquiète du salut de mon âme, et que j'y pourvoie, tandis qu'il en est temps. Si tu m'aimes véritablement, tu ne trouveras point toi-même cette préoccupation mauvaise. Bien plus, si tu avais quelque espérance dans la miséricorde divine envers moi, tu souhaiterais me voir affranchi des épreuves de cette vie, avec d'autant plus d'ardeur que tu les vois plus intolérables. Tu le sais, en effet, mieux que qui que ce soit, quiconque me délivrera de cette vie m'arrachera aux pires souffrances. Quelles peines m'attendent hors de ce monde, je ne sais ; mais je sais bien celles dont je serai affranchi.

La fin d'une vie malheureuse ne peut être que douce ; et tous ceux qui compatissent et sympathisent véritablement aux maux des autres doivent désirer que ces maux finissent ; s'ils aiment réellement ceux qu'ils voient tourmentés, ils considèrent moins leurs propres jouissances que le bien de ceux qui leur sont chers. C'est ainsi qu'une mère, voyant languir son fils, souhaite que la mort vienne mettre un terme à ce long supplice qu'elle-même ne peut supporter, et elle aime mieux le perdre que de le conserver en le voyant souffrir. Si douce que soit la présence d'un ami, il n'est personne qui ne préfère le savoir heureux loin de soi plutôt que de le voir malheureux près de soi : ne pouvant soulager sa misère, on ne peut supporter d'en être le témoin.

Pour toi, il ne t'est pas donné de jouir de ma présence, si misérable qu'elle soit. Et si tu ne peux rien à mon bonheur, pourquoi me préfères-tu vivant et malheureux, plutôt qu'heureux et mort ? Je ne le vois pas. Si c'est pour toi que tu désires voir prolonger mes misères, c'est qu'évidemment tu es mon ennemie, non mon amie. Si tu crains de paraître telle, trêve, je t'en conjure, trêve à ces plaintes.

Quant au refus que tu opposes à la louange, je l'approuve ; tu montres, par là, que tu en es d'autant plus digne. Car il est écrit [1] : « le juste est le premier accusateur de lui-même », et [2] : « quiconque s'humilie s'élève ». Fasse le ciel que ton cœur soit d'accord avec ta plume ! Et s'il en est ainsi, ta modestie est trop sincère pour s'évanouir à cause de mes paroles. Mais prends garde, je t'en conjure, de chercher la louange en paraissant la fuir, et de repousser des lèvres ce à quoi tu aspirerais au fond du cœur. À ce sujet, le bienheureux Jérôme écrit, entre autres choses, à Eustochie[1] : « nous suivons naturellement la pente du mal, nous tendons l'oreille à la flatterie, nous protestons que nous ne sommes pas dignes, une trop habile rougeur empourpre notre front et cependant, au bruit de la louange, notre âme tressaille de joie. »

Telle est l'habile coquetterie de l'aimable Galathée, dans la description de Virgile ; elle témoignait, en fuyant, son ardeur pour ce qu'elle désirait, et, par un refus simulé, excitait la passion de son amant[2] : « elle fuit derrière les saules, mais désire être vue auparavant. » Avant de se cacher, elle veut qu'on la voie tandis qu'elle fuit, et cette fuite, par laquelle elle paraît se soustraire aux caresses du jeune homme, n'est qu'un moyen de se les assurer[3]. C'est ainsi qu'en ayant l'air de fuir les louanges, nous en provoquons le redoublement ; nous feignons de vouloir nous cacher, pour dérober ce que nous avons de louable, et ce n'est qu'une manière d'exciter à la louange les dupes aux yeux desquelles nous en paraissons d'autant plus dignes[4].

Ce que j'en dis, c'est pour signaler ce qui a lieu d'ordinaire ; mais je ne te soupçonne pas de tels artifices ; je n'ai point de doute sur la sincérité de ta modestie. Je désire seulement que tu te tiennes en garde contre les formes de langage qui pourraient faire croire à ceux qui ne te connaîtraient pas, que « tu cherches la gloire, comme dit[5] le bienheureux Jérôme, en la fuyant ». Jamais un éloge de ma part ne tendra à t'enfler le cœur, il te provoquera à progresser et à te faire embrasser ce que j'aurai loué en toi avec une ardeur égale à ton désir de me plaire. Mes éloges ne sont pas un certificat de piété qui puisse t'inspirer un sentiment d'orgueil. Il ne faut pas attacher plus de foi à la louange d'un ami qu'au blâme d'un ennemi.

Il me reste enfin à parler de cette vieille plainte qu'aujourd'hui encore tu as incessamment sur les lèvres au sujet des circonstances de notre conversion, dont tu oses accuser Dieu, quand tu devrais l'en glorifier. J'avais pensé que la considération des desseins si manifestes de la miséricorde divine avait depuis longtemps effacé dans ton âme ces sentiments d'amertume, sentiments dangereux pour toi, dont ils usent le corps et l'âme, et, par là même, d'autant plus pénibles et plus douloureux pour moi. Tu songes par-dessus tout à me plaire, dis-tu : si tu veux cesser de me mettre à la torture, et si tu veux même me plaire souverainement, rejette ces sentiments de ton âme. En les entretenant, tu ne saurais ni me plaire, ni parvenir avec moi à la béatitude éternelle. M'y laisseras-tu aller sans toi, toi qui te déclares prête à me suivre même jusque dans les gouffres brûlants des enfers ? Aspire à plus de piété[1], ne fût-ce que pour n'être pas séparée de moi, tandis que je vais, comme tu le penses, à Dieu ; songe, en entrant dans cette voie, que la béatitude est le but du voyage, et que les fruits de ce bonheur seront d'autant plus doux que nous les goûterons ensemble. Souviens-toi de ce que tu as dit ; rappelle-toi ce que tu as écrit, au sujet des circonstances de notre conversion, que Dieu, dont on accusait les sentiments ennemis, s'était bien plutôt manifestement montré miséricordieux envers moi. Accepte cette décision, au moins parce qu'elle m'est très salutaire, et qu'elle te le sera pareillement quand ta douleur s'effa-

cera devant la raison. Ne te plains pas d'être la cause
d'un si grand bien, d'un bien en vue duquel il est évident que Dieu t'a particulièrement créée. Ne gémis pas
sur ce que j'ai pu supporter, ou bien pleure alors, pleure
aussi sur les souffrances des martyrs et sur la mort de
Notre-Seigneur lui-même, salut du monde. Si j'avais
mérité ce qui m'est arrivé, tu en aurais donc moins souffert, tu en serais donc moins affligée ? Ah ! certes, s'il
en était ainsi, tu serais d'autant plus touchée de ce malheur qu'il serait pour moi une honte, pour mes ennemis
un honneur ; pour eux en effet, dès lors, la satisfaction
de la justice et l'éloge ; pour moi, la faute et le mépris :
pour eux plus de reproches, pour moi plus de pitié.

Cependant, pour adoucir l'amertume de ta douleur,
je voudrais encore démontrer[1] que ce qui nous est arrivé est aussi juste qu'utile, et qu'en nous punissant dans
le mariage et non dans la fornication, Dieu a bien fait.
Après notre mariage, tu le sais, et pendant ta retraite à
Argenteuil au couvent des religieuses, je vins secrètement te rendre visite, et tu te rappelles à quels excès la
passion me porta sur toi dans un coin même du réfectoire, faute d'un autre endroit où nous pussions nous
retirer. Tu sais, dis-je, que notre impudicité ne fut pas
arrêtée par le respect d'un lieu consacré à la Vierge souveraine[2]. Fussions-nous innocents de tout autre crime,
celui-là ne méritait-il pas le plus terrible des châti-
ments ? Rappellerai-je maintenant nos anciennes souillures et les honteux désordres qui ont précédé notre
mariage, l'indigne trahison enfin dont je me suis rendu
coupable envers ton oncle, moi son hôte et son com-
mensal, en te séduisant si impudemment ? La trahison
n'était-elle pas juste ? Qui pourrait en juger autrement,
de la part de celui que j'avais le premier si outrageuse-
ment trahi ? Penses-tu qu'une blessure, la souffrance

momentanée de ma plaie ait suffi à la punition de si grands crimes ? De tels péchés méritaient-ils une telle grâce ? Quelle blessure pouvait expier aux yeux de la justice divine la profanation d'un lieu consacré à sa sainte mère ? Certes, si je ne me trompe pas complètement, une blessure si salutaire compte moins pour l'expiation de ces fautes que les épreuves sans relâche auxquelles je suis soumis aujourd'hui.

Tu sais aussi qu'au moment de ta grossesse, quand je t'ai fait passer dans mon pays, tu as revêtu l'habit sacré, pris le rôle de religieuse, et que, par cet irrévérencieux déguisement, tu t'es jouée de la profession à laquelle tu appartiens aujourd'hui[1] ? Vois, après cela, si la justice, que dis-je ? si la grâce divine a eu raison de te pousser malgré toi dans l'état monastique dont tu n'as pas craint de te faire un jeu ; elle a voulu que l'habit que tu avais profané servît à expier la profanation, que la vérité de la chose fût le remède du mensonge de la parodie et en réparât la fraude sacrilège.

À la considération de la justice divine, ajoute celle de notre intérêt, et tu verras qu'à donner aux choses leur vrai nom, c'est moins la justice de Dieu que sa grâce qui s'est étendue sur nous. Remarque donc, remarque, ma bien-aimée, de quels périlleux abîmes Dieu nous a tirés avec les filets de sa miséricorde, de quelle dévorante Charybde il nous a sauvés malgré nous ; en sorte que l'un et l'autre nous pouvons faire jaillir ce cri[2] : « le Seigneur s'est soucié de moi. » Pense encore et encore dans quels dangers nous nous trouvions, de quels dangers le Seigneur nous a fait sortir, et rappelle sans cesse, avec mille actions de grâce, tout ce qu'il a fait pour le salut de notre âme ; soutiens, par notre exemple, les pécheurs qui désespèrent de sa bonté, afin qu'ils sachent tous ce qui est réservé à ceux qui demandent et qui supplient, en voyant tant de grâces accordées à des pécheurs endurcis. Réfléchis aux mystérieux desseins de la divine providence : sa miséricorde a fait tourner en régénération les arrêts de sa justice ; sa sagesse s'est servie des méchants eux-mêmes pour changer l'impiété en piété, et la blessure si justement infligée à une seule partie de mon corps a guéri deux âmes à la fois. Compare le danger et la délivrance. Compare la maladie et le remède. Examine ce que méritaient nos fautes et admire les indulgents effets de sa miséricorde.

Tu sais à quelles turpitudes les emportements de ma passion avaient voué nos corps ; ni le respect de la décence, ni le respect de Dieu, même dans les jours de la passion de Notre-Seigneur et des plus grandes solennités, ne pouvaient m'arracher du bourbier où je roulais. Toi-même tu ne voulais pas, tu résistais de toutes tes forces, tu me faisais des remontrances, et quand la faiblesse de ta nature eût dû te protéger, que de fois n'ai-je pas usé de menaces et de coups pour forcer ton consentement[1] ! Je brûlais pour toi d'une telle ardeur de désirs, que, pour ces voluptés misérables et infâmes dont le nom seul nous fait rougir, j'oubliais tout, Dieu, moi-même : la clémence divine pouvait-elle me sauver autrement qu'en m'interdisant à jamais ces voluptés ?

Dieu s'est donc montré plein de justice et de clémence ; il a permis l'indigne trahison de ton oncle ; mais c'est afin que je pusse gagner en accroissements de toute sorte, que j'ai été diminué de cette partie de mon corps, siège du désir, cause première de ma concupiscence ; conformément à la justice, c'est l'organe qui seul avait péché qui a été frappé et qui a expié par ses souffrances ses jouissances criminelles. Et ainsi j'ai été tiré de cette ordure dans laquelle je m'étais plongé comme dans la fange ; ainsi Dieu a circoncis[2] tout à la fois mon âme et mon corps ; ainsi il m'a rendu d'autant plus propre au service de ses saints autels, que les souillures des voluptés de la chair ne sauraient plus réveiller en moi les passions. Quelle clémence encore n'a-t-il pas montrée, en ne frappant en moi que l'organe dont la privation ne pouvait que tourner au salut de mon âme, sans défigurer mon corps ni l'empêcher de vaquer à aucun ministère. Au contraire, cette privation ne m'a-t-elle pas rendu d'autant plus dispos pour tous les actes honnêtes, qu'elle m'a affranchi du joug si lourd de la concupiscence ? Oui, par la privation de ces parties si méprisables qui, en raison de la honte liée à leur fonction sont appelées honteuses et ne sauraient être nommées par leur nom, la grâce divine m'a purifié plutôt qu'elle ne m'a mutilé : a-t-elle fait autre chose, en effet, qu'écarter de moi les impuretés, les vices, afin de préserver l'éclat de ma pureté ?

Dans le vif désir de conserver l'éclat de leur pureté, certains sages, dit-on, portèrent la main sur eux-mêmes, afin d'éloigner d'eux le tourment de la concupiscence. On raconte même que l'apôtre demanda au Seigneur de l'affranchir de cet aiguillon de la chair, et qu'il ne fut pas exaucé[1]. Un autre exemple nous est offert par le grand philosophe des chrétiens, par Origène[2], qui, pour éteindre à jamais l'incendie dans son foyer, ne craignit pas d'attenter sur lui-même ; regardant comme réellement bienheureux ceux-là seuls qui se sont châtrés en vue d'obtenir le royaume de Dieu, il croyait que c'était fidèlement accomplir le précepte du Seigneur, qui prescrit de couper, de rejeter loin de nous les organes de scandale[3] ; il prenait à la lettre, non au sens allégorique, cette prophétie d'Isaïe dans laquelle il est dit que le Seigneur préfère les eunuques aux autres fidèles[4] : « les eunuques qui observeront mes jours de sab-

bat et qui s'attacheront à ce qui me plaît, je leur donnerai une place dans ma maison et dans l'enceinte de mes
murailles ; je leur donnerai un nom meilleur que celui
de fils et de filles, un nom éternel qui ne périra pas. »
Origène, toutefois, a commis une grande faute, en muti-
lant son corps pour en prévenir les fautes[1]. Plein de
zèle pour Dieu[2], sans doute, mais de zèle mal éclairé, il
a encouru l'accusation d'homicide en portant le fer contre lui. C'est par l'inspiration du démon, ou par une
erreur très grave qu'il a exécuté sur lui-même ce que,
par la miséricorde de Dieu, la main d'autrui a con-
sommé sur moi. J'évite la faute sans encourir la disgrâce. Je mérite la mort et j'obtiens la vie ; il m'appelle,
je résiste, je persévère dans mes crimes, et il m'amène
au pardon malgré moi. L'apôtre prie sans être exaucé ;
il redouble sa prière, et il n'obtient pas. Vraiment le
Seigneur s'est soucié de moi[3]. J'irai donc et je raconterai
les grandes choses que Dieu a faites pour mon âme.

Rejoins-moi, toi aussi, inséparable compagne, dans
une même action de grâce, de même que tu as participé
à la faute et au pardon. Car Dieu n'a pas oublié ton
salut ; que dis-je ? il a toujours songé à toi : par une
sorte de saint présage attaché à ton nom, il t'a particulièrement marquée pour le ciel en t'appelant Héloïse,
de son propre nom qui est Héloïm[4].

C'est lui, dis-je, qui, dans sa clémence, a résolu de
nous sauver tous les deux ensemble, tandis que le démon travaillait à consommer par l'un de nous notre
perte commune : en effet, c'est fort peu de temps avant
que cela n'arrivât, que l'indissoluble loi du sacrement
nuptial nous avait enchaînés l'un à l'autre ; quand, dans
l'élan d'une passion insensée, je brûlais du désir de te
fixer auprès de moi pour toujours, c'est Dieu qui déjà
préparait la circonstance qui devait nous ramener ensemble vers lui.

En effet, si le lien du mariage ne nous eût pas précédemment unis, après ma retraite du monde, les conseils de tes parents, l'attrait des plaisirs de la chair t'auraient aisément retenue dans le siècle. Vois donc à quel point Dieu s'est inquiété de nous : il semble qu'il ait eu sur nous quelques grandes vues et qu'il s'indignât ou s'affligeât que ces trésors de science, qu'il nous avait à l'un et à l'autre confiés, ne fussent pas employés à l'honneur de son nom ou qu'il se défiât des passions de son humble serviteur, ainsi qu'il est écrit[1] : « les femmes font même apostasier les sages. » Témoin le sage des sages, Salomon[2].

Tous les jours, le trésor de ta sagesse produit pour le Seigneur avec intérêt : tu lui as déjà donné nombre de filles spirituelles, tandis que moi, je reste stérile et que je travaille en vain parmi les fils de la perdition. Quelle déplorable perte, quel lamentable malheur, si, livrée aux impuretés des plaisirs charnels, tu enfantais dans la douleur un petit nombre d'enfants pour le monde, au lieu de cette innombrable famille que tu enfantes dans la joie pour le ciel ; tu ne serais qu'une femme, toi qui aujourd'hui surpasses les hommes, toi qui as transformé la malédiction d'Ève en bénédiction de Marie[3]. Quelle profanation, si ces mains sacrées, habituées aujourd'hui à feuilleter les livres divins, étaient condamnées aux soins vulgaires du commun des femmes !

Dieu a daigné nous arracher lui-même au contact de ce cloaque, aux voluptés de cette fange, et nous attire à lui par un coup de cette puissance dont il frappa Paul pour le convertir[4]. Peut-être aussi, par notre exemple, a-t-il voulu intimider la présomption des savants.

Que ce coup ne t'afflige donc pas, ma sœur, je t'en supplie ; cesse d'accuser un père qui nous corrige si paternellement, et songe à ce qui est écrit[5] : « le Seigneur châtie ceux qu'il aime ; il corrige tous ceux qu'il reçoit au nombre de ses enfants. » Et ailleurs[1] : « celui qui épargne la verge, hait son fils. » Cette peine est passagère, non éternelle ; c'est une peine d'expiation, non de damnation. Écoute le prophète et prends courage[2] : « le Seigneur ne jugera pas deux fois pour une même faute ; le châtiment ne se lèvera pas deux fois sur la tête du même coupable. » Comprends cette parole souveraine et si grave de la Vérité[3] : « par la patience, vous posséderez vos âmes. » D'où cette maxime de Salomon[4] : « l'homme patient est supérieur à l'homme fort, et celui qui maîtrise son cœur à celui qui force les villes. »

Ne te sens-tu pas émue jusqu'aux larmes et pénétrée de douleur, en pensant que pour te sauver, toi et le monde, le Fils unique de Dieu, agneau sans tache, a été saisi par des impies, traîné, flagellé, insulté, la face voilée, souffleté, conspué, couronné d'épines, enfin, supplice des infâmes, suspendu à une croix entre des voleurs, et soumis au genre de mort le plus affreux, le plus exécrable que l'on connût alors ? C'est lui, ô ma sœur, qui est ton véritable époux et l'époux de toute l'Église ; aie-le toujours devant les yeux, porte-le dans ton cœur. Vois-le marchant au supplice pour toi et portant lui-même sa croix. Mêle-toi à la foule, à ces femmes qui se frappaient la poitrine et se lamentaient sur son sort, comme le raconte Luc[5] : « il était suivi par une grande foule de peuple et de femmes qui se frappaient la poitrine et qui se lamentaient sur son sort. » Et lui, se retournant vers elles avec bonté, il leur annonça le châtiment qui suivrait de près sa mort, châtiment dont, si elles étaient sages, elles pourraient se garantir en suivant ce conseil[6]. « Filles de Jérusalem, disait-il, ne pleurez pas sur moi, mais pleurez sur vous-mêmes et sur vos enfants ; car voici que le jour approche où l'on dira :

heureuses les femmes stériles et les entrailles qui n'ont pas conçu et les mamelles qui n'ont pas allaité ! Alors on dira aux montagnes : tombez sur nous ; et aux collines : écrasez-nous ; car si le bois vert est traité de la sorte, que fera-t-on du bois sec ? »

Compatis à celui qui a souffert volontairement pour te racheter, et en songeant qu'il a été crucifié pour toi, que ton cœur se pénètre de douleur. Sois toujours en esprit auprès de son tombeau ; pleure et lamente-toi avec les saintes femmes, dont il est écrit, comme je l'ai dit plus haut [1] : « les femmes assises au pied du tombeau se lamentaient, pleurant le Seigneur. » Prépare avec elles des onguents pour sa sépulture, mais des onguents plus exquis, des onguents spirituels et non matériels ; ce sont ceux-là qu'il réclame ; les autres lui sont inutiles. Pénètre-toi de ces devoirs de toute la force de ta dévotion.

C'est à ces sentiments de compassion profonde pour ses souffrances que le Seigneur lui-même exhorte les fidèles par la bouche de Jérémie. « Ô vous tous qui passez par ce chemin, dit-il [2], considérez et voyez s'il est une douleur semblable à ma douleur » ; c'est-à-dire, est-il des souffrances dignes qu'on y compatisse et qu'on les pleure, quand moi j'expie, seul innocent des péchés du monde, les péchés que le monde a commis ? Or, le Seigneur est le chemin par lequel les fidèles rentrent de l'exil dans la patrie. Cette croix même, du haut de laquelle il s'écrie, c'est lui qui l'a élevée pour nous comme une échelle de salut. Sur ce bois, le Fils unique de Dieu est mort pour nous, holocauste volontaire [3]. C'est sur lui seul qu'il faut gémir et compatir, compatir et gémir. Accomplis ce que le prophète Zacharie [4] a dit des âmes dévotes : « elles se frapperont la poitrine en poussant des gémissements comme à la mort d'un fils unique, elles pleureront sur lui comme on pleure la mort d'un premier-né. »

Vois, ô ma sœur, quels gémissements éclatent parmi ceux qui aiment un roi à la mort de son fils unique, de son premier-né. Considère le désespoir de sa famille, l'affliction dans laquelle est abîmée la cour entière. Qu'est-ce donc, lorsqu'on arrive à l'épouse de ce fils unique ? ses sanglots fendent le cœur, et l'on ne saurait les supporter. Tels doivent être tes gémissements, tels tes sanglots, ô ma sœur, toi qu'un bienheureux mariage a unie à ce divin époux. Il t'a payée, achetée, non au prix de ses biens, mais au prix de lui-même ; c'est de son propre sang qu'il t'a achetée et rachetée. Vois quel droit il a sur toi ; considère de quel prix il t'a payée.

Aussi l'apôtre, considérant la grandeur de ce prix et comparant à ce prix la valeur de celui pour lequel il est offert, s'écrie, mesurant la reconnaissance au bienfait [1] : « loin de moi l'idée de me glorifier, si ce n'est en la croix de Notre-Seigneur Jésus-Christ par lequel le monde a été crucifié pour nous et moi pour le monde. » Tu es plus que le ciel, plus que la terre, toi dont le Créateur du ciel s'est fait lui-même la rançon. Qu'a-t-il trouvé en toi, je te le demande, lui à qui rien ne manque, pour n'avoir pas reculé devant les angoisses de la plus horrible, de la plus ignominieuse des morts, afin de t'acquérir ? Qu'a-t-il, je le répète, cherché en toi si ce n'est toi-même ? Celui-là est l'amant véritable qui ne désire que toi et non ce qui est à toi ; celui-là est l'ami véritable qui disait en mourant pour toi [2] : « il n'est point de plus grand témoignage d'amour que de mourir pour ceux qu'on aime. » C'est lui qui t'aimait véritablement et non pas moi. Mon amour à moi, qui nous enveloppait tous deux dans les liens du péché, n'était que concupiscence : il ne mérite pas ce nom d'amour. J'assouvissais sur toi ma misérable passion, et voilà tout ce que j'aimais ! J'ai, dis-tu, souffert pour toi ; cela peut être vrai, mais il serait plus juste de dire que j'ai souffert par toi ; encore était-ce malgré moi ; j'ai souffert, non pour l'amour de toi, mais par la violence exercée contre moi ; non pour ton salut, mais pour ton désespoir. C'est pour ton salut au contraire, c'est de son plein consentement que le Seigneur a souffert pour toi, Jésus dont les souffrances guérissent toute maladie, écartent toute souffrance. Porte donc vers lui, je t'en conjure, et non vers moi toute ta piété, toute ta compassion, toute ta componction. L'iniquité de la cruauté abominable consommée sur un innocent, voilà ce qu'il faut déplorer, et non le juste châtiment de l'équité, ou plutôt, je l'ai déjà dit, la grâce infinie dont nous avons été l'un et l'autre l'objet.

C'est être injuste que de n'aimer pas la justice, et très injuste que de se montrer sciemment contraire à la volonté de Dieu, que dis-je ? à sa grâce si grande. Pleure ton Sauveur et non ton corrupteur, ton rédempteur, non celui qui t'a perdue, le Seigneur qui est mort pour toi et non l'esclave qui vit encore ou qui vient seulement d'être délivré véritablement de la mort éternelle.

Prends garde, je t'en supplie, qu'on ne puisse pas, à ta honte, t'appliquer ce que Pompée dit à Cornélie abîmée dans la douleur[1] : « Le grand Pompée vit encore après la bataille, mais sa fortune est morte : ce que tu pleures, c'est ce que tu aimais. » Songes-y, je t'en prie : quelle ignominie ne serait-ce pas d'exalter nos anciens et déplorables égarements ! Accepte donc, ma sœur, accepte, je t'en conjure, avec patience, ce coup de la miséricorde divine. C'est la verge d'un père qui nous a touchés, non le glaive d'un persécuteur. Le père fustige pour corriger, de peur que l'ennemi ne frappe pour

tuer. Il blesse pour prévenir la mort, non pour la donner ;
il emploie le fer pour trancher le mal ; il blesse le corps et
guérit l'âme. Il aurait dû donner la mort, il donne la vie.
Il retranche les membres atteints par la gangrène, afin de
ne rien laisser que de sain. Il punit une fois pour ne pas
punir éternellement. Un seul a souffert de la blessure, et
deux ont été sauvés de la mort ; il y avait deux coupables,
un seul a été puni. La faiblesse de ta nature a été épar-
gnée : c'est aussi un effet de la miséricorde divine et,
d'une certaine manière, de sa justice. Plus faible par état,
mais plus forte par vertu, tu méritais une peine moindre.
Je rends grâces au Seigneur qui t'a alors affranchie de la
peine et réservée pour la couronne ; oui, par le seul effet
du châtiment infligé à mon corps, il a d'un seul coup re-
froidi en moi toutes les ardeurs de la concupiscence effrénée qui me dévorait ; il m'a à jamais préservé de toute
chute ; pour toi, en abandonnant à elle-même ta jeunesse,
en laissant ton âme en proie à toutes les tentations des
perpétuelles passions de la chair, il t'a réservée pour la
couronne du martyre. Quoique tu te refuses à l'entendre,
et que tu me défendes de le dire, c'est cependant une vérité manifeste [1] : le vainqueur du combat mérite la couronne, et il n'y aura de couronné que « celui qui aura
combattu jusqu'au bout ».

Pour moi, je n'ai pas de couronne à attendre, puisque
je n'ai plus de combat à soutenir. L'élément du combat
manque à qui n'a plus l'aiguillon de la concupiscence.
Cependant, si je n'ai pas de couronne à prétendre, c'est
encore quelque chose que de n'avoir pas de châtiment à
craindre, et d'avoir été préservé peut-être par la douleur
d'un moment des peines éternelles ; car il en est des hommes qui se livrent à cette triste vie comme de vils animaux [2] : « Les animaux ont pourri sur leur fumier. »

Je ne me plains pas de voir diminuer mes mérites,

tandis que je m'assure que les tiens augmentent ; car nous ne faisons qu'un dans le Christ ; par la loi du mariage, nous ne sommes qu'un corps. Tout ce qui est à toi ne saurait donc m'être étranger. Or le Christ est à toi, puisque tu es devenue son épouse. Et moi, je l'ai dit, moi que tu saluais jadis comme ton maître, je suis aujourd'hui ton serviteur, serviteur attaché par amour spirituel plutôt que soumis par crainte. C'est ton patronage auprès du Christ qui me donne la confiance d'obtenir par tes prières ce que je ne pourrais gagner par les miennes ; aujourd'hui surtout que l'imminence des dangers qui m'assiègent et me jettent dans un trouble de tous les jours ne me laisse ni vivre, ni prier, ni suivre l'exemple[1] de ce bienheureux eunuque tout-puissant dans la demeure de Candace, gérant de tous ses biens, qui vint de si loin adorer Dieu à Jérusalem, et auquel un ange envoya, à son retour, l'apôtre Philippe pour le convertir à la foi dont il s'était rendu digne par ses prières et par la lecture assidue des livres saints ; et même, comme, pendant son voyage, il en était occupé, la grâce divine, bien qu'il fût riche et idolâtre, permit qu'il tombât sur un passage qui fournit à l'apôtre le moyen le plus favorable d'opérer sa conversion.

Afin donc que rien ne t'empêche d'accueillir ma demande et n'en retarde l'exécution, je m'empresse de composer et de t'envoyer le texte même de la prière que je te conjure d'adresser humblement au Seigneur pour nous.

PRIÈRE

« Dieu, qui, dès le commencement de la création, avez, en tirant la femme d'une côte de l'homme, établi le grand sacrement du mariage, vous qui l'avez rendu sublime par un honneur immense en naissant d'une épousée et en commençant vos miracles par celui des noces de Cana, vous qui avez jadis accordé ce remède, suivant vos vues, à mon incontinente faiblesse, ne repoussez point les prières de votre petite servante ; je les verse humblement aux pieds de votre divine majesté pour mes péchés et pour ceux de mon bien-aimé. Pardonnez, ô Dieu de bonté, ô Dieu qui êtes la bonté même, pardonnez à nos crimes si grands, et que l'immensité de votre ineffable miséricorde se mesure à la multitude de nos fautes. Je vous en conjure, punissez les coupables en ce monde, épargnez-les dans l'autre. Punissez-les aujourd'hui, afin de ne les pas punir dans l'éternité. Prenez contre vos serviteurs la verge de la correction, non le glaive de la fureur. Frappez la chair pour conserver les âmes. Venez en pacificateur, non en vengeur ; avec bonté plutôt qu'avec justice, en père miséricordieux, non en maître sévère.

« Éprouvez-nous, Seigneur, et tentez-nous, ainsi[1] que le prophète le demande pour lui-même, en ces termes expressifs, pour ainsi dire : examinez d'abord mes forces, et modérez d'après elles le fardeau des tentations. C'est ce que le bienheureux Paul promet à vos fidèles, lorsqu'il dit[2] : « Dieu, qui est la puissance même, ne souffrira pas que vous soyez éprouvé au-delà de ce que vous pouvez ; mais il accroîtra vos forces avec la tentation, afin que vous puissiez la soutenir. »

« Vous nous avez unis, Seigneur, et vous nous avez séparés quand et comme il vous a plu. Achevez aujourd'hui, en mettant le comble à vos miséricordes, ce que vous avez miséricordieusement commencé ; et ceux que vous avez séparés l'un de l'autre dans ce monde, unissez-les à vous pour l'éternité dans le ciel, ô notre espérance, notre partage, notre attente, notre consolation, Seigneur, qui êtes béni dans tous les siècles. »

Porte-toi bien dans le Christ, épouse du Christ ; dans le Christ porte-toi bien et vis pour lui. Amen.

RÉPONSE D'HÉLOÏSE À ABÉLARD

À son souverain maître, sa servante dévouée[1].

Je ne veux pas que tu puisses, en quoi que ce soit, m'accuser de désobéissance ; j'ai imposé à l'expression de ma peine, toujours prête à s'emporter, le frein de ta défense ; en t'écrivant du moins, je saurai arrêter ce que, dans nos entretiens, il serait difficile, voire impossible de prévenir. En effet, il n'est rien de moins en notre puissance que notre cœur, et loin de pouvoir lui commander, nous sommes forcés de lui obéir. Aussi, lorsque ses mouvements nous pressent, personne n'est-il assez le maître d'en repousser les soudaines impulsions pour empêcher qu'elles éclatent au dehors, se traduisent rapidement en actes et se répandent plus vite encore par la parole, qui est le langage toujours prêt des passions, selon qu'il est écrit[2] : « c'est de l'abondance du cœur que la bouche parle. » Je retiendrai donc ma main et je ne la laisserai pas écrire ce que ma langue ne pourrait se retenir de dire. Plût à Dieu que mon cœur affligé fût aussi disposé que ma plume à obéir[3] !

Il dépend de toi cependant d'apporter quelque soulagement à ma douleur, s'il ne t'est pas possible de la guérir entièrement. De même qu'un clou chasse l'autre[1], une idée nouvelle pousse l'ancienne, et l'esprit tendu en un autre sens est forcé d'abandonner les choses d'autrefois, ou du moins de les laisser dormir. Or, une pensée a d'autant plus de force pour occuper l'esprit et le détacher de toutes les autres, qu'elle est considérée comme plus honnête et que l'objet vers lequel elle tend notre effort paraît plus nécessaire. Nous toutes donc, servantes du Christ et tes filles dans le Christ, nous supplions aujourd'hui ta paternelle bonté de nous accorder deux choses dont nous sentons l'absolue nécessité : la première[2], c'est de vouloir bien nous apprendre d'où l'ordre des religieuses a tiré son origine et quel est le caractère de notre profession ; la seconde[3], c'est de nous faire une règle, et de nous en adresser une formule écrite qui soit spécialement appropriée à des femmes, et qui fixe d'une manière définitive l'état et le costume de notre communauté, ce dont aucun des saints Pères, que nous sachions, ne s'est jamais occupé. C'est à défaut de cette institution, qu'aujourd'hui hommes et femmes sont soumis, dans les couvents, à la même règle, et que le même joug monastique est imposé au sexe faible et au sexe fort. Jusqu'à aujourd'hui, les femmes et les hommes de l'Église latine professent également la règle du bienheureux Benoît, bien qu'il soit évident que cette règle a été faite uniquement pour les hommes et qu'elle ne peut être observée que par des hommes, que l'on regarde aux devoirs des supérieurs ou à ceux des subordonnés. Sans parler ici de tous les articles de cette règle, est-ce à des femmes que s'adressent les prescriptions sur les capuchons, les hauts-de-chausses et les scapulaires[4] ? Qu'ont-elles à faire de ces tuniques et de ces chausses de laine, dont le mouvement périodique du sang chez elles leur rend l'usage tout à fait impossible ? En quoi les touche l'article qui ordonne à l'abbé de lire lui-même l'Évangile et de commencer l'hymne après cette lecture[1] ? Et celui qui établit qu'une table particulière sera dressée pour les pèlerins et les hôtes qu'il présidera ? Convient-il à nos vœux qu'une abbesse donne l'hospitalité à des hommes ou qu'elle prenne ses repas avec ceux qu'elle aurait reçus ? Ô combien les chutes sont faciles dans cette cohabitation des hommes et des femmes sous le même toit, surtout à la table, siège de l'intempérance et de l'ivresse : on y boit dans la douceur le vin dans lequel est la luxure[2] !

Le bienheureux Jérôme prévoyait ce danger, lorsque, écrivant à une mère et à sa fille, il leur dit[3] : « il est difficile de conserver la chasteté dans les festins. » Ovide lui-même, ce professeur de débauche et de luxure, s'attache à décrire, dans son livre de l'*Art d'aimer*, les occasions de fornication qu'offrent particulièrement les repas[4] : « lorsque les libations ont pénétré les ailes humides de l'Amour, il devient immobile et demeure appesanti à la place qu'il a prise. Alors viennent les rires, alors le pauvre relève la tête, alors s'en vont douleurs et peines, et fronts soucieux. C'est là que, souvent, les jeunes filles ont dérobé le cœur des jeunes garçons. Vénus est dans leurs veines : c'est du feu sur du feu. »

Et quand les religieuses n'admettraient à leurs tables que les femmes auxquelles elles auraient donné l'hospitalité, au fond n'y aurait-il pas là encore quelque péril ? Certes, pour perdre une femme, il n'est pas d'arme plus sûre que les caresses d'une femme. Pour faire passer le venin de la corruption dans le cœur d'une femme, il n'est rien tel qu'une femme. Aussi le même Jérôme engage-t-il les femmes de sainte profession à éviter particulièrement le commerce des femmes qui vivent dans le siècle[5].

Enfin, je suppose que nous refusions notre hospitalité aux hommes et ne l'accordions qu'aux femmes, ne voit-on pas le mécontentement, l'irritation des hommes, dont les services sont si nécessaires aux couvents de notre faible sexe ; si l'on réfléchit surtout que c'est pour ceux dont nous recevons le plus que nous paraissons avoir le moins, pour ne pas dire pas du tout, de reconnaissance.

Si nous ne pouvons suivre dans sa teneur la règle prescrite, je crains de lire notre condamnation à nous aussi dans ces paroles de l'apôtre Jacques[1] : « quiconque ayant observé tout le reste de la loi l'aura violée en un seul point, est coupable de l'avoir violée tout entière. » Ce qui revient à dire : celui-là est coupable qui a fait beaucoup, par cela seul qu'il n'a pas tout fait. Ainsi, pour un seul point qu'on n'a pas observé, on devient transgresseur de la loi : il faut en accomplir tous les commandements. C'est ce que fait sentir l'apôtre, en ajoutant immédiatement[2] : « celui qui a dit : tu ne seras point adultère, a dit aussi : tu ne tueras point ; et bien que tu ne commettes pas d'adultère, si tu as tué, tu es transgresseur de la loi. » C'est comme s'il disait : on est coupable par la transgression d'un seul commandement, quel qu'il soit, par la raison que le Seigneur, qui commande une chose, commande également l'autre, et que, quel que soit le précepte de la loi qui soit violé, c'est un outrage envers lui qui a fait reposer la loi non sur un seul commandement, mais sur tous à la fois.

Mais sans nous arrêter aux dispositions de la règle, que nous pouvons observer entièrement et sans danger, a-t-on jamais vu des communautés de religieuses sortir pour faire la moisson et se livrer aux travaux des champs ? D'autre part, une seule année de noviciat est-elle une preuve suffisante de la solide vocation d'une femme, et est-ce assez pour l'instruire que de lui lire trois fois la règle, comme il est dit dans la règle elle-même[1] ? Quoi de plus insensé que de s'engager dans une route inconnue et qui n'est pas même frayée ? Quoi de plus présomptueux que de choisir et d'embrasser un genre de vie qu'on ignore, et de faire des vœux qu'on ne saurait tenir ? Si la prudence est la mère de toutes les vertus, et la raison la médiatrice de tous les biens, peut-on regarder comme un bien ou comme une vertu ce qui s'éloigne de l'un et de l'autre ? Les vertus mêmes qui dépassent le but et la mesure doivent être rangées, selon le bienheureux Jérôme[2], au nombre des vices. Or, qui ne voit que c'est s'écarter de la raison et de la prudence que de ne pas consulter d'abord les forces de ceux à qui l'on impose des fardeaux, en sorte que la peine soit proportionnée aux forces données par la nature ? Fait-on porter à un âne la charge d'un éléphant ? Exige-t-on des vieillards et des enfants autant que des hommes faits ? des faibles autant que des forts ? des malades autant que des gens en bonne santé ? des femmes autant que de leurs maris ? du sexe faible autant que du sexe fort ?

C'est à ce propos que le bienheureux pape Grégoire, dans le chapitre quatorzième de son *Instruction pastorale*, établit une distinction au sujet des avis et des commandements[3] : « autres sont les avis à donner aux hommes, autres ceux qui conviennent aux femmes : à ceux-ci on doit demander plus, à celles-là moins ; s'il faut soumettre les hommes à de fortes épreuves, les plus légères suffisent à attirer tout doucement les femmes. »

Il est clair que ceux qui ont rédigé des règles pour les moines ne se sont pas bornés à ne point parler des femmes ; en établissant leurs statuts, ils entendaient bien que ces règles ne pouvaient en aucune façon leur convenir ; ils ont eux-mêmes reconnu clairement qu'il ne fallait pas imposer le même joug au taureau qu'à la génisse, et soumettre à des travaux égaux ceux auxquels la nature a donné des forces inégales. Le bienheureux Benoît n'a point oublié cette distinction : rempli de l'esprit de tous les justes, il tient compte dans ses règles des personnes et des temps, et règle tout de telle sorte que rien, comme il le pose lui-même en conclusion quelque part[1], ne se fasse qu'avec mesure. Commençant par l'abbé, il lui recommande de veiller à ses moines[2], « de façon à se mettre en accord et en harmonie avec tous, suivant le caractère et l'intelligence de chacun » ; en sorte que, loin d'avoir la douleur de voir son troupeau dépérir entre ses mains, il ait la satisfaction de le voir s'accroître ; il lui recommande aussi de ne jamais perdre le sentiment de sa propre faiblesse et de se souvenir qu'il ne faut pas fouler aux pieds le roseau ébranlé ; il veut aussi qu'il fasse acception des circonstances, en se rappelant le sage raisonnement du pieux Jacob[3] : « si je fatigue mes troupeaux en les faisant trop marcher, ils mourront tous en un seul jour » ; enfin, il l'engage à prendre pour bases ces conseils et les autres principes de la prudence, mère des vertus, et à tout mesurer de façon à exciter les forts sans décourager les faibles.

C'est à cette pensée de mesure que se rapportent les ménagements du bienheureux Benoît pour les enfants, les vieillards, et en général pour les infirmes[4] ; l'ordre qu'il donne de faire manger avant les autres le lecteur, le semainier, le cuisinier, ainsi que ses prescriptions pour la table commune sur la qualité et la quantité de la boisson et des aliments selon les tempéraments, tous points dont il traite en détail avec beaucoup de soin. C'est ainsi encore qu'il règle la durée des jeûnes selon les saisons, et mesure la somme du travail à la faiblesse des constitutions.

Celui qui proportionne ainsi toutes choses aux tempéraments et aux temps, de façon que tous puissent en supporter les prescriptions sans murmurer, je me demande quels ménagements il eût prescrits, s'il eût appliqué aux femmes la même règle qu'aux hommes. En effet, s'il a cru nécessaire d'adoucir la rigueur de sa règle en faveur des enfants, des vieillards et des infirmes, conformément à la faiblesse et à la débilité de leur nature, que n'eût-il pas fait en faveur d'un sexe délicat, dont la faiblesse et la débilité ne sont que trop connues ? Combien donc ce serait s'éloigner de toute règle de discernement, que de soumettre les femmes et les hommes à la même règle, d'imposer les mêmes charges aux faibles qu'aux forts !

Je pense qu'eu égard à notre faiblesse, c'est assez d'égaler en vertus de continence et d'abstinence les chefs de l'Église et les clercs qui sont dans les ordres sacrés, puisque la Vérité dit[1] : « celui-là est parfait qui ressemble à son maître. » Ce serait même beaucoup pour nous, si nous pouvions égaler les pieux laïques. Car nous admirons dans les faibles ce qui nous semble peu de chose chez les forts, selon cette parole de l'apôtre[2] : « la vertu dans la faiblesse est perfection. »

Mais ne faisons pas peu de cas de la religion des laïques, tels que furent Abraham, David, Job, même dans l'état du mariage : saint Chrysostome, dans son sermon VIIe, nous en avertit, quand il dit[3] : « il est plus d'un charme que l'on peut essayer pour endormir la bête infernale. Ces charmes, quels sont-ils ? Les travaux, les lectures, les veilles. » — Mais que nous importe à nous qui ne sommes pas moines ? — Voilà votre réponse. Eh bien ! faites-la à Paul, qui dit[4] : « veillez dans la patience et dans la prière » ; et ailleurs : « n'écoutez pas les désirs impurs de la concupiscence. »

Or, ce n'est pas seulement pour des moines qu'il écrivait ceci, mais pour tous ceux qui habitent les villes. En effet, un séculier ne doit avoir sur un régulier d'autre avantage que de pouvoir vivre avec une femme : il a ce privilège, mais point d'autre ; en tout le reste, il est tenu d'agir comme le moine. Car les béatitudes promises par le Christ ne sont pas seulement promises aux réguliers ; c'en serait fait du monde entier, si tout ce qui mérite le nom de vertu était renfermé dans l'enceinte d'un cloître. Et quelle considération pourrait s'attacher au mariage, lui qui n'est interdit qu'à nous[1] ?

De ces paroles, il résulte clairement que quiconque ajoutera la continence aux préceptes de l'Évangile réalisera la perfection monastique. Et plût à Dieu que notre profession nous élevât jusqu'à atteindre la hauteur de l'Évangile, sans prétendre la dépasser : n'ayons pas l'ambition d'être plus que chrétiennes.

C'est là, sans doute, si je ne m'abuse, ce qui fait que les saints Pères n'ont pas voulu établir pour nous, de même que pour les hommes, une règle générale, comme une loi nouvelle, de peur d'écraser notre faiblesse sous le poids de vœux trop lourds ; ils avaient médité cette parole de l'apôtre[2] : « la loi produit la colère ; où il n'y a point de loi, il n'y a point de prévarication » ; et ailleurs[3] : « la loi est survenue pour que le péché se multipliât. »

Le même grand prédicateur de la continence prend conseil de notre faiblesse et pousse, pour ainsi dire, les jeunes veuves à de secondes noces, quand il dit[4] : « je veux que les jeunes veuves se remarient, qu'elles aient des enfants, qu'elles soient mères de famille, afin de ne pas donner prise à l'ennemi. » Le bienheureux Jérôme aussi, persuadé de l'excellence de ce précepte, répond en ces termes à Eustochie, qui l'avait consulté sur les vœux inconsidérés des femmes[1] : « si celles qui sont vierges ne sont cependant pas absoutes à cause de leurs autres fautes, qu'arrivera-t-il de celles qui ont prostitué les membres du Christ et changé en un lieu de débauche le temple de l'Esprit saint ? Mieux eût valu pour elles subir le joug du mariage et marcher terre à terre, que d'avoir voulu s'élever trop haut et d'être précipitées dans le gouffre de l'enfer. »

C'est aussi pour prévenir ces vœux téméraires, que saint Augustin, dans son livre de la continence des veuves, écrit à Juliana[2] : « que celle qui n'a pas encore commencé réfléchisse ; que celle qui s'est engagée persévère, afin qu'aucune occasion ne soit donnée au démon, aucune oblation dérobée au Seigneur. » Voilà pourquoi les conciles mêmes, prenant en considération notre faiblesse, ont décidé que les diaconesses ne devaient pas être ordonnées avant l'âge de quarante ans, et cela encore après une épreuve sévère, tandis qu'il est permis de faire des diacres de vingt ans[3].

Il est des maisons où les religieux, désignés sous le nom de chanoines réguliers du bienheureux Augustin, professent une règle particulière et ne se croient en rien inférieurs aux moines, bien qu'ils fassent publiquement usage de viande et de linge[4]. Si notre faiblesse arrivait seulement à s'élever au niveau de la vertu de ces religieux, ne serait-ce pas beaucoup pour nous ?

Les ménagements à notre égard, en ce qui concerne la nourriture, seraient une mesure d'autant plus douce et qui présenterait d'autant moins d'inconvénients qu'elle serait conforme au vœu de la nature, qui a doué notre sexe d'une plus grande vertu de sobriété. Il est reconnu, en effet, que, vivant relativement de peu de chose, les femmes ont besoin d'une alimentation beaucoup moins forte que les hommes ; la physique nous enseigne aussi qu'elles s'enivrent plus difficilement.

C'est une observation que Théodore Macrobe, dans le VIIe livre des *Saturnales*, énonce en ces termes[1] : « Aristote dit que les femmes s'enivrent rarement, et les vieillards souvent. La femme a le corps très humide ; le poli et l'éclat de sa peau l'indiquent ; les purgations périodiques qui la débarrassent des humeurs superflues en sont particulièrement la preuve. Quand donc le vin qu'elle boit tombe dans cette masse d'humeurs, il perd sa force, sa chaleur s'y éteint et ne monte plus aisément jusqu'au cerveau. » Et ailleurs : « le corps de la femme, épuré par de fréquentes purgations, est un tissu percé d'une infinité de trous à travers lesquels s'écoule incessamment l'humeur qui s'y amasse et qui cherche une issue. C'est par ces pores que s'exhale en un instant la vapeur du vin. Chez les vieillards, au contraire, le corps est sec, comme le prouvent la rudesse et la couleur terne de la peau[2]. »

Y aurait-il donc inconvénient d'après cela, et n'y aurait-il pas justice à nous laisser, eu égard à notre faiblesse, toute liberté sur le boire et le manger, puisque, grâce à notre constitution, les excès de la gourmandise et de l'ivresse sont difficiles chez nous, et que notre frugalité nous préserve de l'une, notre tempérament, comme on l'a dit, de l'autre ? Ce serait assez pour notre faiblesse, ce serait même beaucoup, si, vivant dans la continence et sans rien posséder, tout entières au service de Dieu, nous pouvions égaler dans notre manière de vivre les chefs de l'Église, les pieux laïques, ou ceux enfin que l'on appelle chanoines réguliers et qui professent particulièrement de suivre la vie apostolique.

Enfin c'est une marque de grande sagesse, chez ceux qui se consacrent à Dieu, de restreindre leurs vœux : ils en font davantage et ajoutent gracieusement quelque chose à leur devoir. C'est ainsi que la Vérité a dit elle-

même[1] : « lorsque vous aurez accompli tout ce qui est
ordonné, dites : nous sommes des serviteurs inutiles ; ce
que nous avons fait, nous étions obligés de le faire. »
C'est comme s'il était dit : vous êtes des gens inutiles,
sans valeur, sans mérite, qui vous contentez d'acquitter
ce que vous devez et n'ajoutez rien par surérogation
volontaire.

Au sujet de ces dons gratuits, le Seigneur lui-même,
parlant en parabole, dit[2] : « si vous donnez en plus,
lorsque je reviendrai, je vous le rendrai. »

Si beaucoup de ceux qui s'engagent légèrement
aujourd'hui dans la vie monastique réfléchissaient davantage, s'ils considéraient la portée de leur engagement, s'ils examinaient à fond et scrupuleusement la
teneur même de la règle à laquelle ils se vouent, ils l'en-
freindraient moins par ignorance, ils pècheraient moins
par négligence. Mais, aujourd'hui que tout le monde se
précipite presque aussi aveuglément dans la vie monastique, on y vit plus irrégulièrement encore qu'on n'y est
entré ; on brave la règle aussi aisément qu'on l'a acceptée sans la connaître ; on se pose comme lois des usages
qu'on choisit. Les femmes doivent donc se bien garder
de se charger d'un fardeau sous lequel nous voyons
presque tous les hommes faiblir, voire succomber. Le
monde a vieilli[3], il est aisé de s'en apercevoir ; les hommes et toutes les créatures ont perdu leur vigueur na-
tive, et, suivant la parole de la Vérité, c'est moins la
piété d'un grand nombre que celle de tous qui s'est
refroidie[4]. Les hommes ayant dégénéré, il faut donc
changer ou adoucir les règles établies pour eux.

Cette différence n'a pas échappé au bienheureux Benoît lui-même ; il avoue qu'il a tellement adouci la
rigueur des usages monastiques, que, dans sa pensée, sa
règle, comparée à celle des premiers moines, n'est, en

quelque sorte, qu'une règle de convenance, une ébauche de règlement monacal. « Nous avons fait cette règle, dit-il[1], afin de prouver, en l'observant, que nous avons, tant bien que mal, l'honnêteté des mœurs et le début de la vie religieuse. Pour celui qui aspire à la perfection de ce genre de vie, il existe la doctrine des saints Pères, dont la pratique conduit l'homme aux sommets de la perfection. » Et encore[2] : « qui que vous soyez, qui aspirez à la céleste patrie, cette règle de début, complétez-la avec l'aide du Christ ; et c'est alors seulement que, par la protection de Dieu, vous arriverez au comble de la science et de la vertu. » Les saints Pères, c'est lui-même qui le dit, avaient coutume de lire chaque jour tout le Psautier ; mais l'attiédissement des esprits l'a contraint de diminuer la tâche, si bien que, cette lecture étant répartie sur la semaine entière, les moines ont moins à faire que les clercs.

Qu'y a-t-il de plus contraire à la profession religieuse et au calme de la vie monastique, que ce qui fomente la luxure, excite les désordres et détruit en nous la raison, cette image même de Dieu qui nous élève au-dessus de tous les êtres ? C'est assurément le vin, que l'Écriture représente comme dangereux entre tous les aliments et contre lequel elle nous met en garde ; le vin, au sujet duquel le plus grand des sages a dit dans ses *Proverbes*[3] : « le vin engendre la luxure, et l'ivresse, le désordre des sens. Quiconque y cherche son plaisir ne sera jamais sage. À qui malheur[4] ? au père de qui malheur ? à qui les rixes ? à qui les précipices ? à qui les blessures sans cause ? à qui les yeux gonflés ? sinon à ceux qui passent leur vie à boire et qui font métier de vider les coupes. Ne regardez pas le vin quand il paraît doré, quand son éclat brille dans le cristal. Il entre en caressant, mais, à la fin, il mordra comme le serpent et, comme le basilic, répandra son venin. Vos yeux alors verront ce qui n'existe pas, votre cœur parlera à tort et à travers. Et vous serez comme un homme endormi en pleine mer, comme un pilote assoupi qui a perdu son gouvernail, et vous direz : ils m'ont battu, mais je ne l'ai pas senti ; ils m'ont traîné, et je ne m'en suis pas aperçu ; quand me réveillerai-je et trouverai-je encore du vin ? » Et ailleurs[1] : « ne va pas donner aux rois, ô Lamuel, ne va pas leur donner du vin ! car il n'y a plus de secret là où règne l'ivresse ; crains que, se prenant à boire, ils n'oublient la justice et ne brouillent la cause des fils du pauvre. » Et il est écrit dans l'*Ecclésiastique*[2] : « le vin et les femmes font apostasier les sages et égarent les plus sensés. »

Le bienheureux Jérôme aussi, dans sa lettre à Népotien sur la vie des clercs, s'indigne hautement de ce que les prêtres de l'ancienne loi, s'abstenant de tout ce qui peut enivrer, l'emportent sur ceux de la nouvelle par cette abstinence : « ne sentez jamais le vin, dit-il[3], de peur qu'on ne vous applique le mot du philosophe : ce n'est pas offrir un baiser, c'est faire passer la coupe du vin. » L'apôtre condamne les prêtres qui s'adonnent au vin, et l'ancienne loi en défend l'usage[4] : « que ceux qui desservent l'autel, est-il dit, ne boivent ni vin ni bière. » — On appelle bière, chez les Hébreux, toute espèce de boisson capable d'enivrer, qu'elle soit le produit de la fermentation de la levure ou du jus de pomme, celui de la coction du miel ou d'autres infusions, qu'elle soit exprimée du fruit du palmier ou d'autres graines bouillies et réduites en sirop. — « Tout ce qui enivre et jette l'esprit hors de son état normal, fuyez-le comme le vin. »

Voilà donc le vin retranché des délices des rois, absolument interdit aux prêtres, et considéré comme le plus

dangereux de tous les aliments. Et cependant le bienheureux Benoît, cette émanation de l'Esprit saint, contraint par le relâchement de son siècle, en permet
l'usage aux moines[1] : « nous lisons, il est vrai, que le
vin ne convient nullement aux moines, dit-il ; toutefois,
comme il est devenu impossible aujourd'hui de le leur
persuader » — Il avait lu, sans doute, ce qui est écrit
dans la *Vie des Pères*[2] : « On rapporta un jour à l'abbé
Pasteur qu'un de ses moines ne buvait pas de vin, et il
répondit : le vin ne convient nullement aux moines. »
Et plus loin : « un jour, on célébrait des messes dans le
monastère de l'abbé Antoine : il s'y trouva une cruche
de vin. Un des vieillards en versa dans une coupe, la
porta à l'abbé Sisoï, et la lui offrit. L'abbé la prit et la
vida, la prit une seconde fois et la vida encore ; mais à
la troisième fois qu'on la lui offrit, il la refusa en disant :
assez, mon frère ; ignores-tu que c'est Satan ? » Et ailleurs, encore, au sujet de l'abbé Sisoï : « Abraham, son
disciple, lui demandait si ce ne serait pas trop boire, le
samedi ou le dimanche, à l'église, que de boire trois
coupes de vin. Et le vieillard répondit : ce ne serait pas
trop, si Satan n'était pas dedans. »

Est-il, je le demande, est-il un endroit où l'usage de
la viande soit condamné par Dieu ou interdit aux moines ? À quelle nécessité penses-tu que le bienheureux
Benoît ne dut-il pas céder pour adoucir la rigueur de sa
règle en une chose si dangereuse pour les moines et
qu'il savait ne point leur convenir ? Sans doute il recon-
nut qu'il n'aurait pu en persuader l'abstinence aux moines de son temps.

Plût à Dieu qu'aujourd'hui on appliquât le même système de concession, et qu'on adoptât un tel tempérament pour toutes les choses qui, n'étant en soi ni bonnes ni mauvaises, sont dites indifférentes. Plût à Dieu

que la règle des vœux n'exigeât pas ce qu'il est devenu impossible de persuader, et que, toutes les choses indifférentes étant tolérées sans scandale, il suffit d'interdire ce qui est vraiment péché. Ainsi se contenterait-on, en fait de nourriture et de vêtement, de ce qu'il y aurait de moins cher : le nécessaire en toutes choses et point de superflu.

En effet, il ne faut pas attacher une grande importance à des choses qui ne nous préparent pas au royaume de Dieu ou qui ne peuvent avoir qu'un médiocre mérite à ses yeux, et telles sont les pratiques extérieures communes aux réprouvés et aux élus, aux hypocrites et aux gens religieux. Ce qui distingue essentiellement le Juif du Chrétien, c'est la différence des actes extérieurs et des actes intérieurs, puisque c'est la charité seule qui distingue les fils de Dieu et ceux du démon ; la charité, que l'apôtre appelle la plénitude de la loi et la fin du précepte [1]. Voilà pourquoi, rabaissant le mérite des œuvres pour élever au-dessus d'elles la justice de la foi, il dit, s'adressant au Juif [2] : « où est donc ce dont vous vous glorifiez ? Il est exclu. Par quelle loi ? Est-ce par la loi des œuvres ? Non, mais par la loi de la foi. Nous concluons donc que l'homme est justifié par la foi dans les œuvres de la loi. » Et ailleurs [3] : « si Abraham a été justifié par ses œuvres, il a sujet de se glorifier, mais non pas devant Dieu. Car, que dit l'Écriture ? Abraham a cru en Dieu, et sa foi lui fut imputée à justice. » Et ailleurs [4] : « à celui, dit-il, qui ne fait pas les œuvres, mais qui croit en Dieu qui justifie l'impie, sa foi lui est imputée à justice, selon le décret de la grâce de Dieu. »

Il dit encore, permettant aux chrétiens l'usage de

toute espèce d'aliments, et distinguant de ces pratiques
celles qui nous justifient devant Dieu[1] : « le royaume
de Dieu n'est point viande ni breuvage, mais justice,
paix et joie dans le Saint-Esprit. Toutes choses sont pures en soi ; le mal est le fait de l'homme qui mange en
scandalisant autrui. Il est bon de ne point manger de
viande et de ne pas boire de vin, ni de rien faire qui
puisse blesser son frère, le scandaliser ou affaiblir sa
foi. » Ce qui est interdit dans ce passage, ce n'est point
l'usage d'aucun aliment, mais le scandale qui peut en
résulter et qui en résultait, par le fait, pour les Juifs
convertis, alors qu'ils voyaient manger des aliments interdits par la loi. C'est pour avoir voulu éviter ce scandale que l'apôtre Pierre fut sévèrement réprimandé et
salutairement averti, comme Paul le rapporte lui-même
dans son épître aux Galates[2]. Et il y revient en écrivant
aux Corinthiens[3] : « ce n'est pas notre nourriture qui
nous recommande à Dieu », dit-il. Et ailleurs : « mangez
de tout ce qui se vend au marché... La terre est au Seigneur, et toute sa plénitude. » Et aux Colossiens[4] :
« que personne ne vous condamne pour le manger ou
pour le boire. » Et plus bas[5] : « si vous êtes mort avec
le Christ aux éléments de ce monde, pourquoi ces mesures, comme si vous viviez encore au monde, savoir :
vous ne toucherez pas, vous ne goûterez pas, vous ne
mettrez pas la main à tous ces aliments dont l'usage
donne la mort, suivant les préceptes et les règles des
hommes ? »

Il appelle éléments de ce monde les premiers rudi-
ments de la loi qui touchent aux observances charnelles ; espèce d'alphabet élémentaire sur lequel s'exerçait
d'abord le monde, c'est-à-dire un peuple encore charnel. À ces éléments, je veux dire aux observances de la
chair, sont morts le Christ et ceux qui sont morts avec

lui ; ils ne leur doivent plus rien, ne vivant plus en ce monde, c'est-à-dire parmi ces hommes charnels attachés à la matière, posant des règles et établissant des distinctions entre tels et tels aliments, entre une chose et une autre, et disant : « vous ne toucherez point à ceci ou à cela » ; toutes choses auxquelles il suffit de toucher, de goûter, de porter la main, selon l'apôtre, pour donner la mort à l'âme, alors même que nous en faisons usage pour quelque raison d'utilité. Ce langage, je le répète, est conforme aux préceptes et aux règles des hommes, c'est-à-dire de ceux qui vivent dans la chair et qui comprennent la loi dans le sens de la chair, et non à la loi du Christ et des siens.

En effet, lorsque le Seigneur préparait les apôtres à prêcher son Évangile, c'était, sans doute, plus que jamais le moment de prévenir tout sujet de scandale ; or il leur permit si bien l'usage de toute espèce de nourriture, qu'il leur prescrivit de vivre comme leurs hôtes, partout où ils recevraient l'hospitalité, c'est-à-dire de boire et de manger ce qu'ils trouveraient à leur table [1].

Et Paul assurément prévoyait, par les lumières de l'Esprit, que bientôt ils s'écarteraient de la doctrine du Seigneur, qui est aussi la sienne, lorsqu'il écrivait à Timothée [2] : « l'Esprit-Saint dit expressément que, dans les temps à venir, quelques-uns déserteront la foi, s'adonnant à des esprits d'erreur et aux doctrines des démons enseignées par des hypocrites qui prêcheront le mensonge, proscriront le mariage, et commanderont de s'abstenir des aliments que Dieu a créés pour que les fidèles et ceux qui ont été initiés à la vérité en usent avec reconnaissance ; car tout ce qui a été créé par la main de Dieu est bon, et il n'y a rien à rejeter de ce qu'on reçoit avec reconnaissance, la parole de Dieu et la prière le sanctifiant. En enseignant cela à vos frères, tu te montreras bon ministre de Jésus-Christ, nourri des paroles de la foi et de la bonne doctrine à laquelle tu t'es attaché. »

Enfin, à considérer les actes extérieurs de l'abstinence avec les yeux du corps, qui n'aurait pas mis au-dessus du Christ et de ses disciples Jean et ses disciples poussant jusqu'à l'excès l'abstinence et les macérations ? Ceux-ci mêmes qui, à l'exemple des Juifs, s'attachaient aux actes extérieurs, murmuraient contre le Christ et disaient, interrogeant le maître lui-même[1] : « pourquoi vos disciples ne jeûnent-ils point, tandis que nous jeûnons si souvent, nous et les Pharisiens ? »

Le bienheureux Augustin, attentif à cette considération, met entre les apparences de la vertu et la vertu[2] même une telle différence, que, dans sa pensée, les œuvres extérieures n'ajoutent rien aux mérites. Voici en effet ce qu'il dit dans son *Traité sur le bien conjugal*[3] : « la continence est une vertu de l'âme, non du corps. Souvent les vertus de l'âme consistent dans le simple état de l'âme ; souvent aussi elles se manifestent dans les actes extérieurs : ainsi la vertu des martyrs apparut dans leur courage à supporter les supplices. » Et ailleurs : « la patience était dans l'âme de Job, le Seigneur la connaissait et en rendait témoignage ; mais elle ne fut connue des hommes que par l'épreuve de la tentation. » Et encore : « en vérité, pour faire comprendre plus clairement comment la vertu consiste dans l'état de l'âme, abstraction faite des œuvres, je vais citer un exemple qui ne peut laisser de doute chez aucun catholique : que le Seigneur Jésus ait été, dans la réalité de sa chair, sujet à la faim et à la soif, qu'il ait mangé et bu, nul ne le conteste parmi ceux qui croient à son Évangile : est-ce donc que sa vertu d'abstinence dans le boire et le manger n'était pas aussi grande que celle de Jean-Baptiste ? Or, Jean est venu ne mangeant ni ne buvant, et ils ont dit[1] : « il est possédé du démon » ; le Fils de l'Homme est venu mangeant et buvant, et ils ont dit : « voilà un mangeur et un buveur, un ami des publicains et des pécheurs. » Puis, après avoir parlé de Jean et de lui-même, l'évangéliste ajoute : « la sagesse a été justifiée par ses enfants, qui voient que la vertu de continence doit toujours consister dans l'état de l'âme, tandis que sa manifestation par les œuvres est subordonnée aux choses et aux temps, comme la vertu de la patience chez les saints martyrs. » De même donc que le mérite de la patience est égal chez Pierre qui a été martyrisé et chez Jean qui ne l'a pas été, de même il y a égal mérite de continence chez Jean qui ne connut pas le mariage et chez Abraham qui a engendré des enfants ; en effet, le célibat de l'un et le mariage[2] de l'autre ont également milité en leur temps pour le Christ ; mais la continence de Jean se montrait dans ses œuvres, celle d'Abraham résidait seulement dans l'état de son âme.

Ainsi à l'époque où la loi, eu égard à la longue vie des patriarches, déclarait maudit celui qui ne produirait point de postérité en Israël, celui qui ne pouvait n'en produisait pas ; en esprit, il avait la vertu. Depuis, les temps se sont accomplis, et il a été dit : « que celui qui peut comprendre comprenne ; que celui qui est en état de vertu fasse les œuvres ; que celui qui ne veut pas faire les œuvres ne dise pas qu'il est en état de vertu. » Paroles claires et d'où il résulte que les vertus seules sont méritoires devant Dieu, et que tous ceux qui sont égaux en vertus seront traités également par lui, quelque distance qu'il y ait entre leurs œuvres. Aussi ceux qui sont vraiment chrétiens, tout occupés de l'homme intérieur, qu'ils s'attachent à orner de vertus et à purifier de tous vices, ne prennent point ou ne prennent que fort peu de souci de l'extérieur.

C'est pourquoi nous lisons que les apôtres eux-mêmes se comportaient en vrais paysans et presque vulgairement, tandis qu'ils marchaient à la suite du Seigneur ; on eût dit qu'ils avaient oublié tout respect, toute convenance : lorsqu'ils passaient dans un champ[1], ils ne rougissaient pas d'arracher des épis, de les égrener et de les manger comme des enfants ; ils ne s'inquiétaient même pas de laver leurs mains avant de prendre leur nourriture, ce qui les faisait accuser par quelques-uns de malpropreté. Mais le Seigneur les excuse. « De manger sans avoir lavé ses mains, dit-il[2], ce n'est pas là ce qui souille l'homme. » Et il ajoute aussitôt, d'une manière générale, que l'âme ne peut être souillée par les choses extérieures, mais seulement par celles qui sortent du cœur, c'est-à-dire[3] par « les mauvaises pensées, les adultères, les homicides, etc. » Si l'esprit, en effet, n'est pas corrompu avant l'acte par une intention mauvaise, l'acte extérieur ne saurait être un péché quelle que soit l'action faite extérieurement dans le corps. Aussi dit-il que les adultères mêmes et les homicides viennent du cœur, puisqu'ils peuvent être accomplis sans le contact des corps, selon cette parole[4] : « quiconque voit une femme et la convoite est, par cela seul, adultère dans son cœur. » Et encore[5] : « quiconque hait son frère est homicide » ; tandis qu'il n'y a ni adultère ni violence, les actes fussent-ils accomplis, quand une femme succombe à la violence, ou quand un juge, au nom de la justice, est contraint de mettre un coupable à mort ; « car tout homicide, est-il écrit[6], n'a point de part au royaume de Dieu ».

C'est donc moins nos actes en eux-mêmes, que l'intention avec laquelle nous les accomplissons, qu'il faut peser, si nous voulons être agréables à celui qui sonde les cœurs et les reins[1], qui voit clair dans le secret[2], et « qui jugera les secrètes pensées des hommes, selon mon Évangile », dit Paul[3], c'est-à-dire selon la doctrine de ma prédication. Voilà pourquoi la modique offrande de la veuve, qui ne donne que deux deniers, c'est-à-dire un quatrain, fut préférée aux offrandes abondantes[4] par celui à qui nous disons[5] : « vous n'avez pas besoin de mes biens » ; par celui qui apprécie l'offrande d'après celui qui fait l'offrande, et non celui qui fait l'offrande d'après l'offrande, ainsi qu'il est écrit[6] : « le Seigneur regarda favorablement Abel et ses présents » ; ce qui signifie qu'il examina avant tout la piété de celui qui lui faisait l'offrande, et eut le don pour agréable à cause de celui qui le faisait.

La dévotion du cœur a d'autant plus de prix aux yeux de Dieu, que nous mettons moins de confiance dans ses manifestations extérieures ; plus nous le suivons humblement (en pensant que c'est notre devoir), moins nous accordons de confiance aux manifestations extérieures. C'est pourquoi l'apôtre, après avoir, dans sa lettre à Timothée[7], dont nous avons parlé plus haut, autorisé l'usage de tous les aliments, ajoute, au sujet des travaux du corps : « c'est à la piété qu'il faut vous exercer ; les exercices du corps ne sont utiles qu'à certaines choses, mais la piété est utile à tout ; c'est à elle qu'ont été promises et la vie présente et la vie future. » En effet, la pieuse dévotion du cœur envers Dieu obtient de lui les biens de ce monde et ceux de l'éternité.

Que nous enseignent tous ces préceptes, sinon de vivre suivant la sagesse chrétienne et de faire servir, comme Jacob, les animaux domestiques à la nourriture de notre père, au lieu d'aller, comme Ésaü[8], chercher ceux des forêts et de judaïser[9] dans les pratiques extérieures ? De là aussi ce précepte du psalmiste[1] : « le souvenir des vœux que je vous ai faits, Seigneur, est en moi, et je les réaliserai en actions de grâce. » À cette parole, ajoutez celle du poète[2] : « ne vous cherchez pas hors de vous-même. »

Les témoignages abondent dans les auteurs profanes comme dans les auteurs sacrés, qui nous apprennent qu'il ne faut pas attacher grande importance aux actes qu'on appelle extérieurs et indifférents. Autrement les œuvres de la loi et l'insupportable servitude de son joug, comme dit Pierre[3], seraient préférables à la liberté de l'Évangile, au joug suave du Christ et à son poids léger. Pour nous inviter à recevoir ce joug suave et ce léger fardeau[4], le Christ lui-même nous dit[5] : « venez, vous qui peinez et qui êtes chargés. » C'est pourquoi l'apôtre Paul réprimandait vivement certains Juifs convertis au Christ, mais qui pensaient encore accomplir les œuvres de l'ancienne loi, dans ce passage des Actes des Apôtres où il dit[6] : « hommes, mes frères, pourquoi tenter Dieu, pourquoi vouloir imposer aux disciples un joug que ni nos pères ni nous n'avons pu porter ? Nous n'en croyons pas moins être sauvés, comme eux, par la grâce du Seigneur Jésus. »

Toi donc, qui es non seulement un disciple du Christ, mais un fidèle imitateur de l'apôtre, qui en as la sagesse aussi bien que le nom, dirige, je t'en prie, la règle des œuvres, en sorte qu'elle convienne à la faiblesse de notre nature et que nous puissions être occupées surtout à rendre gloire au Seigneur. C'est ce sacrifice qu'il recommande après avoir rejeté tous les sacrifices extérieurs, quand il dit[7] : « si j'ai faim, je ne vous le dirai pas ; car la terre entière est à moi et sa plénitude. Croyez-vous que je mange la chair des taureaux ? que je boive le sang des boucs ? Offrez à Dieu un sacrifice de louanges, accomplissez envers le Très-Haut les vœux que vous avez faits, invoquez-moi au jour de la détresse, et je vous en tirerai et vous m'honorerez. »

Nous ne disons pas cela dans l'intention de repousser tout exercice corporel, lorsque la nécessité l'exigera, mais afin de n'avoir pas à attacher trop d'importance aux œuvres qui n'intéressent que le corps et qui nuisent à la célébration de l'office divin ; quand surtout, ainsi que l'apôtre l'atteste, les femmes vouées à Dieu jouissent particulièrement du privilège de vivre des dons de la charité plutôt que du produit de leur travail. Ce qui fait dire à Paul, dans sa lettre à Timothée[1] : « si quelque fidèle a des veuves, qu'il subvienne à leurs besoins, et que l'Église n'en soit point chargée, afin qu'elle ait assez pour celles qui sont les véritables veuves. » Or, il appelle véritables veuves les femmes vouées au Christ, dont le mari est mort, pour lesquelles mort est le monde et qui sont elles-mêmes mortes à lui. Voilà celles qu'il convient de nourrir aux frais de l'Église, comme du revenu propre de leur époux. C'est pourquoi le Seigneur confia le soin de sa Mère à un apôtre plutôt qu'à son mari[2] ; et les apôtres eux-mêmes ont institué sept diacres[3], c'est-à-dire sept ministres de l'Église pour veiller aux besoins des femmes vouées à Dieu.

Nous savons, sans doute, que l'apôtre, écrivant aux habitants de Thessalonique[4], condamne ceux qui mènent une vie d'oisiveté et de méditation, à ce point qu'il veut que quiconque refuse de travailler ne mange pas ; nous savons aussi que le bienheureux Benoît a précisément prescrit le travail des mains comme remède à l'oisiveté[5]. Mais quoi ? Marie n'était-elle pas oisive, lorsqu'elle était assise aux pieds du Christ écoutant ses paroles, tandis que Marthe, qui travaillait pour elle en même temps que pour le Seigneur, murmurait avec jalousie contre la paresse de sa sœur, et se plaignait de porter seule le poids du jour et de la chaleur[1] ?

De même, aujourd'hui, nous voyons fréquemment murmurer ceux qui travaillent aux choses extérieures, lorsqu'ils fournissent à ceux qui sont occupés du service de Dieu les biens de la terre. Et souvent ils se plaignent moins des rapines d'un tyran que des dîmes qu'ils sont obligés de payer à ces fainéants, comme ils disent, dont le repos n'est bon à rien. Cependant, ils voient ces fainéants incessamment occupés non seulement à écouter les paroles du Christ, mais à les lire et à les répandre. Ils ne prennent pas garde que c'est peu de chose, comme dit l'apôtre[2], de partager les biens du corps à ceux dont ils attendent les biens de l'âme, et qu'il n'est point contraire à l'ordre que ceux qui s'adonnent aux soins de la terre servent ceux qui sont occupés des soins du ciel. Aussi la loi elle-même a-t-elle assuré aux ministres de l'Église ce salutaire loisir ; la tribu de Lévi ne possédait aucun héritage temporel afin de pouvoir plus librement se consacrer au service du Seigneur, elle avait le droit de prélever sur le travail des autres enfants d'Israël des dîmes et des oblations[3].

Quant aux jeûnes, que les chrétiens observent en les considérant plutôt comme une abstinence de vices que comme une abstinence d'aliments, il y aura lieu de voir s'il convient d'ajouter quelque chose aux canons de l'Église, et de nous donner sur ce point le règlement qui nous convienne.

Mais c'est particulièrement les offices de l'Église et la distribution des psaumes qu'il sera utile de régler. En cela, du moins, de grâce, soulage notre faiblesse d'un trop lourd fardeau. Que la semaine nous soit donnée pour réciter le Psautier, de façon que nous n'ayons pas à répéter les mêmes psaumes. Le bienheureux Benoît, après avoir distribué la semaine selon ses vues, laissa ses successeurs libres d'agir suivant leur convenance : « si quelqu'un trouve mieux à faire, il fera, dit-il[1], un autre règlement. » Il prévoyait qu'avec la succession des temps, la beauté de l'Église s'accroîtrait ; il songeait au magnifique édifice qui s'est depuis élevé sur ses grossiers fondements.

Mais il est un point sur lequel nous désirons par-dessus tout être fixées : que devons-nous faire à l'égard de la lecture de l'Évangile pendant les vigiles nocturnes ? Il me semblerait dangereux d'admettre auprès de nous, à une telle heure, des prêtres ou des diacres pour faire cette lecture ; car ce que nous devons particulièrement éviter, c'est l'approche et la vue des hommes, afin de pouvoir nous donner plus sincèrement à Dieu, et aussi pour être moins exposées à la tentation[2].

À toi donc, ô mon maître, tandis que tu vis, à toi d'instituer la règle que nous devons suivre toujours. Car c'est toi, après Dieu, qui es le fondateur de cet asile ; c'est toi qui, par Dieu, as été le planteur de notre communauté ; à toi donc d'être, avec Dieu, le législateur de notre ordre. Peut-être aurons-nous, après toi, un autre chef et qui bâtira sur des fondements qu'il n'aurait pas jetés. Et il aurait par là même, nous en avons la crainte, moins de sollicitude pour nous ; peut-être aussi trouverait-il en nous moins de soumission ; eût-il mêmes intentions enfin, il n'aurait pas même pouvoir. Parle-nous, toi, et nous écouterons[3]. Porte-toi bien.

RÉPONSE D'ABÉLARD À HÉLOÏSE

Ta charité, très chère sœur, m'a interrogé en ton nom et au nom de tes filles spirituelles sur l'ordre auquel vous appartenez ; vous désirez connaître l'origine des congrégations de moniales : je vais vous répondre en peu de mots et aussi succinctement que possible.

C'est de Notre-Seigneur Jésus-Christ même que les ordres monastiques d'hommes et de femmes ont reçu la forme plénière de leur constitution. Avant l'incarnation du Sauveur, il y avait bien eu, tant pour les hommes que pour les femmes, quelques essais de ces sortes d'établissements. Jérôme, en effet, écrit à Rusticus [1] : « les fils des prophètes que l'Ancien Testament nous représente comme des moines, etc. ». L'évangéliste aussi rapporte qu'Anne, étant veuve, se consacra au service du temple, qu'elle mérita d'y recevoir le Seigneur, conjointement avec Siméon, et d'être remplie de l'esprit prophétique [2]. C'est donc le Christ, la fin de la justice et l'accomplissement de tous les biens, venu dans la plénitude des temps pour achever ce qui n'était qu'ébauché et faire connaître ce qui était inconnu, c'est lui qui, de même qu'il était venu pour racheter les deux sexes, a daigné les rassembler l'un et l'autre dans le véritable couvent de ses fidèles ; sanctionnant ainsi, pour les hommes et pour les femmes, le principe de la profession religieuse, et leur proposant à tous en exemple la perfection de sa vie.

Nous voyons, en effet, qu'avec les apôtres, les autres disciples et sa Mère, de saintes femmes l'accompagnaient[1]. En renonçant au monde, en faisant le sacrifice de tout bien pour ne posséder que le Christ, ainsi qu'il est écrit[2] : « le Seigneur est ma part d'héritage », elles avaient accompli dévotement ce que doivent faire, selon la règle transmise par le Seigneur, tous ceux qui sortent du siècle pour participer à la communauté[3] de la vie religieuse : « nul ne peut être mon disciple, est-il dit[4], à moins de renoncer à tout ce qu'il possède. » Mais avec quel pieux amour ces saintes femmes, ces vraies religieuses, ont suivi le Christ, de quelle grâce il a ensuite comblé leur piété, quels hommages il leur a rendus, ainsi que ses apôtres, les Saintes Écritures le racontent fidèlement.

Nous lisons dans l'Évangile[5] que le Seigneur réprima les murmures du Pharisien qui lui avait donné l'hospitalité, et mit au-dessus de son hospitalité l'humble hommage de la femme pécheresse. Nous lisons[6] encore que Lazare, après sa résurrection, mangeant avec les autres convives, Marthe, sa sœur, était seule occupée à servir, et que Marie répandit alors une huile précieuse sur les pieds du Seigneur et les essuya ensuite avec ses cheveux, en sorte que toute la maison fut remplie de l'odeur du parfum ; et que Judas, dans un sentiment de convoitise, s'indigna, ainsi que les autres disciples, en voyant consommer en pure perte une chose d'un si grand prix. Ainsi, tandis que Marthe s'occupait des aliments, Marie préparait des parfums ; l'une pourvoit aux besoins intérieurs, l'autre soulage sa lassitude extérieure.

L'Évangile ne nous montre que des femmes servant

le Seigneur. Elles avaient consacré tous leurs biens à assurer sa nourriture quotidienne et pris la charge de lui fournir les choses nécessaires à sa vie[1]. Lui-même se montrait le plus humble des serviteurs envers ses disciples ; il les servait à table, il leur lavait les pieds, et nous ne voyons pas qu'il ait jamais reçu d'aucun d'eux, ni même d'aucun homme, de semblables services[2] : ce sont des femmes seules, je le répète, qui lui prêtaient leur ministère pour tous les besoins de l'humanité. Marthe a rempli l'un de ces devoirs, Marie l'autre, et Marie, en cela, montre un dévouement d'autant plus pieux qu'elle avait été auparavant plus coupable.

C'est avec de l'eau mise dans un bassin que le Seigneur remplit envers ses disciples ce devoir d'ablution ; c'est avec les larmes de son cœur, avec les larmes de la componction, non avec une eau extérieure, que Marie l'accomplit envers lui. Le Seigneur essuya avec un linge les pieds des apôtres : Marie, pour linge, se servit de ses cheveux, et elle y ajouta des onctions d'huiles précieuses, que nous ne voyons pas que le Seigneur ait jamais employées. Tout le monde sait que, dans sa confiance en la miséricorde du Seigneur, elle ne craignit pas de répandre aussi le parfum sur sa tête ; et ce parfum, elle ne le fit pas couler du vase, mais elle brisa le vase pour le verser, afin de mieux exprimer l'ardeur de son zèle : elle pensait qu'elle ne pouvait plus conserver pour un autre usage un vase qui avait servi à un tel hommage.

Et par cet hommage elle accomplit la prophétie de Daniel[3], qui avait prédit ce qui devait arriver après l'onction du Saint des saints. Voici, en effet, qu'une femme est venue oindre le Saint des saints, et proclamer, par ce fait, qu'il est à la fois et celui en qui elle croit et celui que le prophète avait désigné. Quelle est donc, je le demande, la bonté du Seigneur, ou plutôt quelle est la dignité des femmes, pour que ce soit à des femmes seules qu'il laisse oindre et sa tête et ses pieds ? Oui, quelle est cette prérogative du sexe le plus faible, pour qu'une femme vienne oindre celui qui, dès sa conception[1], était l'oint du Saint-Esprit, consacrer, presque dans un sacrement corporel, dans le Christ souverain, le roi et le prêtre, le faire Christ, en un mot, c'est-à-dire oindre son corps matériellement ?

Nous savons que c'est le patriarche Jacob qui, le premier, oignit une pierre comme image du Seigneur[2], et que, dans la suite, il ne fut permis qu'aux hommes de faire les onctions des rois ou des prêtres et de conférer les autres sacrements, bien que les femmes puissent prendre quelquefois sur elles de baptiser. C'est une pierre qu'avait jadis sanctifiée d'huile sainte le patriarche, aujourd'hui le pontife en fait de même pour le temple et l'autel[3]. Les hommes ne consacrent donc que des figures, tandis que la femme, c'est sur la Vérité même qu'elle a opéré, ainsi que la Vérité l'atteste elle-même en disant[4] : « elle a opéré sur moi une bonne œuvre. » C'est d'une femme que le Christ a reçu l'onction, tandis que les chrétiens la reçoivent des hommes : c'est une femme qui a oint la tête ; les hommes n'oignent que les membres.

C'est par effusion et non goutte à goutte qu'on rapporte avec raison qu'elle a répandu le parfum, ainsi que l'Épouse l'avait auparavant chanté dans le Cantique des cantiques[5] : « votre nom est une huile répandue. » Et le psalmiste a mystérieusement prophétisé cette abondance de parfum qui coula de la tête du Sauveur jusqu'à son vêtement, lorsqu'il dit[6] : « Comme le parfum sur la tête qui descend sur la barbe, la barbe d'Aaron, et qui descend jusqu'à la frange de son vêtement. »

Jérôme nous rappelle[7], au sujet du XXVIᵉ psaume,

que David reçut une triple onction ; tel le Christ, tels les chrétiens. En effet, les pieds du Seigneur, puis sa tête, ont reçu des parfums de la main d'une femme ; et, après sa mort, Joseph d'Arimathie et Nicodème, selon le récit de saint Jean [1], ont embaumé son corps avant de l'ensevelir. Les chrétiens aussi reçoivent trois onctions saintes : le baptême, la confirmation et le sacrement des malades. Qu'on juge par là de la dignité de la femme : par elle le Christ vivant a été oint deux fois [2], aux pieds et à la tête ; d'elle il a reçu l'onction du roi et du prêtre. La myrrhe et l'aloès, qui servent à conserver le corps des morts, figuraient l'incorruptibilité future du corps du Maître, incorruptibilité dont tous les élus jouiront à la résurrection. Mais les premiers parfums employés par la femme marquent la grandeur sans exemple du règne et du sacerdoce du Christ ; l'onction de la tête s'applique au premier, celle des pieds au second. Voilà donc qu'il a reçu l'onction royale d'une femme, lui qui s'est refusé à accepter la royauté que lui avaient offerte des hommes, lui qui s'enfuit parce qu'ils voulaient le contraindre à l'accepter [3] ; et c'est comme roi du ciel, non comme roi de la terre, qu'une femme l'a sacré, suivant ce qu'il a dit lui-même [4] : « mon royaume n'est pas de ce monde. »

Les évêques se glorifient, alors qu'aux applaudissements des peuples, ils oignent les rois de la terre, ou que, revêtus d'habits magnifiques et ruisselants d'or, ils consacrent des prêtres mortels, bénissant trop souvent ceux qui sont maudits de Dieu. C'est une humble femme qui, sans changer de vêtement, sans aucun appareil, et malgré l'indignation des apôtres, confère au Christ ces deux sacrements, sans remplir l'office d'un prélat, mais par zèle de dévotion [5]. Ô merveilleuse fermeté de la foi ! ô inappréciable ferveur d'amour [6]

« qui croit tout, espère tout et souffre tout ! » Le Pharisien[1] murmure de ce qu'une pécheresse oint les pieds
du Seigneur ; les apôtres s'indignent hautement de ce
qu'une femme ne craint pas de toucher à sa tête. La foi
de la femme demeure inébranlable ; elle a confiance
dans la bonté du Seigneur, et l'approbation du Seigneur
ne lui fait défaut ni pour l'une ni pour l'autre onction ;
il témoigne lui-même combien ces parfums lui ont été
agréables, avec quelle reconnaissance il les a reçus, en
demandant qu'on lui en réserve et en disant à Judas
indigné[2] : « laissez-la m'en conserver pour le jour de
ma sépulture. » C'est comme s'il eût dit : ne détournez
pas de moi cet hommage tandis que je vis, de peur de
m'enlever du même coup le bénéfice des témoignages
de sa piété après ma mort.

Il n'est pas douteux, en effet, que ce soient les saintes
femmes qui ont préparé les parfums pour embaumer
son corps, et Marie se serait moins empressée d'être du
nombre, si elle eût alors éprouvé la honte d'un refus.
Au contraire, tandis que les disciples s'indignaient de la
hardiesse de cette femme et murmuraient contre elle,
comme dit Marc[3], après les avoir apaisés par des répon-
ses pleines de douceur, il fit l'éloge de son offrande à
ce point qu'il voulut que mention en fût insérée dans
son Évangile, afin que ce fait fût, avec l'Évangile, répandu par toute la terre, en mémoire et à l'honneur de
cette femme accusée de tant de hardiesse. Et nous ne
voyons pas que le Seigneur ait jamais honoré et sanc-
tionné d'une telle recommandation aucun des hommages qui lui furent rendus.

Il a encore témoigné combien il avait pour agréable
la piété des femmes, en préférant à toutes les offrandes
du temple l'aumône de la pauvre veuve[4].

Autre exemple : Pierre se fait honneur d'avoir, lui et

ses compagnons, tout abandonné pour le Christ. Zachée[1], ayant reçu le Seigneur, suivant son désir, donna la moitié de son bien aux pauvres et restitua le quadruple à ceux à qui il avait pu faire quelque tort. Beaucoup d'autres ont fait de plus grandes dépenses encore, soit dans le Christ, soit pour le Christ ; ils ont sacrifié, pour lui rendre hommage, ils ont laissé en son nom des choses infiniment plus précieuses. Cependant, ils n'ont pas obtenu du Seigneur les mêmes louanges, les mêmes recommandations que les femmes. Et leur conduite à sa mort prouve clairement quelle avait toujours été la grandeur de leur pieux dévouement. Le chef des apôtres le reniait ; son bien-aimé s'était enfui, les autres s'étaient dispersés : seules elles demeurèrent intrépides : crainte, désespoir, rien ne put les séparer du Christ, pendant sa passion ni au moment de sa mort. En sorte que c'est à elles particulièrement que paraît s'appliquer cette parole de l'apôtre[2] : « qui nous séparera de l'amour du Seigneur ? sera-ce la persécution ou la douleur ? » C'est pourquoi Mathieu, après avoir rappelé sa fuite et celle des autres, en disant[3] : « alors tous les disciples l'abandonnèrent et s'enfuirent », ajoute ensuite, au sujet de la fidélité des femmes qui l'assistaient jusque sur la croix, autant qu'on les laissait faire[4] : « il y avait là plusieurs femmes venues de loin, qui avaient suivi Jésus depuis la Galilée, et qui le servaient. » Le même évangéliste nous les peint inébranlablement attachées à la pierre du tombeau[5] : « Marie-Madeleine et l'autre Marie étaient là, dit-il, assises auprès du tombeau. » Marc dit également en parlant de ces femmes[6] : « il y avait aussi des femmes qui regardaient de loin ; parmi elles étaient Madeleine et Marie, mère de Jacques le Mineur et de Joseph, et Salomé ; elles l'avaient suivi en Galilée, et elles le servaient, ainsi que beaucoup d'autres qui étaient montées avec lui à Jérusalem. » Jean, qui d'abord s'était enfui, raconte qu'il se tint au pied de la croix et assista le crucifié ; mais il fait passer avant la sienne la fermeté des femmes, comme si c'était leur exemple qui eût rappelé et ranimé son courage[1]. « Au pied de la croix se tenaient, dit-il, la mère de Jésus, la sœur de sa mère Marie, femme de Cléophas, et Marie-Madeleine. Quand donc Jésus vit sa mère et son disciple au pied de la croix, etc. ».

Cette fermeté des saintes femmes et cette défection des disciples, longtemps auparavant le saint homme Job les avait prophétisées dans la personne du Seigneur, lorsqu'il disait[2] : « mes os se sont attachés à ma peau, mes chairs se sont consumées, et il ne me reste que les lèvres autour des dents. » Dans les os, en effet, qui soutiennent et portent la chair et la peau, réside la force du corps. Or dans le corps de Jésus-Christ, qui est l'Église, il entend par l'os le fondement solide de la foi chrétienne ou cette ardeur de charité dont il est dit dans le Cantique[3] : « des torrents d'eau n'ont pu éteindre son amour », et dont l'apôtre dit aussi[4] : « elle supporte tout, elle croit tout, elle espère tout, elle souffre tout. » La chair est, dans le corps, la partie intérieure ; la peau, la partie extérieure. Les apôtres, occupés en prêchant à répandre la nourriture de l'âme intérieure, sont comparés à la chair, et les femmes qui veillent aux besoins du corps sont comparées à la peau. Lors donc que les chairs du Seigneur ont été consumées, l'os du Christ s'est attaché à la peau, parce que les apôtres, étant scandalisés dans sa passion et désespérés de sa mort, le dévouement des saintes femmes demeura inébranlable et ne quitta point l'os de Jésus-Christ ; parce qu'elles ont persévéré dans la foi, l'espérance et la charité, au point de ne l'abandonner ni de corps ni d'âme après sa mort.

Naturellement les hommes sont, de corps et d'âme, plus forts que les femmes : d'où, avec raison, la chair qui est plus voisine des os figure la nature de l'homme, tandis que la peau représente la faiblesse de la femme[1].

D'un autre côté, les apôtres, dont le devoir est, pour ainsi dire, de mordre les hommes en les reprenant de leurs fautes, sont appelés les dents du Seigneur ; mais il ne leur restait plus que les lèvres, c'est-à-dire des paroles plutôt que des actions ; car, tandis qu'ils désespéraient, ils parlaient de la mort du Christ beaucoup plus qu'ils n'agissaient pour le Christ. Tels étaient assurément ces disciples qui allaient à Emmaüs[2], s'entretenant de tout ce qui était arrivé, et auxquels il apparut pour les blâmer de ce qu'ils désespéraient. Enfin, Pierre et les autres disciples eurent-ils autre chose que des paroles, quand vint le moment de la passion ? Bien que le Seigneur leur eût prédit lui-même que ce moment serait pour eux un sujet de scandale[3] : « et quand tous seraient scandalisés à cause de vous, dit Pierre, moi je ne le serai jamais » ; et ailleurs : « quand je devrais mourir avec vous, je ne vous renierai pas. Et tous les disciples dirent de même. » Oui, ils dirent, mais ils ne firent point. Lui, le premier, le plus grand des apôtres, qui, en paroles, avait témoigné une telle fermeté qu'il avait dit au Seigneur[4] : « je suis prêt à marcher avec vous en prison, à la mort » ; lui à qui le Seigneur avait alors particulièrement confié son Église, en lui disant : « à toi, enfin converti, d'affermir tes frères dans la foi », sur un mot d'une servante, il ne craint pas de le renier[5]. Et cela non pas une fois, mais trois, tandis qu'il vivait encore ; et tandis qu'il vivait encore, les autres disciples aussi s'enfuirent en un instant[6] et se dispersèrent, au lieu que, même après sa mort, les femmes ne se séparèrent de lui ni de corps ni d'âme.

Parmi elles, cette bienheureuse pécheresse le cherchant après sa mort et le confessant pour son Dieu, dit[1] : « ils ont enlevé le Seigneur de son tombeau » ; et ailleurs[2] : « si vous l'avez enlevé, dites-moi où vous l'avez mis et je l'emporterai. » Les béliers, que dis-je ? les bergers mêmes du troupeau du Seigneur s'enfuient, les brebis demeurent, intrépides. Le Seigneur nous reproche la faiblesse de la chair, parce que, à l'article de sa passion, ils n'ont pu veiller une heure avec lui[3] ; les femmes, au contraire, passèrent la nuit entière dans les larmes au pied du tombeau et méritèrent de voir les premières la gloire de sa résurrection. Dans cette fidélité après sa mort, elles ont prouvé, par des actes et non par des paroles, combien elles l'avaient aimé pendant sa vie ; aussi est-ce à leur sollicitude pour lui pendant sa passion et après sa mort, qu'elles durent de goûter les premières la joie de sa résurrection.

En effet, tandis que, selon Jean[4], Joseph d'Arimathie et Nicodème enveloppaient dans des linges le corps du Seigneur et l'ensevelissaient avec des parfums, Marie de Magdala et Marie mère de Joseph, au rapport de Marc[5], remarquaient avec soin l'endroit où il était déposé. Luc[6] fait aussi mention de ce point. « Les femmes qui avaient suivi Jésus depuis la Galilée, dit-il, virent son tombeau et la manière dont le corps avait été déposé ; et, s'en retournant, elles préparèrent des aromates. » Elles ne crurent pas ceux de Nicodème suffisants ; elles voulurent y ajouter les leurs. Le jour du sabbat, elles se tinrent tranquilles, obéissant au commandement. Mais, selon Marc[7], le jour du sabbat passé, au petit matin, Marie de Magdala, Marie, mère de Jacques, et Salomé, vinrent au tombeau le jour même de la résurrection.

Maintenant que nous avons montré leur pieux zèle, montrons quelle en fut la récompense. D'abord un ange leur apparut pour les consoler, en leur annonçant l'accomplissement de la résurrection ; ensuite elles virent avant tout le monde le Seigneur lui-même et le touchèrent, Marie-Madeleine la première, dont l'ardeur était plus vive ; puis les autres avec elle : je veux dire celles dont il est écrit qu'après l'apparition de l'ange[1], « elles sortirent du tombeau et coururent annoncer aux disciples la résurrection du Seigneur. Et voici que Jésus vint au-devant d'elles, disant : je vous salue. Et elles s'approchèrent de lui, et elles touchèrent ses pieds et elles l'adorèrent. Alors Jésus dit : allez et annoncez à mes frères qu'ils aillent en Galilée ; là ils me verront. »

Luc, poursuivant ce récit, ajoute[2] : « c'étaient Marie de Magdala et Jeanne, et Marie, mère de Jacques, et les autres femmes qui étaient avec elles, qui disaient cela aux apôtres. » Marc ne laisse pas ignorer non plus que ce furent elles que l'ange envoya d'abord porter cette nouvelle aux apôtres, dans le passage où l'ange parlant aux femmes, il est écrit[3] : « il est ressuscité, il n'est plus ici ; mais allez, et dites à ses disciples et à Pierre qu'il les précédera en Galilée. » Le Seigneur lui-même, lorsqu'il apparut pour la première fois à Marie-Madeleine, lui dit : « allez à mes frères, et dites-leur que je monte vers mon Père. » D'où nous concluons que ces saintes femmes furent, pour ainsi dire, les apôtres des apôtres[4], puisque ce sont elles qui furent envoyées par le Seigneur ou par les anges pour porter aux disciples cette grande joie de la résurrection attendue de tous : en sorte que c'est par elles que les apôtres apprirent ce qu'ils répandirent ensuite dans le monde entier.

L'évangéliste a rapporté, en outre, que le Seigneur, après sa résurrection, venant à leur rencontre, les salua ; il voulut, par cette apparition et ce salut, leur montrer combien il avait pour elles de sollicitude et d'amour.

Nous ne voyons pas, en effet, qu'il ait jamais employé vis-à-vis de qui que ce soit cette formule : « je vous salue. » Bien plus, il l'avait interdite à ses disciples, en leur disant[1] : « vous ne saluerez personne dans le chemin. » Il semble qu'il eût voulu réserver pour les saintes femmes ce privilège, et en faire lui-même l'application lorsqu'il jouirait de la gloire de l'immortalité.

Les Actes des Apôtres[2], lorsqu'ils rapportent qu'aussitôt après l'ascension de Notre-Seigneur ses disciples revinrent du mont des Oliviers à Jérusalem, et qu'ils décrivent fidèlement le pieux zèle de leur sainte assemblée, ne passent pas non plus sous silence la persévérance de la religion des saintes femmes. « Ils étaient tous, est-il dit, persévérant unanimement en prière avec les femmes et Marie, mère de Jésus. »

Mais ne parlons plus des femmes juives, qui, converties à la foi, du vivant du Seigneur et par sa parole, ont esquissé la forme de votre genre de vie ; voyons les veuves grecques que, dans la suite, les apôtres convertirent. Avec quelle attention, avec quelle sollicitude ne les traitèrent-ils pas ! Pour les servir, c'est le glorieux enseigne de la milice chrétienne, c'est Étienne, le premier martyr, qui fut constitué avec quelques autres hommes spirituels. D'où il est écrit dans les mêmes Actes[3] : « le nombre des disciples se multipliant, un murmure s'éleva des Grecs contre les Hébreux, parce que leurs veuves étaient mal traitées dans la répartition des secours de chaque jour. Et les douze apôtres, ayant convoqué tous leurs disciples, dirent : il n'est pas juste que nous quittions la parole de Dieu pour nous occuper du service des tables. Choisissez donc parmi vous, mes frères, sept hommes de bonne réputation, remplis de sagesse et de l'Esprit-Saint, pour que nous les préposions à ce soin ; quant à nous, nous nous livrerons exclusivement à la prière et au ministère de la parole. Et ce discours plut à toute l'assemblée, et ils choisirent Étienne, qui était plein de foi et de l'Esprit-Saint, avec Philippe, et Prochore, et Nicanor, et Timothée, et Parménas et Nicolas d'Antioche ; ils les amenèrent aux pieds des apôtres, qui leur imposèrent les mains en priant. » Grande preuve de la continence d'Étienne, que d'avoir été choisi pour le service des saintes femmes ; grande preuve aussi de l'excellence de ce ministère et de ses mérites aux yeux de Dieu comme aux yeux des apôtres, que cette prière spéciale, cette imposition des mains, par lesquelles les apôtres semblaient adjurer ceux qu'ils y commettaient de s'en acquitter avec zèle, en leur promettant qu'ils leur viendraient en aide par leurs prières et leurs bénédictions.

Paul ne réclamait-il pas lui-même cette fonction comme la plénitude de son apostolat [1] ? « N'avons-nous pas, dit-il, comme les autres apôtres, le pouvoir de mener avec nous une femme qui soit notre sœur ? » C'est comme s'il eût dit clairement : est-ce qu'il ne nous est pas permis d'avoir et de mener avec nous, dans notre prédication, un cortège de saintes femmes comme les apôtres, aux nécessités desquels elles pourvoyaient de leurs biens ? Ce qui a fait dire à Augustin, dans son livre du *Travail des moines* [2] : « pour cela, ils avaient des femmes fidèles, riches des choses de ce monde, qui allaient avec eux, les nourrissaient de leurs biens et ne les laissaient manquer d'aucune des choses nécessaires à la vie » ; et encore [3] : « que quiconque se refuse à croire que les apôtres permissent à de saintes femmes de les accompagner partout où ils prêchaient l'Évangile, lise l'Évangile, et il reconnaîtra qu'ils agissaient ainsi à l'exemple du Seigneur ; car il est écrit dans l'Évangile : — Jésus [4], dès lors, allait dans les villes et les bourgades, annonçant le règne de Dieu, et les douze étaient avec lui et aussi quelques femmes, qui avaient été guéries d'esprits immondes et d'infirmités, Marie, surnommée Madeleine, et Jeanne, femme de Cuza, intendant d'Hérode, et Suzanne et beaucoup d'autres, qui l'aidaient de leurs biens. » — Ce qui prouve que le Seigneur lui-même, dans sa mission, a été matériellement assisté par des femmes, et qu'elles étaient attachées à lui et aux apôtres comme des compagnes inséparables.

Enfin le goût de la vie religieuse s'étant répandu chez les femmes comme chez les hommes, dès la naissance de l'Église, elles eurent, comme eux, des couvents particuliers. L'histoire ecclésiastique rapportant l'éloge que Philon, ce Juif si éloquent, n'a pas seulement dit, mais aussi magnifiquement écrit de la grandeur de l'Église d'Alexandrie sous Marc, ajoute, au chapitre XVII du IIᵉ livre[1] : « il y a dans le monde beaucoup d'hommes de cette sorte » ; et un peu plus bas : « dans chacun de ces lieux-là se trouvent des maisons consacrées à la prière, qu'on appelle *Semneion* ou monastères » ; puis plus bas : « et non seulement ils comprennent les anciens hymnes les plus subtils, mais ils en composent de nouveaux en l'honneur de Dieu, qu'ils chantent en toutes sortes de modes et de mesures, avec un ensemble très convenable et suave. » De même, après avoir parlé de leur abstinence et des saints offices de leur culte, il ajoute : « avec les hommes dont je parle il y a aussi des femmes, parmi lesquelles se trouvent nombre de vierges déjà fort âgées qui ont conservé leur intégrité et leur chasteté, non par nécessité aucune, mais par dévotion, et qui, dans leur ardeur pour la sagesse, se consacrent corps et âme à Dieu, regardant comme indigne de livrer au plaisir un vase préparé pour recevoir la sagesse, et d'enfanter pour la mort quand on aspire au sacré et immortel commerce du Verbe divin et à une postérité qui ne doit point être soumise à la corruption de la mort. » Le même Philon dit encore, au sujet des congrégations : « les hommes et les femmes vivent séparément dans les monastères, et ils célèbrent des offices de nuit, comme nous avons coutume de le faire. »

C'est aussi à l'éloge de la philosophie chrétienne, c'est-à-dire de la vie monastique, ce que dit l'*Histoire tripartite*[1] au sujet de ce genre de vie embrassé par les femmes comme par les hommes. On y lit, en effet, au chapitre XI du livre Ier : « les chefs de cette éminente philosophie furent, au témoignage de quelques-uns, le prophète Élie et Jean-Baptiste. » Philon le Pythagoricien rapporte que, de son temps, des Hébreux d'un rare mérite se réunissaient dans une maison à la campagne bâtie aux environs de l'étang Maria, sur une colline, et qu'ils philosophaient. Ce qu'il fait connaître de leur demeure, de leur nourriture et de leurs entretiens est tout à fait conforme à ce que nous voyons aujourd'hui chez les moines d'Égypte. D'après lui, ils ne mangeaient jamais avant le coucher du soleil, s'abstenaient de vin et de viande, vivaient de pain, de sel, d'hysope[2] et d'eau, des femmes vierges et déjà parvenues à la vieillesse, qui avaient renoncé d'elles-mêmes au mariage, par amour pour la philosophie, habitaient avec eux.

Tel est encore ce que Jérôme[3], dans son livre des *Hommes illustres*, dit au chapitre VIII, à l'éloge de Marc et de son Église. « Marc, qui, le premier, annonça le Christ à Alexandrie, y fonda, dit-il, une Église telle par la pureté de sa doctrine et la chasteté de ses mœurs, qu'elle forçât tous les sectateurs du Christ à imiter son exemple. » Enfin, Philon, le plus éloquent des Juifs, voyant que la première Église d'Alexandrie judaïsait encore, écrivit un ouvrage à la louange de sa nation sur la conversion des Juifs ; et de même que Luc rapporte que les chrétiens de Jérusalem avaient tout en commun, de même il raconte ce qui se passa sous ses yeux dans l'Église d'Alexandrie dirigée par Marc.

Jérôme dit encore, chapitre XI[1] : « Philon le Juif, né à Alexandrie d'une famille de prêtres, est mis par nous au rang des écrivains ecclésiastiques, parce que, dans le livre qu'il a composé sur la première Église d'Alexandrie, fondée par l'évangéliste Marc, il s'étend sur l'éloge de nos frères, et fait connaître qu'il y en avait beaucoup d'autres dans un grand nombre de provinces, et que les maisons qu'ils habitent s'appellent monastères. »

Il est donc évident que c'est ce genre de société des premiers chrétiens que les moines d'aujourd'hui se proposent pour modèle et cherchent à reproduire, lorsqu'ils se donnent pour règle de ne rien posséder, de n'avoir parmi eux ni riches ni pauvres, de partager leur patrimoine aux malheureux, de se livrer à la prière, au chant des psaumes, à la prédication et à la continence ; tels que furent, en effet, au rapport de saint Luc, les premiers croyants de Jérusalem.

Feuilletons l'Ancien Testament, et nous y trouverons qu'en tout ce qui concerne Dieu et les actes particuliers de la religion, les femmes n'ont jamais été séparées des hommes. Non seulement elles chantaient, mais elles composaient même comme eux de divins cantiques ; les Saintes Écritures en font foi. En effet, elles ont commencé par chanter à Dieu en commun avec les hommes le cantique sur la délivrance d'Israël, et, dès ce moment, elles eurent le droit de célébrer les offices divins dans l'église, ainsi qu'il est écrit[2] : « Marie la prophétesse, sœur d'Aaron, prit donc un tambour dans sa main, et toutes les femmes sortirent derrière elle avec des tambours et en formant des chœurs, après qu'elle eût entonné ce cantique : « chantons en l'honneur du Seigneur, car sa grandeur a éclaté glorieusement. » Et il n'est pas question, en cet endroit, que du prophète Moïse ; il n'est point dit qu'il ait entonné le cantique avec Marie, ni que des hommes aient pris le tambour et formé des chœurs comme les femmes.

Quand donc Marie, entonnant le cantique, est appelée prophétesse, cela veut dire qu'elle a moins entonné ou chanté ce cantique qu'elle ne l'a prophétisé. Si elle est représentée l'entonnant avec les autres, c'est pour montrer l'ordre et l'harmonie qui régnaient dans leurs chants. Quant aux tambours qui accompagnaient leurs voix et aux chœurs qu'elles formaient, ce n'est pas seulement le signe de leur grande piété, c'est aussi le symbole mystique de la célébration du divin office dans nos communautés monastiques !

Aussi le Psalmiste nous exhorte-t-il à les imiter[1] : « louez le Seigneur, dit-il, avec des tambours et des chœurs », c'est-à-dire par la mortification de votre corps et par cet accord de charité dont il est écrit[2] : « la multitude des fidèles n'avait qu'un cœur et qu'une âme. »

Il n'est pas jusqu'à ce qu'elles ont fait pour chanter le Seigneur qui ne renferme un sens mystique : leur allégresse est une figure de la vie contemplative. En effet, l'âme, en s'attachant aux choses du ciel, abandonne, pour ainsi dire, la tente du terrestre séjour ; et, du fond de sa douce et intime contemplation, elle entonne triomphalement l'hymne spirituel en l'honneur de Dieu.

Nous trouvons encore dans l'Ancien Testament les cantiques de Débora[3], d'Anne et de Judith la veuve[4], comme dans l'Évangile celui de Marie, mère du Seigneur[5]. En effet, Anne offrant au pied du tabernacle Samuel[6], son jeune enfant, donna aux monastères, par

cet exemple, le droit de recevoir des enfants. C'est
pourquoi Isidore, écrivant à ses frères établis dans le
couvent d'Honorat, leur dit, au chapitre V de ses instructions[1] : « quiconque sera présenté par ses parents
dans un monastère, sache qu'il doit y rester toujours ;
car Anne a présenté son fils Samuel à Dieu, et il est
demeuré fidèle dans le temple aux fonctions auxquelles
il avait été attaché, fidèle au service auquel il avait été
consacré. » Et il est notoire que les filles d'Aaron participaient, comme leurs frères, au service du sanctuaire
et au privilège héréditaire de la tribu de Lévi, si bien
que le Seigneur assura leur entretien, ainsi qu'il est écrit
au livre des *Nombres*, dans le passage où il dit lui-même
à Aaron[2] : « toutes les prémices du sanctuaire offertes
par les enfants d'Israël au Seigneur, je vous les ai données, à vous, à vos fils et à vos frères, pour toujours. »
Il ne paraît donc pas qu'il ait jamais été fait aucune
distinction entre la condition religieuse des hommes et
celle des femmes ; loin de là, il est constant qu'ils
avaient entre eux le lien du nom, puisque nous avons
des diaconesses comme des diacres, les deux noms répondant, pour ainsi dire, à la tribu de Lévi et aux
Lévites.

Nous trouvons dans le même livre que le vœu si grave
et la consécration des Nazaréens étaient également insti-
tués pour les deux sexes, selon les paroles que le Seigneur lui-même adresse à Moïse[3] : « tu parleras aux fils
d'Israël et tu leur diras : hommes ou femmes, tous ceux
qui auront fait vœu de sanctification et auront voulu se
consacrer au Seigneur, s'abstiendront de vin et de tout
ce qui peut enivrer. Ils ne boiront ni vinaigre fait avec
le vin ni toute autre boisson faite avec le jus de la vigne.
Ils ne mangeront ni raisins nouveaux ni raisins secs,
pendant tout le temps de leur consécration. Tout ce qui

sort de la vigne, depuis le grain jusqu'au pépin, tout le temps de leur séparation, ils n'en mangeront pas. » — Elles étaient, sans doute, astreintes à ce vœu, les femmes veillant à la porte du temple, et dont Moïse transforma les miroirs en un vase où Aaron et ses fils se purifiaient, ainsi qu'il est écrit[1] : « Moïse fit placer un vase d'airain dans lequel Aaron et ses fils se purifiaient, et ce vase avait été fait avec les miroirs des femmes qui veillaient à la porte du temple. » L'ardeur de leur pieux zèle est ainsi décrite : le temple fermé, elles restaient au dehors, attachées à la porte, et célébraient les saintes vigiles, passant la nuit en prières, et n'interrompant même pas, la nuit, le service du Seigneur, durant le repos des hommes. La porte du temple qui leur est fermée figure exactement la vie des pénitents qui sont séparés du reste du monde, afin de pouvoir se soumettre aux mortifications d'une pénitence plus rigoureuse ; et telle est particulièrement l'image de la vie monastique, qui n'est qu'un régime de pénitence plus douce. Quant au temple à la porte duquel veillaient les femmes, c'est la figure mystique de celui dont parle l'apôtre en écrivant aux Hébreux[2] : « nous avons un autel qui ne nourrit point les desservants du tabernacle » ; c'est-à-dire auquel ne sont pas dignes de participer ceux qui s'adonnent voluptueusement aux plaisirs du corps, dans lequel ils servent ici-bas comme dans un camp. La porte du tabernacle est la fin de la vie présente, le moment où l'âme s'échappe de ce corps mortel pour entrer dans l'éternité. À cette porte veillent ceux qui sont inquiets de la sortie de ce monde et de l'entrée dans l'autre, et qui se préparent à cette sortie par la pénitence pour entrer dans l'éternité. C'est au sujet de cette entrée de tous les jours dans la sainte Église et de cette sortie, que le psalmiste fait cette prière[3] : « que le Seigneur veille

à votre entrée et à votre sortie. » Et il veille à la fois à
notre entrée et à notre sortie, lorsque, au sortir de cette
vie, si nous sommes purifiés par la pénitence, il nous
reçoit aussitôt dans l'autre. C'est avec raison qu'il
nomme l'entrée avant la sortie, considérant moins l'ordre que l'importance des choses ; en effet, on ne sort
de cette vie qu'avec douleur, tandis qu'on entre dans
l'autre avec une grande allégresse. Quant aux miroirs
des femmes, ils sont les œuvres extérieures dans lesquelles on voit la laideur et la beauté de l'âme, comme on
juge par un miroir matériel de la nature du visage. De
ces miroirs on fait un vase dans lequel se purifient Aaron et ses fils, en ce sens que les œuvres des saintes
femmes, l'inébranlable fermeté du sexe faible dans le
service de Dieu, condamnent hautement la négligence
des pontifes et des prêtres, et leur arrachent des larmes
de componction ; en ce sens que, s'ils prennent soin de
ces femmes, comme ils le doivent, les bonnes œuvres
qu'elles accomplissent préparent aux fautes qu'ils ont
commises le pardon qui les purifie. C'est de ces miroirs
que le bienheureux Grégoire se faisait un vase de componction, alors qu'admirant la vertu des saintes femmes
et les triomphes du sexe faible dans le martyre, il
s'écriait en soupirant[1] : « que diront ces barbares en
voyant de tendres jeunes filles supporter de tels tourments pour le Christ, un sexe si délicat sortir victorieux
d'une telle lutte ? Car les femmes ont remporté souvent
la double couronne de la virginité et du martyre. »
  À ces femmes qui veillaient à la porte du temple, et
qui, comme des Nazaréennes, avaient consacré au Seigneur leur veuvage, je ne doute nullement qu'il faille
joindre Anne, cette sainte qui mérita, conjointement
avec Siméon, de recevoir dans le temple le véritable Nazaréen du Seigneur, le Seigneur Jésus-Christ, d'être sai-

sie d'un esprit plus que prophétique à la même heure que Siméon, de le saluer, de faire connaître sa venue et de l'annoncer publiquement.

C'est son éloge que développe l'évangéliste, lorsqu'il dit[1] : « et il y avait une prophétesse nommée Anne, fille de Phanuel, de la tribu d'Aser ; elle était fort avancée en âge, et elle n'avait vécu que sept ans avec son mari, qui l'avait épousée vierge ; et elle avait gardé le veuvage jusqu'à l'âge de quatre-vingt-quatre ans, ne quittant pas le temple, jeûnant, priant, et ne cessant nuit et jour de servir Dieu. Étant donc survenue en cet instant, elle annonçait la venue du Seigneur et en parlait à tous ceux qui attendaient la rédemption de Jérusalem. »

Note tout ce que dit l'évangéliste ; considère quel zèle il déploie dans l'éloge de cette veuve et combien il exalte sa sainteté. Il parle du don de prophétie dont elle jouissait depuis longtemps, de son père, de sa tribu, des sept années qu'elle avait vécues avec son mari, de son long veuvage consacré au Seigneur, de son assiduité au temple, de ses jeûnes, de ses prières incessantes, des actions de grâce par lesquelles elle confessait la gloire de Dieu, de sa prophétie publique sur la promesse et la naissance du Sauveur. Et le même évangéliste, en parlant plus haut de Siméon[2], avait célébré en lui la justice, mais non le don de prophétie ; il ne dit point qu'il eût poussé si loin la continence, l'abstinence, la sollicitude du service divin ; il n'ajoute point qu'il eût annoncé le Seigneur à personne.

Cette vie de pieux zèle et de dévouement me paraît être aussi le partage de ces veuves dont parle l'apôtre dans sa lettre à Timothée[3] : « honorez les veuves qui sont vraiment veuves », dit-il ; et encore[4] : « que celle qui est vraiment veuve et abandonnée espère en Dieu, qu'elle persévère nuit et jour dans la prière ; et cela sur-

tout pour qu'elle demeure sans tache » ; et encore[1] :
« si quelque fidèle a des veuves, qu'il les secoure ; que
l'Église n'en soit pas chargée, afin qu'elle puisse subvenir aux besoins des véritables veuves. »

Il appelle véritables veuves celles qui n'ont pas
déshonoré leur veuvage par un second mariage et qui,
persévérant dans cet état par esprit de piété, non par
nécessité, se sont consacrées au Seigneur. Il les appelle
abandonnées, parce qu'elles ont renoncé à tout, ne se
sont réservé aucune consolation sur la terre et n'ont
personne pour prendre soin d'elles. Ce sont celles-là
qu'il ordonne d'honorer et d'entretenir aux dépens de
l'Église, comme sur le revenu propre du Christ leur
époux.

Il indique aussi expressément quelles sont celles d'entre les veuves qui peuvent être choisies pour le ministère
du diaconat. « Choisissez pour diaconesse, dit-il[2], une
femme qui n'ait pas moins de soixante ans[3], qui n'ait
eu qu'un mari, qui soit en réputation d'avoir fait le bien,
élevé des enfants, donné l'hospitalité, lavé les pieds des
saints, secouru les affligés, accompli toutes sortes de
bonnes œuvres. Évitez les veuves trop jeunes. »

Et le bienheureux Jérôme, développant ce dernier
point[4] : « évitez, dit-il, pour le service du diaconat, les
veuves qui sont trop jeunes, de peur qu'elles ne donnent
le mauvais exemple au lieu du bon : elles sont plus exposées à la tentation, plus faibles, et faute de cette expérience, qui est le fruit de l'âge, elles pourraient être un
sujet de scandale pour celles dont elles devraient être
l'édification. » Ce scandale des jeunes veuves, au sujet
desquels l'apôtre était si bien éclairé, il le fait expressément connaître, il en prévient le danger. Après avoir
dit[5] : « évitez les jeunes veuves », indiquant aussitôt le
motif de cette prescription, et avec la prescription le

remède, il ajoute : « après avoir joui de leur union en Jésus-Christ, elles veulent se remarier et encourent la damnation en violant leur foi ; d'autre part, s'adonnant à l'oisiveté, elles s'accoutument à courir de maison en maison ; et elles ne sont pas seulement désœuvrées, elles sont bavardes, curieuses et parlent de ce dont elles ne devraient pas parler. Je veux donc que les jeunes veuves se remarient, qu'elles aient des enfants, qu'elles gouvernent un ménage et qu'elles ne donnent à l'adversaire aucune occasion de nous diffamer ; car il en est déjà qui ont quitté le Christ pour suivre Satan. »

Le bienheureux Grégoire[1] s'inspirait aussi de la sagesse de l'apôtre au sujet du choix des diaconesses, quand il écrivait, en ces termes, à Maxime, évêque de Syracuse : « nous vous interdisons très expressément de nommer de jeunes abbesses ; que votre fraternité ne permette donc à aucun évêque de donner le voile à aucune vierge qui ne soit sexagénaire, et dont la vie et les mœurs n'aient été mises à l'épreuve. »

On appelait autrefois diaconesses celles que nous nommons aujourd'hui abbesses ; on les considérait comme des servantes plutôt que comme des mères. Diacre, en effet, signifie serviteur, et l'on pensait que les diaconesses devaient recevoir leur nom de leur service plutôt que de leur rang, selon que le Seigneur l'a lui-même institué et par ses exemples et par ses paroles[2] : « celui qui est le plus grand parmi vous, dit-il, sera votre serviteur » ; et encore[3] : « quel est le plus grand, de celui qui est à table ou de celui qui sert ? pour moi, je suis au milieu de vous comme celui qui sert » ; et ailleurs[4] : « de même que le Fils de l'Homme n'est pas venu pour être servi, mais pour servir. »

Aussi Jérôme osa-t-il, fort de l'autorité du Seigneur, reprocher énergiquement ce nom d'abbé dont il avait appris que quelques-uns se faisaient gloire. Il rappelle ce passage où il est écrit, dans l'épître aux Galates[1] : « Criant : Abba, Père. » — « Abbé, dit-il, est un mot hébreu qui signifie père[2]. Puis donc qu'il a cette signification en langue hébraïque et syriaque, et que le Seigneur ordonne dans l'Évangile que nul ne soit appelé père, si ce n'est Dieu, j'ignore de quelle autorité nous donnons ou nous laissons donner ce nom à d'autres dans les monastères. Assurément celui qui avait établi ce précepte est le même qui avait défendu de jurer[3]. Si nous ne jurons pas, n'appelons personne père ; ou bien, si nous assignons un autre sens à ce titre de père, nous serons forcés de changer de sentiment aussi sur la défense de jurer. »

Il est certain que parmi ces diaconesses était Phoebe[4], que l'apôtre recommande avec zèle aux Romains, et en faveur de laquelle il les supplie[5]. « Je vous recommande Phoebe, notre sœur, dit-il, qui est attachée au service de l'Église de Cenchrées, afin que vous la receviez au nom du Seigneur d'une manière digne des saints, et que vous l'assistiez dans toutes les choses où elle pourrait avoir besoin de vous ; car elle en a elle-même assisté plusieurs, et je suis du nombre. » Cassiodore et Claude, en expliquant ce passage, estiment qu'elle était diaconesse de cette Église. « L'apôtre, dit Cassiodore[6], fait entendre qu'elle fut diaconesse de l'Église mère, dans la sorte de milice qui est encore en usage aujourd'hui chez les Grecs ; et cette Église ne leur refuse pas non plus le pouvoir de baptiser. » — « Ce passage, dit Claude[7], prouve que les femmes ont été attachées par l'autorité apostolique au service de l'Église, et que ces fonctions ont été confiées dans l'Église de Cenchrées à Phoebe, que l'apôtre loue et recommande si hautement. » Le même apôtre, dans sa lettre à Timothée, comprenant les femmes parmi les diacres, les soumet à la même règle de vie. Là, en effet, réglant la hiérarchie des services ecclésiastiques, après être descendu de l'évêque aux diacres, il dit[1] : « que les diacres également soient chastes, point doubles dans leurs paroles, point adonnés au vin, point avides d'un gain honteux ; qu'ils conservent le mystère de la foi dans une conscience pure ; qu'ils soient soumis préalablement à une épreuve, et qu'ils ne soient admis au saint ministère que s'ils sont sans reproche. Que les femmes aussi soient chastes, point médisantes, sobres, fidèles en toutes choses. Qu'on prenne pour diacres ceux qui n'ont épousé qu'une seule femme, qui ont bien élevé leurs enfants, bien dirigé leur maison. Car ceux qui serviront bien le Seigneur s'élèveront et acquerront une grande fermeté dans la foi, qui est dans le Christ Jésus. »

Or, ce qu'il dit des diacres : « qu'ils ne soient point doubles dans leurs paroles », il le dit aussi des diaconesses : « qu'elles ne soient pas médisantes. » Ce qu'il dit des uns : « qu'ils ne soient pas adonnés au vin », il le dit des autres : « qu'elles soient sobres. » Enfin, il renferme tous les autres préceptes en deux mots : « qu'elles soient fidèles en toutes choses. » De même qu'il ne veut pas que les évêques et les diacres aient contracté deux fois mariage, de même il établit que les diaconesses ne doivent avoir été mariées qu'une fois, ainsi que nous l'avons rappelé plus haut. « Choisissez pour diaconesse une veuve qui n'ait pas moins de soixante ans, dit-il[2], qui n'ait eu qu'un mari, qui soit en réputation d'avoir fait le bien, qui ait élevé ses enfants, donné l'hospitalité, lavé les pieds des saints, assisté les malheureux, accompli toutes sortes de bonnes œuvres : évitez les veuves trop jeunes. » Dans cette description des diaconesses, ou plutôt dans cette règle, il est aisé de voir combien il se montre plus sévère pour le choix des diaconesses que pour celui des évêques et des diacres. Car ce qu'il dit des diaconesses, « qu'elles doivent être en réputation d'avoir fait le bien, donné l'hospitalité, etc. », il n'en parle pas au sujet des diacres. Ce qu'il ajoute : « qu'elles aient lavé les pieds, etc. », il n'en dit pas un mot au sujet des évêques et des diacres. Il se contente de dire que les évêques et les diacres « soient sans reproche » ; mais, pour elles, il veut non seulement qu'elles soient sans tache, mais « qu'elles aient accompli toutes sortes de bonnes œuvres ». Il fixe même avec soin le degré de maturité de leur âge pour qu'elles aient de l'autorité sur tous en disant : « qu'elles n'aient pas moins de soixante ans » ; en sorte que, non seulement leur vie, mais encore la longueur de leur vie, éprouvée en maintes choses, inspire plus de respect.

Voilà pourquoi le Seigneur lui-même, malgré sa tendresse pour Jean, lui préféra Pierre ainsi qu'à d'autres, parce qu'il était plus âgé[1]. En général, on s'indigne moins de voir à sa tête un vieillard qu'un jeune homme, et nous obéissons plus volontiers à celui que la nature et l'ordre du temps ont mis au-dessus de nous, non moins que l'excellence de sa vie.

C'est ainsi que Jérôme, dans son premier livre contre Jovinien, dit, au sujet de l'élection de Pierre[2] : « un seul est choisi, afin que l'établissement d'un chef écarte toute occasion de schisme. Mais pourquoi Jean n'a-t-il pas été élu ? Parce que le Christ a déféré à l'âge, parce que Pierre était plus vieux, et pour ne pas donner à un jeune homme, presque à un enfant, la préférence sur des hommes d'âge mûr : en bon maître qui devait enlever à ses disciples toute occasion de querelle, et qui aurait craint de paraître fournir un motif de jalousie contre le jeune homme qu'il aimait. »

C'est aussi par cette considération que cet abbé, dont il est parlé dans la *Vie des Pères*[1], ôta la prélature à un frère plus ancien dans l'ordre, mais plus jeune, pour la donner à un plus âgé ; sa seule raison était qu'il était son aîné. Il craignait que ce frère, encore engagé dans les liens de la chair, ne souffrît de se voir préférer un plus jeune que lui ; il se souvenait du mécontentement que les apôtres[2] eux-mêmes avaient éprouvé contre deux d'entre eux, pour qui l'intervention de leur mère avait obtenu quelque privilège auprès du Christ, l'un d'eux, surtout, étant beaucoup plus jeune que tous les autres, je veux dire Jean, dont nous venons de parler.

Ce n'est pas seulement dans le choix des diaconesses que l'apôtre a recommandé le plus grand soin ; on voit à quel degré il pousse l'attention en tout ce qui touche les veuves animées du désir de se consacrer à Dieu ; il veut supprimer pour elles toute occasion de tentation. Après avoir dit[3] : « honorez les veuves, les véritables veuves », il ajoute aussitôt : « mais si quelque veuve a des enfants ou des neveux, qu'elle apprenne d'abord à conduire sa maison et à faire pour ses parents ce qu'ils ont fait pour elle. » Et quelques lignes plus bas[4] : « si quelqu'un n'a pas soin des siens, et surtout de ceux de sa maison, il renie la foi ; il est plus coupable qu'un infidèle. » Par ces paroles, il satisfait en même temps aux devoirs de l'humanité et aux exigences de la profession religieuse. Il veut empêcher que, sous prétexte de profession religieuse, de pauvres orphelins ne soient abandonnés, et que le sentiment de l'humaine compassion envers des malheureux ne trouble la résolution des saintes veuves, ne ramène leurs regards en arrière, ne les entraîne même parfois dans le sacrilège, et ne les induise à détourner de la communauté pour donner à leurs proches.

Il était donc bien nécessaire d'avertir celles qui sont dans les liens de la famille de commencer par rendre ce qu'elles ont reçu, avant de passer au vrai veuvage et de se consacrer sans réserve au service de Dieu, c'est-à-dire de pourvoir à l'éducation de leurs enfants, comme elles ont été élevées elles-mêmes par les soins de leurs parents.

Pour porter plus haut encore la perfection des veuves, l'apôtre leur recommande de se livrer incessamment à la prière nuit et jour. Également préoccupé de leurs besoins, il dit[1] : « si quelque fidèle a des veuves, qu'il les assiste, que l'Église ne les ait pas à sa charge, afin qu'elle puisse assister les véritables veuves. » C'est comme s'il disait : s'il est des veuves qui aient une famille capable avec ses ressources de subvenir à leurs besoins, qu'elle y pourvoie, afin que les revenus communs de l'Église puissent soutenir les autres. De ces préceptes, il ressort clairement que, s'il en est qui se refusent à secourir les veuves qui leur appartiennent, il faut les contraindre, de par l'autorité apostolique, à s'acquitter de cette dette. L'apôtre ne s'est pas borné à pourvoir à leurs besoins, il a voulu assurer les égards qui leur étaient dus : « honorez, dit-il[2], les veuves qui sont véritablement veuves. »

Telles furent, sans doute, celle que l'apôtre appelle sa mère, et celle que l'évangéliste nomme sa maîtresse, par respect pour la sainteté de leur état. « Saluez, dit Paul écrivant aux Romains[3], saluez Rufus, qui est élu dans le Seigneur, et sa mère, qui est aussi la mienne. » Et Jean, dans sa seconde épître[4] : « le vieux Jean à sa maîtresse élue et à ses enfants, etc. » ; puis il ajoute plus bas, lui demandant son amitié[5] : « et maintenant, je vous demande, ô maîtresse ! que nous nous aimions l'un l'autre. »

C'est aussi avec l'appui de cette autorité que le bienheureux Jérôme, dans sa lettre à Eustochie, qui avait fait les mêmes vœux que vous, ne rougit pas de l'appeler maîtresse ; bien plus, il se croit obligé de le faire, et il en donne aussitôt la raison. « J'appelle Eustochie maîtresse, dit-il[1], parce que je dois appeler maîtresse l'épouse de notre Maître, etc. » Et plus bas, dans la même lettre, élevant l'excellence de ce saint état au-dessus de toutes les gloires de la terre : « je ne veux pas de commerce avec les matrones, dit-il ; je ne veux pas que vous fréquentiez les maisons des nobles, je ne veux pas que vous les voyiez souvent, puisque, renonçant au monde, vous avez voulu être vierge. Si l'ambition des courtisans les pousse aux pieds de l'impératrice, pourquoi feriez-vous injure à votre époux ? Épouse de Dieu, pourquoi porteriez-vous vos hommages à l'épouse d'un homme ? Pénétrez-vous en ceci d'un saint orgueil : sachez que vous êtes au-dessus d'elle. »

Le même, écrivant à une vierge consacrée à Dieu, au sujet du bonheur dans le ciel et de la dignité sur la terre des vierges consacrées à Dieu, dit[2] : « quel bonheur est réservé dans le ciel à la sainte virginité, indépendamment des témoignages de l'Écriture, l'Église, par ses usages, nous l'enseigne : elle nous apprend qu'un mérite particulier est attaché aux consécrations spirituelles. En effet, bien que la multitude des croyants ait également droit aux dons de la grâce, et que tous se glorifient de participer aux mêmes sacrements, les vierges ont un privilège spécial, puisque, à cause des mérites de leur intention, elles sont choisies par le Saint-Esprit, dans le saint et pur troupeau de l'Église, comme des victimes et plus saintes et plus pures, pour être offertes par le grand-prêtre sur les autels de Dieu. » Et encore : « la virginité possède quelque chose que les autres n'ont pas, puisqu'elle obtient spécialement la grâce et jouit du privilège d'une consécration particulière ; cette consécration est telle, qu'à moins de danger de mort imminente, elle ne peut être célébrée à d'autres époques que l'Épiphanie, l'octave de Pâques et la fête des apôtres, et qu'il n'appartient qu'au chef des prêtres, c'est-à-dire à l'évêque, de bénir les vierges ainsi que les voiles qui doivent couvrir leurs têtes sanctifiées. »

Pour les moines, bien qu'ils appartiennent à la même profession, au même ordre, et qu'ils soient d'un sexe plus élevé, fussent-ils aussi vierges, ils peuvent recevoir, le premier jour venu et des mains de leur abbé, la bénédiction pour eux-mêmes et pour leur habit, c'est-à-dire pour leur capuce ; les prêtres aussi et les clercs d'ordre secondaire peuvent être ordonnés aux quatre-temps, et les évêques, tous les dimanches[1] ; mais la consécration des vierges, d'autant plus précieuse qu'elle est plus rare, est réservée pour les allégresses des grandes solennités.

L'Église entière tressaille de joie pour célébrer la vertu admirable des vierges, ainsi que le psalmiste l'avait prédit en ces termes[2] : « des vierges seront amenées au Roi », et ensuite : « elles lui seront présentées avec des transports de joie et d'allégresse ; elles seront amenées dans le temple du Roi. » On croit même que c'est l'apôtre et évangéliste Mathieu[3] qui a composé ou dicté le rituel de cette consécration, ainsi qu'on le lit dans les actes du martyre qu'il subit pour la défense de la virginité religieuse. Mais, pour la bénédiction des clercs et des moines, les apôtres ne nous ont laissé aucune règle écrite. C'est aussi du nom de la sainteté que les religieuses ont reçu leur nom, puisque c'est du mot *sanctimonia*, c'est-à-dire sainteté, qu'elles ont été appelées *sanctimoniales*, ou saintes moniales. En effet, le sexe des femmes étant plus faible, leur vertu est d'autant plus agréable à Dieu, d'autant plus parfaite, ainsi qu'en témoigne le Seigneur lui-même, en exhortant l'apôtre à combattre pour la couronne. « Ma grâce vous suffit, dit-il[1], car c'est dans la faiblesse que la vertu arrive à sa perfection. »

C'est ainsi encore qu'en parlant, par la bouche du même apôtre, des membres de son corps, c'est-à-dire de l'Église, il lui fait dire, dans cette même Épître aux Corinthiens, comme s'il voulait recommander les égards pour les membres les plus faibles[2] : « les membres de notre corps qui nous paraissent les plus faibles sont les plus nécessaires, et ceux que nous regardons comme les moins nobles sont précisément ceux pour lesquels nous avons le plus de ménagements : les parties les moins honnêtes sont les plus honnêtement traitées ; celles qui sont honnêtes n'ont besoin de rien. Dieu a disposé le corps de telle sorte, qu'on ait le plus d'égards pour les membres les plus faibles, et qu'il n'y ait point de schisme dans le corps, mais que les membres aient le souci mutuel de s'aider les uns les autres. » Peut-on dire que la grâce divine ait dispensé ses trésors à qui que ce soit aussi largement qu'au sexe le plus faible, que le péché originel autant que la nature avait rendu méprisable ? Examinez-en les divers états, considérez non seulement les vierges, les veuves, les femmes mariées, mais encore celles qui vivent dans les abominations de la prostitution, et vous trouverez en elles les plus larges dons de la grâce divine ; en sorte que, selon la parole du Christ et de l'apôtre, « les derniers sont les premiers, et les premiers les derniers[3] », et « là où il y a eu abondance de péché, il y a surabondance de grâce[4] ».

Et si nous reprenons à l'origine du monde l'histoire des dons de la grâce divine chez la femme et des égards dont elle a été l'objet, nous verrons que sa création lui a constitué certains avantages de supériorité. Elle a été créée dans le Paradis, tandis que l'homme a été créé hors du Paradis ; en sorte que les femmes sont comme particulièrement prévenues que le Paradis est leur patrie naturelle, et qu'elles doivent chercher dans le célibat une vie conforme à celle du Paradis. C'est ce qui fait dire à Ambroise, dans son livre du *Paradis*[1] : « Dieu prit l'homme qu'il avait fait et l'établit dans le Paradis. Vous le voyez, il a pris celui qui était déjà, pour le placer dans le Paradis. Ainsi l'homme a été fait hors du Paradis, et la femme dans le Paradis. L'homme, qui a été créé dans un lieu inférieur, se trouve le meilleur, et la femme, qui a été créée dans un lieu supérieur, se trouve la moins bonne. »

D'autre part, le Seigneur a racheté dans la personne de Marie[2] la faute d'Ève, origine de tous les maux de ce monde, avant que celle d'Adam eût été réparée dans le Christ[3]. Et, de même que la faute, la grâce nous est venue par la femme, et les saints privilèges de la virginité ont refleuri. Déjà Anne et Marie avaient offert aux veuves et aux vierges le modèle de la profession religieuse, quand Jean et les apôtres donnèrent aux hommes des exemples de vie monastique.

Si, après Ève, nous considérons la vertu de Débora, de Judith et d'Esther, nous conviendrons qu'elle est pour le sexe fort un sujet de honte singulière. Débora, en effet, juge du peuple de Dieu au défaut des hommes, livra bataille, battit les ennemis, délivra le peuple de Dieu et remporta le plus complet des triomphes. Judith[4], sans armes, accompagnée d'une seule servante, attaqua un ennemi terrible, trancha de son propre glaive la tête d'Holopherne, tailla en pièces, seule, une armée entière et délivra son peuple qui désespérait. Esther, par une inspiration secrète de l'Esprit-Saint, bien que mariée contre la loi à un prince idolâtre, prévint le dessein de l'impie Aman et le cruel arrêt du roi, et, en moins d'un instant, pour ainsi dire, retourna contre son adversaire la sentence prononcée par la royale volonté.

On regarde comme une grande prouesse que David, avec une fronde et une pierre, ait attaqué et vaincu Goliath[1] : Judith[2], qui n'était qu'une veuve, n'avait ni pierre, ni fronde, ni arme d'aucune sorte, quand elle marcha contre une armée ennemie pour la combattre. C'est par la parole seule qu'Esther[3] délivra son peuple, et, tournant contre ses ennemis le décret de proscription, les précipita dans le piège qu'ils avaient tendu : délivrance insigne, en souvenir de laquelle les Juifs célèbrent tous les ans une fête solennelle, honneur que n'obtint aucun homme par ses actions, si éclatantes qu'elles aient été.

Qui n'admirerait l'incomparable fermeté de la mère que, selon l'histoire des Maccabées[4], l'impie Antiochus fit saisir avec ses sept enfants, et essaya vainement de contraindre à manger, contre la loi, de la chair de porc ? Cette mère, oubliant tous les sentiments de la nature et de l'humanité, pour ne plus voir que Dieu, après avoir glorieusement subi le martyre dans chacun de ses enfants qu'elle envoya devant elle, par ses saintes exhortations, à la couronne qui les attendait, consomma ses souffrances par son propre martyre. Feuilletons tout l'Ancien Testament : que trouvons-nous qui puisse être rapproché de la fermeté de cette femme ? Le démon, après avoir épuisé toutes ses violentes tentations contre le saint homme Job, connaissant la faiblesse de la nature humaine aux approches de la mort, dit[5] : « l'homme donnera la peau d'autrui pour conserver la sienne, et tout ce qu'il possède pour sauver sa vie. » En effet, l'horreur naturelle que nous inspirent les suprêmes angoisses de la mort est si vive, que souvent nous sacrifions un membre pour sauver l'autre, et que pour conserver cette vie nous ne redoutons aucun inconvénient. Et cette mère a eu le courage de livrer non seulement tout ce qu'elle avait, mais sa vie et celle de ses enfants pour ne pas violer un point de la loi. Et quel point, je vous prie ; à quelle transgression voulait-on la pousser ? Voulait-on la contraindre de renoncer à Dieu, ou de sacrifier aux idoles ? Non ; il s'agissait de manger des viandes dont la loi interdisait l'usage. Ô mes frères, ô vous qui avez embrassé la vie monastique, vous qui, tous les jours, violant effrontément les statuts de la règle et les vœux de notre profession, aspirez après ces viandes qu'ils vous défendent, que direz-vous de la fermeté de cette femme ? Avez-vous si bien perdu toute pudeur qu'un tel exemple ne vous pénètre pas de confusion ? Sachez, mes frères, le reproche que le Seigneur fait aux incrédules en parlant de la reine du Midi[1] : « la reine du Midi[2] se lèvera, au jour du jugement, contre cette génération et la condamnera. » La fermeté de cette femme déposera contre vous d'autant plus haut, que ce qu'elle a fait est plus grand, et que les vœux qui vous enchaînent à la règle sont plus étroits. Aussi a-t-elle mérité que l'Église instituât une messe et des prières commémoratives en l'honneur de la lutte que son courage a soutenue : privilège qui n'a été accordé à aucun des saints antérieurs à la venue du Seigneur, bien que, suivant la même histoire, Éléazar[3], ce vénérable vieillard, un des premiers scribes de la loi, eût déjà, pour la même cause, obtenu les palmes du martyre. Mais nous l'avons dit : plus le sexe de la femme est faible, plus sa vertu est agréable à Dieu, plus elle est digne de récompense ; et le martyre du pontife, auquel aucune femme ne participa, n'a point obtenu les honneurs d'une fête spéciale, parce que l'on ne s'étonne pas que le sexe le plus fort ait à subir les plus fortes épreuves. Aussi l'Écriture dit-elle, se répandant en louanges sur cette femme : « cependant cette mère admirable au-dessus de toute mesure, et digne du souvenir des fidèles, cette mère, qui vit périr ses sept fils en un même jour, supportait leur mort avec calme, à cause de l'espérance qu'elle avait en Dieu ; elle les encourageait courageusement les uns après les autres, remplie de l'esprit de la sagesse et alliant à la tendresse de la femme un mâle courage. »

La fille de Jephté[1] ne suffirait-elle pas seule à l'honneur des vierges ? elle qui, pour que son père ne fût pas coupable d'avoir manqué à un vœu même irréfléchi, et pour que la victime promise acquittât le don de la grâce divine, offrit son propre sein à son père victorieux. Qu'aurait-elle donc fait dans la lutte du martyre, si les infidèles avaient voulu la contraindre à renier Dieu et à abjurer sa foi ? Interrogée au sujet du Christ avec le prince des apôtres, aurait-elle répondu comme lui[2] : « je ne connais pas cet homme ? » Laissée libre par son père pendant deux mois, elle revint vers son père, à l'expiration de ce délai, s'offrir au sacrifice. Elle va au-devant de la mort, elle vient la chercher, bien loin de la craindre. Elle paye de sa vie le vœu insensé de son père, elle rachète la parole paternelle par amour démesuré pour la vérité. Quelle horreur n'eût-elle pas eue elle-même pour le parjure, elle qui n'en peut supporter la pensée chez son père ? Quelle n'était pas l'ardeur virginale de son amour pour son père charnel et pour son père spirituel ! Par sa mort, en même temps qu'elle épargne à l'un un parjure, elle satisfait à la promesse faite à l'autre. Aussi cette grandeur de courage dans une jeune fille a-t-elle mérité, par exception, que chaque année les filles d'Israël, se rassemblant en un même lieu, célèbrent en quelque sorte ses funérailles virginales par des hymnes solennels, et versent de pieuses larmes de componction sur le sacrifice de l'innocente victime[1].

Sans nous arrêter à d'autres exemples, qu'y a-t-il eu de plus nécessaire à notre rédemption et au salut du monde entier que le sexe féminin, qui a donné le jour au Sauveur ? C'est cet insigne honneur que la femme, qui la première osa forcer la tente de saint Hilarion, opposait à sa surprise[2] : « pourquoi détourner les yeux ? dit-elle ; pourquoi éviter ma prière ? ne songez pas que je suis femme, mais que je suis malheureuse. C'est mon sexe qui a donné le jour au Sauveur. »

Est-il une gloire comparable à celle que ce sexe a acquise dans la personne de la Mère du Seigneur ? Le Rédempteur aurait pu, s'il l'eût voulu, naître d'un homme[3], lui qui a voulu former la première femme du corps de l'homme ; mais il a voulu faire tourner à l'honneur du sexe le plus faible la gloire insigne de sa propre humilité. Il aurait pu[4], pour naître, choisir dans la femme une partie plus noble que celle qui sert à la fois à la conception et à l'enfantement des autres hommes ; mais, pour la gloire incomparable du sexe le plus faible, il a ennobli l'organe génital de la femme par sa naissance, bien plus qu'il n'avait fait celui de l'homme par la circoncision[5].

Et maintenant, pour me taire sur l'honneur particulier des vierges, passons à d'autres femmes, suivant le plan que j'ai annoncé.

Voyez la grandeur de la grâce que la venue du Christ a aussitôt répandue sur Élisabeth[6], qui était mariée, et sur Anne, qui était veuve. Zacharie, mari d'Élisabeth et grand-prêtre du Seigneur, n'avait pas encore recouvré la parole que son incrédulité lui avait fait perdre, quand, à l'arrivée et à la salutation de Marie, Élisabeth, remplie de l'esprit de Dieu, et ayant senti son enfant tressaillir dans son sein, prophétisa la première que Marie avait conçu et devint ainsi plus que prophète. Elle l'annonça donc sur-le-champ et excita la Mère du Seigneur à remercier Dieu des grâces dont il la comblait. Le don de prophétie ne paraît-il pas plus accompli dans Élisabeth, qui a connu aussitôt la conception du Fils de Dieu, que dans Jean qui ne l'annonça que longtemps après sa naissance ? J'ai appelé Marie-Madeleine l'apôtre des apôtres ; je n'hésiterais pas à appeler de même Élisabeth le prophète des prophètes, elle ou cette bienheureuse veuve, Anne, dont j'ai déjà si longuement parlé.

Si nous examinons jusque chez les Gentils ce don de prophétie, que la Sibylle[1] paraisse ici la première et qu'elle nous dise ce qui lui a été révélé au sujet du Christ. Si nous comparons avec elle tous les prophètes et Isaïe lui-même, lequel, selon Jérôme[2], est moins un prophète qu'un évangéliste, nous verrons encore dans cette grâce la prééminence des femmes sur les hommes. Augustin, dans son *Témoignage contre cinq hérésies*, dit[3] : « écoutons ce que dit la Sibylle, leur prophétesse, au sujet du Christ : « le Seigneur, dit-elle, a donné aux hommes fidèles un autre Dieu à adorer » ; et ailleurs : « reconnaissez-le pour votre Seigneur, pour le Fils de Dieu. » Dans un autre endroit, elle appelle le Fils de Dieu *symbolon*, c'est-à-dire *conseiller*. Et le prophète dit[4] : « ils l'appelleront l'admirable, le conseiller. » Dans le XVIIIe livre de la *Cité de Dieu*, notre Père Augustin écrit encore[5] : « quelques-uns rapportent que, dès ce temps-là, la Sibylle d'Érythrée, d'autres disent la Sibylle de Cumes, avait fait une prédiction en vingt-sept vers, qui ont été traduits en latin et qui contiennent ce passage : — en signe du jugement, la terre se mouillera de sueur ; un Roi qui doit vivre dans tous les siècles descendra du ciel, revêtu de chair, pour juger l'univers. — Et en réunissant les premières lettres des vingt-sept vers grecs, on trouve : Jésus-Christ, Fils de Dieu, Sauveur. »

Lactance cite aussi plusieurs prophéties de la Sibylle au sujet du Christ. « Il tombera ensuite, dit-elle[1], entre les mains des infidèles ; de leurs mains sacrilèges, ils donneront à Dieu des soufflets, de leur bouche impure, ils lui cracheront des crachats empoisonnés. Et lui, il tendra humblement son dos sacré à leurs coups ; il recevra en silence leurs soufflets, de peur qu'on ne reconnaisse le Verbe et que l'enfer ne l'apprenne. Ils le couronneront d'épines. Pour nourriture, ils lui donneront du fiel, pour boisson, du vinaigre : telle sera la table de leur hospitalité. Nation insensée ! tu n'as pas compris que ton Dieu méritait les hommages de toute la terre, et tu l'as couronné d'épines, tu as mêlé pour lui le fiel et le vinaigre. Le voile du temple se déchirera, et, au milieu du jour, la nuit couvrira la terre pendant trois heures ; il mourra, et après trois jours de sommeil, sortant des enfers, il apparaîtra à la lumière pour montrer aux hommes le principe de la résurrection. »

Virgile, le plus grand de nos poètes, connaissait sans doute et avait médité cet oracle de la Sibylle, quand, dans sa IVᵉ *Bucolique*, il prédit[2], sous le règne de César-Auguste et le consulat de Pollion, la naissance miraculeuse d'un enfant envoyé du ciel sur la terre pour effacer les péchés du monde et ouvrir aux hommes une ère pleine de merveilles ; il le dit lui-même, il avait été éclairé à ce sujet par l'oracle de Cumes, c'est-à-dire par la Sibylle dite de Cumes. Et il semble que, par ces vers, il exhorte les hommes à se féliciter, à chanter et à écrire sur la naissance future de ce sublime enfant ; auprès de ce fait, tous les autres sujets lui paraissent faibles et grossiers : « Muses de Sicile, dit-il, élevons le sujet de nos chants ; les arbrisseaux et l'humble bruyère ne plaisent pas à tout le monde. Voici que sont arrivés les temps prédits par l'oracle de Cumes ; les siècles vont se dérouler dans un ordre nouveau. Déjà reviennent et la Vierge et le règne de Saturne. Déjà une race nouvelle est envoyée du haut des cieux. » Pesez toutes les paroles de la Sibylle : quel résumé clair et complet de ce que la foi chrétienne doit croire du Christ ! Elle n'a rien oublié dans ce texte ou cette prophétie : ni sa divinité, ni son humanité, ni son arrivée pour les deux jugements ; le premier dans lequel il a été injustement condamné aux tourments de la passion, le second dans lequel il viendra dans sa majesté juger le monde suivant les lois de la justice. Elle fait mention et de sa descente aux enfers et de la gloire de sa résurrection ; et en cela, elle s'élève au-dessus des prophètes, voire au-dessus des évangélistes eux-mêmes, qui, de la descente aux enfers, ne disent presque rien.

Peut-on ne pas admirer l'entretien aussi long et familier dont le Christ daigna seul à seule honorer la Samaritaine[1], une païenne, avec tant de bonne grâce que les apôtres eux-mêmes n'en purent retenir leur étonnement ? Après l'avoir réprimandée sur son infidélité et sur la multitude de ses maris, il voulut lui demander à boire, lui qui, nous le savons, ne demanda jamais d'aliments à personne. Les apôtres arrivent aussitôt et lui présentent les vivres qu'ils viennent d'acheter. « Maître, mangez », disent-ils ; mais, nous le voyons, il refuse, en leur disant pour s'excuser : « j'ai à manger une nourriture que vous ne connaissez pas. » Il demande à boire à cette femme, et celle-ci décline une telle faveur. « Comment, vous qui êtes juif, dit-elle, me demandez-vous à boire, à moi qui suis samaritaine ? les Juifs n'ont pas commerce avec les Samaritains ; vous n'avez rien, d'ailleurs, ajoute-t-elle, pour puiser de l'eau, et le puits est profond. » Ainsi il demande de l'eau à une femme infidèle qui lui en refuse, et il ne se soucie pas des aliments que lui offrent ses apôtres.

Quelle grâce[1] témoignée au sexe faible, je vous prie, que de demander de l'eau à cette femme, lui qui donne la vie à tout le monde ! Quel en est le but, si ce n'est de montrer ouvertement que la vertu des femmes lui est d'autant plus agréable que leur nature est plus faible, et qu'il a d'autant plus soif de leur salut que leur vertu est plus admirable ? Aussi, quand il demande à boire à une femme, fait-il entendre que ce qu'il veut surtout, c'est qu'elle étanche sa soif pour le salut des femmes. Il appelle cette boisson nourriture. « J'ai à manger, dit-il, une nourriture que vous ne connaissez pas », et il donne l'explication de cette nourriture, en disant : « ma nourriture, c'est de faire la volonté de mon Père », désignant par là que la volonté particulière de son Père, c'est de travailler au salut du sexe le plus faible.

Nous lisons dans la Sainte Écriture que le Seigneur eut aussi un entretien familier avec Nicodème, le chef des Juifs, qu'il le reçut même secrètement et qu'il l'éclaira sur son salut ; mais Nicodème n'en recueillit pas sur-le-champ un si grand fruit. La Samaritaine, au contraire, fut aussitôt remplie du don de prophétie, et elle annonça la venue du Christ non seulement chez les Juifs, mais chez les Gentils, en disant[2] : « je sais que le Messie, qui s'appelle Christ, va venir, et lorsqu'il sera venu, il nous annoncera tout. » Et, sur ces paroles, beaucoup d'habitants de la ville coururent vers le Christ, crurent en lui et le retinrent deux jours, lui qui, cependant, dit ailleurs à ses disciples[3] : « éloignez-vous de la voie des Gentils, n'entrez pas dans la ville des Samaritains. »

Jean[1] rapporte ailleurs que Philippe et André annoncèrent au Christ que plusieurs Gentils, qui étaient montés à Jérusalem pour célébrer un jour de fête, désiraient le voir ; mais il ne dit pas qu'il les ait reçus ni qu'il leur ait accordé, sur leur prière, une grâce aussi considérable que celle qu'il a faite à la Samaritaine, qui ne demandait rien de pareil. C'est par elle qu'il commence sa prédication chez les Gentils ; non seulement il la convertit elle-même, mais, par elle, comme on l'a dit, il en gagne une foule. Les Mages, à peine éclairés par l'étoile et convertis, n'attirèrent au Christ, dit-on[2], aucun homme par leurs exhortations ou leur enseignement ; ils ne firent que l'approcher. Quelle autorité le Christ ne donna-t-il donc pas à la Samaritaine parmi les Gentils, à la Samaritaine qui annonça sa venue, et, prêchant ce qu'elle avait entendu, fit en si peu de temps, dans ceux de son peuple, une si riche moisson[3] !

Feuilletons l'Ancien Testament et l'Évangile, nous trouverons que les grâces de résurrection des morts les plus éclatantes ont été accordées à des femmes, et que les miracles ont été accomplis sinon pour elles, au moins sur leur prière[4]. Élie[5] et Élisée[6] ressuscitèrent des enfants à la sollicitation de leur mère ; et c'est à des femmes que le Seigneur lui-même, en ressuscitant le fils d'une veuve[7], la fille du chef de la synagogue[8] et Lazare[9], sur la demande de ses sœurs, a fait la faveur de ce grand miracle. Aussi l'apôtre, dans son Épître aux Hébreux, dit-il[10] : « les Femmes ont recouvré leurs morts par la résurrection. » En effet, cette jeune fille ressuscitée recouvra son propre corps, et les autres femmes eurent la consolation de voir revivre ceux dont elles pleuraient la mort ; ce qui prouve encore quelle grâce le Seigneur a toujours accordée aux femmes : il les comble de joie d'abord, en les ressuscitant elles-mê-

mes, elles et ceux qui leur étaient chers, puis il les rend
les premières, par un insigne privilège, comme on l'a
dit[1], témoins de sa propre résurrection.

Ce privilège, les femmes l'ont mérité peut-être par la
tendresse naturelle de la compassion qu'elles témoignè-
rent au Seigneur, au milieu d'un peuple de persécu-
teurs. Car, ainsi que Luc le rappelle, tandis que les hommes le conduisaient pour le crucifier, les femmes le
suivaient, pleurant sur son sort et se lamentant. Et lui,
se retournant vers elles, et leur rendant presque, à l'article de sa passion, leur pieux dévouement par sa miséricorde, il leur prédit les malheurs de l'avenir, afin qu'elles pussent s'en garantir. « Filles de Jérusalem, dit-il[2],
ne pleurez pas sur moi, mais pleurez sur vous et sur vos
fils ; car voici que les jours viendront dans lesquels on
dira : heureuses les femmes stériles, heureuses les entrailles qui n'ont point enfanté. »

Mathieu[3] rapporte que la femme du juge inique[4]
s'était employée avec zèle à sa libération. « Tandis qu'il
siégeait sur son tribunal, sa femme envoya lui dire : ne
te mêle en rien de l'affaire de ce juste, car j'ai été aujour-
d'hui tourmentée par une vision à cause de lui. »

C'est encore une femme qui, tandis qu'il prêchait,
seule, du milieu de la foule, éleva la voix pour entonner
sa louange et s'écrier[5] : « bienheureux le sein qui l'a
porté, bienheureuses les mamelles qui l'ont nourri » ;
par quoi elle mérita que, blâmant ce pieux élan de foi,
fondé pourtant sur la vérité, il répondit aussitôt : « dites
plutôt : bienheureux ceux qui écoutent la parole de
Dieu et qui la gardent fidèlement. »

Seul, entre tous ses apôtres, saint Jean obtint le privilège d'être appelé le bien-aimé. Et ce même Jean dit de
Marthe et de Marie : « Jésus chérissait Marthe, Marie,
sa sœur, et Lazare. » Le même apôtre, qui seul jouit du

privilège d'être le bien-aimé du Seigneur, ainsi qu'il le rappelle, accorde à des femmes l'honneur de ce même privilège qu'il ne reconnaît à aucun autre apôtre. Et s'il y associe le frère de ces femmes, il les nomme avant lui, sûr qu'elles sont les premières dans l'amour du Seigneur.

Je veux enfin, revenant aux femmes chrétiennes, décrire en admirant et admirer en décrivant les effets que la miséricorde divine accomplit jusque sur des filles publiquement vouées à la prostitution. Est-il rien de plus abject que la conduite de Marie-Madeleine et de Marie l'Égyptienne dans leur première vie ? et en est-il que la grâce divine ait élevées, après leur conversion, à un plus haut degré d'honneur et de mérite ? L'une, nous l'avons dit, ne quitte plus la communauté des apôtres ; l'autre, ainsi qu'il est écrit, déploie une vertu surhumaine dans les épreuves des anachorètes ; en sorte que le courage de ces saintes femmes l'emporte sur celui des moines des deux sexes, et que les paroles du Seigneur aux incrédules[1] : « les courtisanes vous précéderont dans le royaume de Dieu », peuvent même être appliquées aux hommes fidèles, et que les derniers, suivant la différence de sexe et de vie, deviendront les premiers, et les premiers les derniers.

Enfin, qui ignore que ce sont les femmes qui ont embrassé les exhortations du Christ et le conseil de l'apôtre avec un tel zèle de chasteté que, pour conserver à la fois la pureté de l'âme et du corps, elles s'offrirent elles-mêmes en holocauste au martyre et s'efforcèrent, en conquérant cette double couronne, de suivre dans toutes ses voies l'Agneau, époux des vierges ? Cette perfection de vertu, rare chez les hommes, nous la trouvons souvent chez les femmes ; et quelques-unes ont poussé si loin ce zèle de chasteté de la chair, qu'elles n'ont pas craint de porter la main contre elles-mêmes pour ne pas perdre la pureté immaculée dont elles avaient fait vœu, et arriver vierges à l'époux vierge.

Et lui, il a montré combien ce pieux dévouement des saintes femmes lui était agréable : dans une éruption de l'Etna, un peuple entier d'infidèles recourant à la protection de la bienheureuse Agathe [1], il permit qu'en opposant le voile de la sainte aux flots de la lave, le peuple fût sauvé corps et âme du terrible incendie. Nous ne voyons pas qu'aucun capuchon de moine ait jamais bénéficié d'un tel privilège. Nous savons bien [2] que, touchées par le manteau d'Élie, les eaux du Jourdain se divisèrent, et que le même manteau servit à ouvrir à Élisée un passage à travers la terre ; mais c'est une foule immense de Gentils que le voile de cette vierge a sauvés corps et âme, et c'est le chemin du ciel qu'il leur a ouvert par leur conversion.

Une chose encore relève singulièrement la dignité de ces saintes femmes, c'est qu'elles se consacrent elles-mêmes par ces paroles [3] : « il m'a engagée par son anneau, c'est à lui que je suis fiancée. » Telles sont, en effet, les paroles de la bienheureuse Agnès, et la formule par laquelle les vierges prononcent leurs vœux et s'unissent au Christ.

Veut-on suivre chez les Gentils l'histoire des établissements de votre ordre et se rendre compte de la considération dont ils jouirent, pour en tirer des exemples propres à vous encourager : on reconnaîtra sans peine qu'il s'est fait parmi eux certains essais de cette nature, le dépôt de la foi excepté, et qu'il existait, chez eux comme chez les Juifs, maintes pratiques que l'Église a conservées en les améliorant. Qui ne sait, en effet, qu'elle a emprunté à la synagogue toute la hiérarchie ecclésiastique, depuis le portier jusqu'à l'évêque, ainsi que l'usage de la tonsure, qui est le caractère du clerc, les jeûnes des quatre-temps, la fête des Azymes, les ornements sacerdotaux eux-mêmes, certaines cérémonies de dédicace, et d'autres formes de consécration ? Qui ne sait que, par la plus utile des mesures, elle a maintenu chez les peuples convertis la hiérarchie des dignités séculières, celle des rois et autres princes, certaines dispositions de la loi des Gentils, certains préceptes de leur morale ; bien plus, qu'elle leur a pris divers grades de dignités ecclésiastiques, la pratique de la continence et le vœu de la pureté corporelle ? Nos évêques, en effet, et nos archevêques actuels tiennent le rang que tenaient chez eux les flamines et les archiflamines, et les temples qu'ils avaient élevés aux démons ont été consacrés au Seigneur et dédiés à la mémoire des saints.

Nous savons aussi que la virginité a été particulièrement en honneur chez les Gentils, tandis que l'anathème de la loi forçait les Juifs à se marier[1], et que, chez les Gentils, cette vertu ou pureté de la chair était en telle considération, que leurs temples étaient remplis d'assemblées de femmes qui se vouaient au célibat. C'est ce qui fait dire au bienheureux Jérôme, dans son épître aux Galates, livre III[e 2] : « que devons-nous faire, nous autres chrétiens, quand nous voyons, à notre honte, que Junon a ses femmes consacrées, Vesta, ses vierges consacrées, et d'autres idoles, leurs fidèles voués à la continence ? » Il distingue les femmes et les vierges, faisant entendre par là que les unes avaient connu des hommes, tandis que les autres étaient vierges, c'est-à-dire avaient vécu seules ; car *monos* (seul) et *monachus* (moine), c'est-à-dire *solitaire*, ont le même sens. Le même, dans son[3] premier livre contre Jovinien, après avoir cité un grand nombre d'exemples de la chasteté ou continence des femmes païennes, ajoute : « je sais

que j'ai multiplié les exemples de ces femmes ; c'est afin
que les femmes chrétiennes, qui font bon marché de la
vie évangélique, apprennent du moins la chasteté à
l'école des païens. » Plus haut[1], dans le même passage,
il exalte la vertu de continence à ce point, qu'il semble
que ce soit cette pureté de la chair que Dieu ait eu
particulièrement pour agréable chez tous les peuples, et
qu'il ait voulu signaler par des grâces ou des récompen-
ses, par des prodiges même, chez les infidèles. « Que
dirai-je, continue-t-il, de la Sibylle d'Érythrée, de celle
de Cumes et des huit autres. (Varron déclare qu'elles
étaient dix.) Leur vertu caractéristique était la virginité,
et le don de prophétie était la récompense de cette virginité » ; et encore : « on rapporte que Claudia, vierge
vestale, soupçonnée de stupre, conduisit avec sa cein-
ture un vaisseau que des milliers d'hommes n'avaient
pu traîner. » Et l'évêque de Clermont, Sidoine, dans son
épître à son livre, fait allusion à ce prodige, en ces
termes[2] : « telle ne fut point Tanaquil, ni celle dont tu
fus le père, ô Tricipitin, ni cette vierge consacrée à
Vesta Phrygienne, qui, sur les eaux gonflées du Tibre,
traîna un vaisseau avec sa chevelure virginale. »

De son côté, Augustin, au livre XXII de la *Cité de
Dieu*, dit[3] : « si nous en venons aux miracles qui ont été
faits par leurs dieux et qu'ils opposent à nos martyrs,
ne trouverons-nous pas qu'ils militent pour nous et sont
complètement au profit de notre cause ? Certes, parmi
les grands miracles de leurs dieux, le plus grand est
celui que cite Varron[4] au sujet de cette vestale qui, accusée injustement de stupre, remplit un crible de l'eau
du Tibre et l'apporta devant ses juges sans qu'il s'en
échappât une goutte ! Qui a soutenu le poids de cette
eau à travers tant d'ouvertures ? N'est-ce pas Dieu qui,
dans sa toute-puissance, a ôté la pesanteur à un corps

terrestre et en a fait un corps vivifié dans l'élément même où il a voulu que résidât l'esprit vivifiant ! »

Ne soyons pas surpris si, par ces miracles et par d'autres, Dieu a exalté la chasteté des infidèles eux-mêmes, ou s'il a permis qu'elle fût exaltée par le démon : c'était pour exciter les fidèles à pratiquer cette vertu avec d'autant plus de zèle, qu'ils la verraient plus honorée même chez les infidèles. Nous savons que c'est à la dignité et non à la personne de Caïphe que le don de prophétie[1] a été accordé, et que si les faux apôtres ont joui de l'honneur éclatant de faire des miracles, ce n'est pas à leur personne, mais à leur rôle qu'ils le doivent[2]. Qu'y a-t-il donc d'étonnant que le Seigneur ait accordé cette faveur, non à la personne des femmes infidèles, mais à la vertu de continence qu'elles pratiquaient, pour sauver l'honneur d'une vierge et mettre à néant la fausse accusation d'impudeur dont elle était l'objet ? Il est certain que l'amour de la continence est une vertu même chez les infidèles, tout comme le respect de la foi conjugale est un don de Dieu chez tous les peuples. Et il ne faut pas s'étonner que Dieu honore non l'erreur des infidèles, mais ses dons par les prodiges qu'il leur accorde exclusivement, alors surtout que ces prodiges sont, comme je l'ai dit, un moyen de sauver l'innocence et de confondre la malice des méchants ; si les hommes s'abstiennent des plaisirs charnels, le bien est magnifié, les hommes sont exhortés et les infidèles eux-mêmes pèchent moins.

C'est de là que le bienheureux Jérôme, d'accord sur ce point avec la plupart des docteurs, a conclu, non sans raison, contre l'hérétique Jovinien, cet ennemi de la chasteté dont j'ai parlé plus haut, qu'il devait rougir de trouver chez les païens ce qu'il ne s'étonnait pas de trouver chez les chrétiens. Peut-on méconnaître, en ef-

fet, les dons du Seigneur dans la puissance des rois infidèles, alors même qu'ils en mésusent, dans l'amour de
la justice, dans la mansuétude qu'ils ne tiennent que des
lumières de la loi naturelle, et dans les autres vertus
royales ? Peut-on dire que ce ne soient pas des vertus,
parce qu'elles sont mêlées de vices ? Et cela, quand,
suivant le raisonnement[1] du bienheureux Augustin et
l'évident témoignage de la raison, il ne peut y avoir de
vices que dans une nature bonne ? Comment, en effet,
ne pas approuver la maxime du poète[2] : « les gens de bien
fuient le mal par amour pour la vertu ? » Ne fut-ce que
pour encourager les princes à imiter de telles vertus, combien ne vaut-il pas mieux accepter que contester le miracle accompli, selon Suétone[3], par Vespasien, alors qu'il
n'était pas encore parvenu à l'empire, au sujet de cet
aveugle et de ce boiteux qu'il guérit, ou ce que le bienheureux Grégoire raconte de l'âme de Trajan[4] !

Les hommes savent trouver une perle dans un bourbier et séparer le grain de la paille : Dieu[5] ne peut ignorer les dons qu'il a faits aux infidèles ni maudire en
eux ses bienfaits. Plus les signes de ces bienfaits sont
éclatants, plus il prouve qu'il en est l'auteur et que la
méchanceté des hommes ne saurait en altérer le caractère ; mieux : il montre quelles doivent être les espérances
des fidèles, en voyant la façon dont sont traités les infidèles.

De quel respect était entourée, chez les infidèles, la
chasteté des vierges vouées au service des temples, la
punition réservée à celles qui la violaient le fait connaître. Juvénal, parlant de cette punition dans sa IVe satire,
dit de Crispinus, qui en est l'objet[6] : « hier encore auprès de lui était couchée, couronnée de ses bandelettes,
une vestale qui va descendre encore vive sous la terre. »
Ce qui a fait dire à Augustin, dans sa *Cité de Dieu*,

livre III[1] : « les anciens Romains eux-mêmes enterraient toutes vives les prêtresses de Vesta coupables de stupre, tandis que les femmes adultères, ils se contentaient de les frapper de quelque peine, mais jamais de la peine capitale. Tant il est vrai qu'ils vengeaient plus sévèrement ce qu'ils regardaient comme le sanctuaire des dieux que la couche des hommes ! »

Chez nous, les princes chrétiens ont veillé avec d'autant plus de soin à la chasteté monastique, qu'on ne peut douter qu'elle soit encore plus sacrée. C'est ce que prouve la loi de l'empereur Justinien. « Si quelqu'un, dit-il[2], ose, je ne dis pas ravir, mais seulement essayer de séduire, en vue du mariage, les vierges consacrées à Dieu, qu'il soit puni de mort. » La discipline ecclésiastique cherche plutôt les remèdes de la pénitence que les supplices de la mort ; avec quelle sévérité, cependant, elle prévient vos chutes ! Le pape Innocent, écrivant à Victrice, évêque de Rouen, lui disait (chapitre XIII)[3] : « si celles qui épousent Jésus-Christ spirituellement et qui reçoivent le voile des mains du prêtre viennent à se marier publiquement, ou à se livrer secrètement à un commerce illicite, elles ne devront être admises à la pénitence qu'après la mort de l'homme avec lequel elles auront vécu. » Quant à celles qui, n'ayant pas encore reçu le voile, auraient feint de vouloir vivre dans l'état de virginité, bien qu'elles n'aient pas reçu le voile, elles devront être, pendant un certain temps, soumises à la pénitence, parce que le Seigneur avait reçu leur serment.

En effet, si un contrat passé entre des hommes ne peut être rompu sous aucun prétexte, combien moins un pacte fait avec Dieu pourra-t-il être impunément violé ? L'apôtre Paul dit[4] que les femmes qui ont rompu le veuvage qu'elles s'étaient promis de garder ont mérité condamnation pour avoir violé leur engagement : que sera-ce donc des vierges qui n'ont pas gardé la foi qu'elles avaient jurée ? C'est ce qui a fait dire au fameux Pélage, dans sa lettre à la fille de Maurice[1] : « la femme adultère vis-à-vis de Jésus-Christ est plus coupable que celle qui s'est rendue adultère vis-à-vis d'un homme. Aussi l'Église romaine a-t-elle eu raison de prononcer récemment sur un tel crime une sentence si sévère, qu'elle juge à peine digne de la pénitence les femmes qui souillent, par un commerce impur, un corps consacré à Dieu. »

Si nous voulons examiner quels soins, quelles attentions, quelle tendresse les saints Pères, incités par l'exemple du Seigneur et des apôtres, ont toujours eus pour les femmes consacrées à Dieu, nous verrons qu'ils les ont soutenues, encouragées avec un zèle plein d'amour dans leurs pieuses résolutions, et qu'ils ont incessamment éclairé, échauffé leur foi par des instructions et des encouragements sans nombre.

Sans parler des autres, il me suffira de citer les principaux docteurs de l'Église, Origène, Ambroise et Jérôme. Le premier, le plus grand philosophe des chrétiens, se dévoua avec tant de zèle à la direction des religieuses, qu'il alla jusqu'à se mutiler lui-même, au rapport de l'*Histoire ecclésiastique*[2], pour écarter tout soupçon qui aurait pu l'empêcher de les instruire ou de les exhorter.

D'autre part, qui ne sait quelle moisson de divins ouvrages le bienheureux Jérôme a laissée en réponse aux demandes de Paule et d'Eustochie ? Il déclare lui-même que son sermon sur l'Assomption de la Mère du Seigneur a été composé à leur prière. « Je ne puis, dit-il[3], rien refuser à vos sollicitations, enchaîné que je suis par ma tendresse ; j'essayerai donc ce que vous voulez. » Nous savons cependant que plusieurs grands docteurs, aussi élevés par leur rang que par la dignité de leur vie, lui ont souvent écrit pour lui demander quelques lignes, sans pouvoir les obtenir. C'est ce qui fait dire au bien-heureux Augustin, dans son second livre des *Rétracta-tions*[1] : « j'ai adressé aussi au prêtre Jérôme, qui demeure à Bethléem, deux livres : l'un, sur l'origine de l'âme ; l'autre, sur cette pensée de l'apôtre Jacques : « quiconque, observant par ailleurs toute la loi, la viole sur un seul point, est coupable comme s'il l'avait violée tout entière » ; je voulais avoir son avis sur les deux ouvrages ; dans le premier, je me bornais à poser la question sans la résoudre ; dans le second, je ne cachais pas ma solution ; mais je désirais savoir s'il la trouvait bonne, et lui demandai ce qu'il en pensait. Il a répondu qu'il approuvait les questions, mais qu'il n'avait pas le loisir d'y répondre. Je n'ai donc pas voulu faire paraître ces ouvrages tant qu'il a vécu, dans la pensée qu'un jour, peut-être, il me répondrait, et que je pourrais publier sa réponse en même temps. Ce n'est qu'après sa mort que je les ai publiés. » Voilà donc ce grand homme qui, pendant de longues années, attend en vain de Jérôme quelques mots de réponse. Et nous avons vu que, sur la prière de ces pieuses femmes, le même Jérôme s'est épuisé soit à écrire de sa main, soit à dicter nombre d'ouvrages considérables, leur témoignant en cela plus de respect qu'à un évêque. S'il s'attache à leur vertu avec tant de zèle, s'il n'ose l'attrister, n'est-ce pas par égard pour la fragilité de leur nature ? Le zèle de sa charité pour elles est parfois si grand, qu'il semble franchir les bornes de la vérité dans ses éloges, comme s'il avait éprouvé lui-même ce qu'il dit ailleurs[2] : « la charité n'a pas de mesure. »

   C'est ainsi qu'au début de la vie de sainte Paule, il s'écrie, comme pour captiver l'attention du lecteur[3] :

« alors même que tous les membres de mon corps se
changeraient en langues et que toutes mes articulations
parleraient le langage des hommes, je ne saurais rien
dire qui fût digne des vertus de la sainte et vénérable
Paule. » Cependant il a écrit aussi les *Vies* de certains
Pères vénérables, qui brillent de tout l'éclat des miracles, et dans lesquelles se trouvent des prodiges bien
plus étonnants ; mais il n'est personne qu'il paraisse
exalter aussi haut que cette veuve. D'autre part, dans
une lettre à la vierge Démétriade, tel est l'éloge dont il
marque son entrée en matière, qu'il semble tomber dans
une flatterie sans mesure. « De tous les sujets que j'ai
abordés, dit-il [1], depuis mon enfance jusqu'à ce jour,
soit de ma main, soit en m'aidant de la main de mes
secrétaires, celui que j'entreprends de traiter aujour-
d'hui est le plus difficile : il s'agit d'écrire à Démétriade,
vierge du Christ, qui tient dans Rome le premier rang
et par sa noblesse et par ses richesses ; si je veux rendre
justice à toutes ses vertus, je risque de passer pour un
flatteur. » C'était sans doute, pour le saint homme, une
tâche bien douce d'encourager par quelque artifice de
parole le sexe faible dans l'exercice austère de la vertu.
Mais les actes sont, en telle matière, des preuves plus
sûres encore que les paroles ; or il a entouré ces pieuses
femmes d'une prédilection si marquée, que cette prédilection, malgré sa sainteté incomparable, n'a pas laissé
d'imprimer une tache à sa réputation. Il nous le fait
connaître lui-même dans sa lettre à Asella, en parlant
de ses faux amis et de ses détracteurs. « Il en est qui
me regardent comme un criminel couvert de toutes les
ignominies, dit-il [2] ; vous faites bien, néanmoins, de considérer comme bons ces méchants, en les jugeant
d'après votre conscience. Il est dangereux de juger le
serviteur d'autrui, et qui calomnie le juste sera difficile-

ment pardonné. J'en ai connu qui me baisaient les mains et qui me déchiraient avec une langue de vipère. Ils me plaignaient du bout des lèvres ; au fond du cœur, ils exultaient. Qu'ils disent s'ils ont trouvé en moi d'autres sentiments que ceux d'un chrétien. On ne me reproche que mon sexe, et l'on ne songerait pas à me le reprocher, si Paule ne venait pas à Jérusalem. » Et encore : « avant que je connusse la maison de sainte Paule, c'était sur mon compte, dans la ville entière, un concert de louanges. Il n'y avait qu'une voix pour me reconnaître digne du pontificat. Mais du jour où, pénétré du mérite de cette pieuse femme, j'ai commencé à lui rendre hommage, à la fréquenter, à la prendre sous ma tutelle, toutes les vertus m'ont sur-le-champ abandonné. » Et quelques lignes plus bas : « saluez, dit-il, Paule et Eustochie ; qu'on le veuille ou non, elles sont à moi dans le Christ. »

Nous lisons que la familiarité que le Seigneur témoigna à la bienheureuse pécheresse inspira de la défiance au Pharisien qui l'avait invité à sa table. « Si cet homme était prophète, dit-il[1], il saurait, d'une manière ou d'une autre, ce que c'est que cette femme qui le touche. » Est-il donc étonnant que, pour gagner de telles âmes, les saints, qui sont les membres de Jésus-Christ, sollicités par son exemple, ne reculent pas devant le sacrifice de leur réputation ? Ce fut pour éviter de tels soupçons qu'Origène, dit-on[2], infligea à son corps une cruelle blessure.

Ce n'est pas seulement par leur enseignement et leurs exhortations qu'a éclaté l'admirable charité des saints Pères pour les femmes ; parfois aussi cette charité s'est manifestée dans les consolations qu'ils leur ont adressées avec un tel zèle de compassion, que, pour calmer leur peine, ils ont été jusqu'à leur promettre quelques

choses contraires à la foi. Tel est le caractère de la consolation adressée par le bienheureux Ambroise aux
sœurs de Valentinien après la mort de cet empereur[1] ;
n'osa-t-il pas garantir que leur frère était sauvé, lui qui
n'était que catéchumène quand il mourut ? ce qui est
bien peu conforme à la foi chrétienne et à la vérité évangélique. Mais ces saints docteurs savaient combien la
vertu du sexe le plus faible a toujours été agréable à
Dieu.

Aussi, tandis que nous voyons des vierges sans nombre se proposer pour modèle la chasteté de la Mère
du Seigneur, nous connaissons peu d'hommes qui aient
obtenu le don de cette vertu et qui aient pu suivre
l'Agneau[2] presque dans toutes ses voies. Quelques-
unes, dans leur pieux zèle, se sont donné la mort afin
de conserver cette pureté de la chair qu'elles avaient
consacrée à Dieu ; et non seulement ce sacrifice n'a pas
été l'objet d'un blâme, mais ce martyre d'elles-mêmes
leur a généralement mérité la canonisation de leurs
églises[3].

Bien plus, si des vierges fiancées, avant de s'unir char-
nellement à leurs maris, prennent la résolution d'embrasser la vie monastique et de renoncer à leur époux
terrestre pour prendre le céleste époux, liberté leur en
est laissée : ce qui n'a jamais été, que nous sachions,
accordé aux hommes.

Quelques-unes même furent enflammées d'un tel zèle
de chasteté, que non contentes de prendre, malgré la
défense de la loi, un habit d'homme, elles se retirèrent
parmi des moines, où l'éminence de leurs vertus les a
rendues dignes de devenir abbés. Telle la bienheureuse
Eugénie[4], avec la complicité de l'évêque Helenus, que
dis-je ? sur son ordre, revêtit l'habit d'homme, et après
avoir été baptisée par lui, fut admise dans un collège de
moines[5].

Je pense, très chère sœur dans le Christ, avoir suffisamment répondu à la première de tes demandes, je veux dire à celle qui était relative à l'autorité de votre ordre et à la considération due à sa dignité : vous embrasserez maintenant les devoirs auxquels vos vœux vous obligent avec d'autant plus de zèle que vous en connaissez mieux l'excellence. Je répondrai à la seconde demande, s'il plaît à Dieu ; que vos mérites et vos prières m'en obtiennent la grâce. Porte-toi bien.

Lettre huitième

ABÉLARD À HÉLOÏSE

Déjà j'ai satisfait, dans la mesure de mes forces, à la première[1] de tes demandes[2] ; il me reste à m'occuper de la seconde, s'il plaît à Dieu, pour répondre à tes désirs et à ceux de tes filles spirituelles. Je dois, en effet, selon l'ordre de vos vœux, vous tracer et vous envoyer un plan de vie qui soit comme la règle de votre profession. Vous pensez que des instructions écrites vous seront un meilleur guide que la coutume. Pour moi, voici ce que je me propose de faire : je prendrai comme bases, d'une part, les bonnes coutumes, d'autre part, les instructions des Saintes Écritures ou les fondements de la raison, et j'en ferai une synthèse. Vous êtes le temple spirituel[3] de Dieu, j'ai à le décorer ; je le revêtirai, pour ainsi dire, de peintures de choix ; et de plusieurs œuvres imparfaites, je chercherai à composer une œuvre unique, autant que je le puis. J'ai décidé de faire, pour un temple spirituel, ce que le peintre Zeuxis a fait pour un temple matériel. Les habitants de Crotone l'avaient appelé, rapporte Cicéron dans sa *Rhétorique*[4], pour orner des plus nobles peintures un temple qu'ils avaient en grande vénération. Afin de mieux remplir cette tâche, Zeuxis choisit les cinq plus belles vierges de la ville, pour les faire poser devant lui et travailler à repro-

duire leur beauté avec son pinceau. Deux raisons vraisemblablement le firent agir ainsi : la première, c'est
que ce grand peintre, ainsi que le rappelle le même maître, avait une habileté merveilleuse à peindre les
femmes ; la seconde, c'est que les formes de la jeune
fille sont naturellement plus élégantes et plus fines que
celles de l'homme. S'il choisit plusieurs vierges, dit le
philosophe susdit, c'est qu'il ne crut point qu'une seule
pût lui offrir l'ensemble de toutes les perfections : il
savait qu'aucune femme n'est assez favorisée de la nature pour posséder une égale beauté dans toutes les parties de son corps, la nature ne voulant elle-même produire rien d'absolument parfait en ce genre, comme si,
en épuisant tous les avantages sur un seul sujet, elle
craignait de n'avoir plus rien à donner aux autres.

Ainsi, pour peindre la beauté de l'âme et tracer de la
perfection de l'épouse du Christ une image qui soit
comme le miroir d'une vierge spirituelle que vous ayez
sans cesse devant les yeux, et où vous puissiez juger de
votre beauté ou de votre laideur, je tirerai la règle que
vous me demandez des divers enseignements des saints
Pères et des meilleures coutumes des monastères ; je
prendrai chaque chose au fur et à mesure qu'elles s'of-
friront à ma mémoire, et je ferai comme une gerbe de
tout ce qui me paraîtra le mieux répondre à la sainteté
de votre ordre. Et ce n'est pas seulement aux usages
des religieuses, c'est aussi à ceux des religieux que j'em-
prunterai mes règles ; car, ayant et même nom et mêmes
vœux de continence, la plupart de nos pratiques vous
conviennent comme à nous. J'en prendrai plusieurs,
comme je l'ai dit, qui seront comme autant de fleurs
que j'assortirai aux lis de votre chasteté. Combien ne
devons-nous pas mettre plus de zèle, en effet, à peindre
la vierge du Christ, que n'en mit Zeuxis à peindre

l'image d'une idole ! Il a pensé, lui, que cinq vierges lui suffiraient comme modèles ; pour nous, grâce à la mine si riche d'enseignements que nous offrent les écrits des saints Pères, et à l'appui de la grâce divine, nous ne désespérons pas de laisser une œuvre plus parfaite, et qui nous permette d'égaler l'excellence des cinq vierges sages[1] que le Seigneur, dans son Évangile, nous propose comme l'idéal de la sainteté virginale. Fassent vos prières que l'effet réponde à mon désir ! Salut dans le Christ, épouses du Christ.

J'ai résolu de diviser en trois parties la règle de votre ordre, pour arriver, d'une part, à éclairer et à fortifier votre zèle, d'autre part, à établir l'ordre de la célébration du service divin. La vie monastique, dans son ensemble, comprend, si je ne me trompe, trois points : la chasteté, la pauvreté, le silence ; c'est-à-dire qu'elle consiste, suivant la règle évangélique, à ceindre ses reins[2], à renoncer à tout[3], à éviter les paroles inutiles[4].

La continence est la pratique de la chasteté, telle que l'apôtre la prescrit, lorsqu'il dit[5] : « une vierge qui n'est pas mariée ne pense qu'aux choses de Dieu, afin d'être sainte et de corps et d'esprit. » Il dit de tout le corps et non d'un seul membre, de sorte qu'aucun membre ne tombe dans l'impureté, soit par action, soit par paroles. Elle est sainte d'esprit, quand aucune faiblesse volontaire ne souille sa pensée, quand l'orgueil ne l'enfle pas, ainsi que ces cinq vierges folles qui, étant allées chercher de l'huile, trouvèrent à leur retour les portes fermées. La porte une fois fermée, en vain elles frappèrent et crièrent[6] : « Seigneur, Seigneur, ouvrez-nous » ; leur époux lui-même leur répondit ces terribles paroles : « en vérité, je vous le dis, je ne vous connais pas. »

En second lieu, nus, ayant tout abandonné, à l'exemple des apôtres, pour suivre le Christ, qui est nu lui-même, quand nous renonçons pour lui non seulement à tous les biens du monde, à toutes les affections de la chair, mais aussi à notre volonté propre, en sorte que nous ne vivions plus à notre guise[1], mais suivant la direction souveraine de notre chef et de celui qui est notre chef au nom du Christ, comme nous nous soumettrions au Christ lui-même. Car il le dit lui-même[2] : « celui qui vous écoute m'écoute ; celui qui vous méprise me méprise. » Et quand même, ce dont Dieu le préserve, il se conduirait mal, si ses ordres sont bons, il ne faut pas que les défauts d'un homme fassent rejeter la voix de Dieu ; il nous en avertit en ces termes[3] : « observez et faites ce qu'ils vous diront, et ne vous réglez pas sur ce qu'ils feront. » Il décrit aussi avec précision ce qu'est la conversion spirituelle du monde à Dieu, quand il dit[4] : « celui qui n'aura pas renoncé à tout ce qu'il possède ne peut être mon disciple » ; et encore[5] : « celui qui vient à moi et qui ne hait point son père, sa mère, sa femme, ses enfants, ses frères, ses sœurs, et même sa propre vie, ne peut être mon disciple. » Or, haïr son père et sa mère, c'est renoncer à toutes les affections de la chair ; de même que haïr sa propre vie, c'est renoncer à toute pensée propre. C'est ce qu'il recommande encore, quand il dit[6] : « que celui qui veut venir après moi renonce à lui-même, qu'il prenne sa croix et me suive. » C'est ainsi que nous approchons de lui, que nous venons après lui, c'est-à-dire que nous le suivons, en l'imitant autant qu'il est en nous. Lorsqu'il dit[7] : « je suis venu pour faire non ma volonté, mais celle de celui qui m'a envoyé », c'est comme s'il nous disait de faire tout par obéissance.

En effet, « renoncer à soi-même », est-ce autre chose

que de sacrifier les affections de la chair et sa propre
volonté pour se soumettre entièrement à la direction
d'autrui ? C'est ainsi qu'on ne reçoit pas sa croix de la
main d'un autre, mais qu'on la prend soi-même ; c'est
la croix par laquelle ce monde a été crucifié pour nous
et nous pour le monde[1] : par les vœux d'un engagement
volontaire, on s'interdit les désirs du monde et de la
terre, ou, en d'autres termes, la direction de sa volonté.
En effet, que désirent les gens attachés à la chair, sinon
accomplir tout ce qu'ils veulent ? Et en quoi consistent
les plaisirs de la terre, si ce n'est dans l'accomplissement
de la volonté propre, alors même que ce que l'on veut
ne saurait être acheté qu'au prix des plus grandes peines ou des plus grands dangers ? En d'autres termes,
qu'est-ce que porter sa croix, c'est-à-dire souffrir quelque tourment, si ce n'est agir contre sa volonté, quoique
ce que l'on veut paraisse ou facile ou utile ? C'est pourquoi un autre Jésus, bien inférieur au véritable, dit dans
l'Ecclésiastique[2] : « ne suivez pas vos désirs, détournez-
vous de votre volonté ; si vous cédez aux désirs de votre
esprit, il deviendra un sujet de joie pour vos ennemis. »

Mais lorsque nous renonçons absolument et à tout ce
qui nous appartient et à nous-mêmes, c'est alors vraiment qu'ayant dépouillé toute propriété, nous entrons
dans cette vie apostolique qui réduit tout en commun,
ainsi qu'il est écrit[3] : « la multitude des fidèles ne faisait
qu'un cœur et qu'une âme, personne n'appelait sien ce
qu'il avait ; tout était commun entre eux : le partage
était fait suivant les besoins de chacun. » Et tous n'ayant
pas également les mêmes besoins, le partage n'était pas
égal : chacun recevait suivant qu'il lui était nécessaire.
Ils n'avaient qu'un cœur par la foi, parce que c'est par
le cœur qu'on croit ; une âme, parce que, par la charité,
leur volonté était réciproque, chacun d'eux désirant

pour les autres ce qu'il désirait pour lui-même, et ne cherchant pas plus son bien que celui d'autrui, parce que tout était rapporté par tous au salut commun, personne ne cherchant, ne poursuivant quoi que ce soit qui fût à lui, mais ce qui était à Jésus-Christ[1] : condition hors de laquelle il n'est pas possible de vivre sans aucune propriété, car la propriété consiste plus encore dans l'ambition que dans la possession[2].

Toute parole inutile ou superflue est la même chose qu'un long discours inutile. Augustin dit, dans son troisième livre des *Rétractations*[3] : « loin de moi de regarder comme un discours inutile ce qu'il est nécessaire de dire, quelle que soit la longueur et l'étendue du discours. » Mais Salomon dit de son côté[4] : « le péché ne manquera pas dans les longs discours, et celui qui saura régler sa langue sera très sage. » Il faut donc se tenir en garde contre une chose où le péché ne manque pas, et veiller à cette maladie avec d'autant plus de zèle qu'elle est plus dangereuse et plus difficile à éviter. C'est à quoi le bienheureux Benoît pourvoyait, quand il disait[5] : « en tout temps, les moines doivent s'étudier au silence. » S'étudier au silence est bien plus que garder le silence. L'étude est une énergique application de l'esprit à faire quelque chose. Il est bien des choses que nous faisons avec négligence ou malgré nous ; nous ne faisons rien en nous étudiant à le faire, que par un acte de volonté et d'attention.

Combien il est difficile et utile de mettre un frein à sa langue, l'apôtre Jacques le fait heureusement observer, quand il dit[6] : « nous péchons tous en maintes choses ; celui qui ne pèche pas en paroles est un homme parfait. » Et encore : « il n'est pas d'espèce de bêtes, d'oiseaux, de serpents, d'animaux enfin que l'homme ne dompte. » Et considérant en même temps combien sont

nombreux les maux auxquels prête la langue et tous les
biens qu'elle corrompt, il dit plus haut et plus bas : « la
langue, cette petite partie de notre corps, est un feu
capable d'embraser une grande forêt ; c'est la source de
toutes les iniquités, un mal inquiet, plein d'un poison
mortel. » Or quelle chose plus dangereuse que le poison
et qu'il faille éviter davantage ? De même que le poison
tue le corps, de même le bavardage ruine de fond en
comble la piété. Aussi l'apôtre dit-il plus haut[1] : « si
quelqu'un croit être pieux et qu'il ne mette pas un frein
à sa langue, il trompe son cœur ; sa piété est vaine. »
De là ce qui est écrit dans les Proverbes[2] : « tout
homme qui ne peut réprimer son esprit lorsqu'il parle
est semblable à une ville ouverte et qui n'a point de
murailles. » C'était bien là le sentiment de ce vieillard
qui, lorsque Antoine lui disait, au sujet des frères grands
parleurs qui s'étaient associés à lui sur la route[3] : « vous
avez trouvé de bons frères, mon père ? » répondit :
« Bons, oui ; mais leur demeure n'a point de porte :
entre qui veut dans l'étable pour détacher l'âne. »

　　Notre âme, effectivement, est attachée, pour ainsi
dire, dans l'étable du Seigneur où elle se nourrit des
méditations sacrées qu'elle recueille ; mais, si la barrière
du silence ne la retient pas, elle rompt ses liens et elle
erre çà et là dans le monde par ses pensées. Les paroles,
en effet, lancent l'esprit au dehors : il se tend vers ce
qu'il conçoit, il s'y attache par la pensée. Or, c'est par
la pensée que nous parlons à Dieu, comme nous parlons
aux hommes par les paroles. Et en portant notre attention sur les paroles que nous tenons aux hommes, nous
sommes nécessairement entraînés loin de Dieu. On ne
peut, à la fois, prêter attention à Dieu et aux hommes.

　　Ce ne sont point seulement les paroles oiseuses qu'il
faut éviter, ce sont même celles qui paraissent avoir

quelque utilité ; car il n'y a qu'un pas du nécessaire à l'oiseux, et de l'oiseux au nuisible. « La langue, comme dit Jacques[1], est un mal inquiet ». Plus petite et plus déliée que tous les autres membres, douée de mouvement et par là même plus mobile, elle est la seule que le mouvement ne fatigue pas ; bien plus, le repos lui est à charge. Et par là même qu'elle est plus déliée et plus souple que toutes les autres articulations du corps, plus mobile et plus prompte à la parole, elle est semence de toute méchanceté. Aussi l'apôtre, reconnaissant que c'est particulièrement votre faiblesse, interdit-il absolument aux femmes de parler dans l'église, même sur des choses qui touchent à Dieu ; il ne leur permet d'interroger que leurs maris et chez elles. Pour apprendre à faire quoi que ce soit, il les soumet à la loi du silence, ainsi qu'il l'écrit à Timothée[2] : « que la femme apprenne en silence, avec pleine et entière soumission ; je ne veux point qu'elle enseigne, ni qu'elle domine son mari, je veux qu'elle vive dans le silence. »

S'il a ainsi déterminé les règles du silence chez les femmes laïques et mariées, que devez-vous faire, vous ? Il avait fait, disait-il, pareille défense, parce que les femmes sont bavardes et parlent quand il ne faut pas. C'est pour apporter quelque remède à un si grand mal que nous contraignons nos langues à un silence perpétuel dans l'oratoire, dans le cloître, au dortoir, au réfectoire, dans tous les endroits où l'on mange, à la cuisine, et surtout à partir des complies : on peut seulement communiquer par signes, dans ces lieux et pendant ce temps, s'il est nécessaire[3]. — Et l'on doit prendre le plus grand soin à enseigner et à apprendre ces signes, destinés à inviter ceux à qui il est indispensable de parler à passer dans un endroit convenable et disposé pour l'entretien. Après avoir brièvement usé du langage nécessaire, on doit en revenir soit à l'occupation précédente, soit à celle qui convient.

On doit punir sévèrement l'excès dans les paroles ou dans les signes, mais surtout dans les paroles, dont le danger est le plus grand. C'est contre ce péril si grand et si manifeste que le bienheureux Grégoire, désirant nous venir en aide, dit dans son septième livre des *Morales*[1] : « tandis que nous négligeons de nous tenir en garde contre les paroles inutiles, nous arrivons à celles qui sont nuisibles : de là naissent les divisions, de là sortent les querelles ; ainsi s'enflamment les brandons des haines, ainsi périt la paix du cœur. » Aussi Salomon disait-il sagement[2] : « celui qui fait aller l'eau est la source des querelles. » Faire aller l'eau, c'est abandonner sa langue à un flux de paroles. Au contraire, il dit en bonne part[3] : « l'eau profonde vient de la bouche de l'homme. » Celui-là donc qui fait aller l'eau est la source des querelles, parce que celui qui ne met pas un frein à sa langue détruit la concorde. D'où il est écrit[4] : « celui qui impose silence à un insensé apaise la colère. »

C'est nous avertir clairement d'employer la censure la plus rigoureuse à corriger ce défaut, et de ne point différer la répression d'un mal qui, plus que tout autre, met la religion en péril. En effet, il est l'origine des médisances, des querelles, des injures et souvent même des complots et des conjurations qui n'ébranlent pas — ce n'est pas assez dire —, qui renversent l'édifice entier de la religion[5]. Retranchez-le, toutes les mauvaises pensées, sans doute, ne seront pas détruites ; mais la gangrène ne passera plus, du moins, des uns aux autres.

L'abbé Macaire[6] pensait que fuir ce seul vice suffisait à la piété, et il disait en avertissant ses frères du monas-

tère de Scythie : « Fuyez l'église après la messe. » Et un
religieux lui ayant dit : « Père, où trouver une plus
grande solitude ? », il posa un doigt sur sa bouche et
dit : « c'est là ce que je vous dis de faire. » Puis il rentra
ensuite dans sa cellule et s'y enferma seul.

Cette vertu du silence qui, selon Jacques[1], rend
l'homme parfait, et dont Isaïe[2] a dit : « la pratique de
la justice est le silence », a été appliquée par les Pères
avec tant de zèle, que l'abbé Agathon[3], ainsi qu'il est
écrit, mit pendant trois ans une pierre dans sa bouche,
jusqu'à ce qu'il eût pris l'habitude de se taire.

Bien que ce ne soit pas le lieu qui sauve, il est des
lieux cependant qui offrent plus d'avantages pour observer aisément et garder fidèlement la piété ; des lieux
où l'on trouve tous les secours et point d'obstacles.
C'est pour cela que les enfants des prophètes, qui sont,
comme dit Jérôme[4], appelés moines dans l'Ancien
Testament, se retirèrent dans la solitude des déserts et
se bâtirent des cellules par-delà les bords du Jourdain.
Jean aussi et ses disciples, que nous regardons comme
les chefs de notre ordre, et dans la suite, Paul, Antoine,
Macaire, qui ont particulièrement illustré notre ordre,
fuyant le tumulte du siècle et les tentations dont le
monde était rempli, se transportèrent dans la solitude
pour y chercher le repos de la contemplation et conver-
ser plus librement avec Dieu. Le Seigneur lui-même,
auprès de qui la tentation ne pouvait avoir d'accès, voulant nous instruire par son exemple, cherchait les lieux
retirés et fuyait les bruits de la foule toutes les fois qu'il
avait quelque grand acte à accomplir. C'est ainsi qu'il a
consacré pour nous le désert par un jeûne de quarante
jours ; c'est dans le désert qu'il a nourri des milliers
d'hommes ; pour assurer la pureté de sa prière, il se
retirait non seulement de la foule, mais de ses apôtres

eux-mêmes[1]. C'est sur une montagne écartée qu'il instruisit ses apôtres et les établit[2] ; c'est le désert qu'il fit resplendir des gloires de sa transfiguration[3] ; c'est sur une montagne qu'il réjouit ses disciples réunis par le spectacle de sa résurrection[4] ; c'est d'une montagne qu'il s'est élevé dans le ciel[5] ; en un mot, c'est dans le désert ou sur des lieux écartés qu'il a accompli tout ce qu'il y a de grand dans sa vie.

Par ses apparitions dans le désert à Moïse et aux anciens Pères ; par le désert qu'il fit traverser à son peuple pour le mener à la terre promise et où il le retint si longtemps, lui donnant sa loi, faisant pleuvoir sa manne, faisant jaillir l'eau du rocher, le soutenant par ses nombreuses apparitions et par ses miracles, il nous montre clairement combien il aime pour nous la solitude, qui nous permet de vaquer plus purement à la prière.

C'est encore l'amour de la solitude qu'il dépeint et qu'il recommande sous la figure mystique de l'âne sauvage, quand, parlant au bienheureux Job[6], il dit : « qui a renvoyé en liberté l'âne sauvage ? qui a dénoué ses liens ? Je lui ai donné une retraite dans le désert, une tente dans une terre propre à le nourrir. Il méprise la foule des villes, il n'entend pas les cris du créancier, il ne voit que les montagnes de ses pâturages, il ne parcourt que des plaines verdoyantes. » Ce qui veut dire · qui a fait cela, si ce n'est moi ?

L'âne sauvage, en effet, que nous appelons âne des forêts, c'est le moine qui, affranchi des liens des choses du siècle, s'est transporté dans le calme et la liberté de la vie solitaire, fuyant le monde et n'y voulant pas rester. Il habite une terre de pâturages, parce que l'abstinence a maigri et desséché ses membres. Il n'entend pas les cris du créancier, mais seulement sa voix, parce qu'il accorde à son ventre le nécessaire, point le superflu.

Quel créancier plus importun et plus régulier que le ventre ? Il ne crie, il ne fait de demandes déraisonnables que pour les nourritures superflues et délicates — et alors il ne faut point l'écouter. Les montagnes couvertes de pâturages sont les vies ou les doctrines des saints Pères dont la lecture et la méditation réparent nos forces ; les prairies sont les écrits qui conduisent à la vie céleste, qui ne se flétrit pas.

C'est vers la solitude aussi que le bienheureux Jérôme nous pousse, quand il écrit au moine Héliodore[1] : « cherche le sens du nom de moine, c'est-à-dire de ton nom. Que fais-tu dans la foule, toi qui es solitaire ? » Le même Père, faisant la distinction de notre état et de celui des clercs, écrit en ces termes au prêtre Paul[2] : « si tu veux exercer les fonctions de prêtre, si le ministère ou plutôt le fardeau de l'épiscopat a pour toi des charmes, vis dans les villes et dans les châteaux, et fais ton salut en tâchant de sauver les autres. Si, ainsi que tu le dis, tu désires être moine, c'est-à-dire solitaire, que fais-tu dans les villes, qui certes ne sont pas la demeure des solitaires, mais celle de la foule ? Chaque établissement a ses modèles. Pour en venir à notre vie, il faut que les évêques et les prêtres prennent pour exemple les apôtres et les hommes apostoliques, et qu'ayant leur rang ils s'efforcent d'avoir aussi leur vertu. Quant à nous, prenons pour modèles les Paul, les Antoine, les Hilarion, les Macaire, et, pour en revenir au texte de l'Écriture, que nos modèles soient Élie, Élisée, les enfants des prophètes, qui demeuraient dans les champs et dans la solitude, qui s'élevaient des huttes au delà des rives du Jourdain : parmi eux sont les enfants de Rechab, qui ne buvaient ni vin ni cidre, qui demeuraient sous des tentes, et dont Dieu lui-même fait l'éloge par la bouche de Jérémie[3], en leur promettant qu'il y aura quelqu'un de leur lignée dans le ministère du Seigneur. »

Donc nous aussi, si nous voulons demeurer dans le ministère du Seigneur et être toujours prêts à le servir, dressons-nous des tentes dans la solitude ; que la fréquentation des hommes n'ébranle pas le lit de notre repos ; qu'elle ne porte pas dans notre tranquillité le trouble, qu'elle ne nous induise pas en tentation, qu'elle n'arrache pas notre esprit à notre profession sainte. Inspiré par le Seigneur, le bienheureux Arsène a donné à lui seul, pour tous, un exemple frappant et propre à inviter à cette tranquillité de la vie libre et solitaire. En effet, il est écrit[1] : « l'abbé Arsène étant encore dans le palais, adressa à Dieu cette prière : Seigneur, conduisez-moi dans le chemin du salut ; et une voix se fit entendre, qui lui dit : Arsène, fuis les hommes et tu seras sauvé. » Et plus loin : « Arsène, fuyant le siècle, embrassa la vie monastique, et adressa à Dieu la même prière : Seigneur, conduisez-moi dans la voie du salut. Et il entendit une voix qui lui dit : Arsène, fuis, tais-toi et repose-toi ; c'est le moyen de commencer à ne plus pécher. » Pourvu de cette seule règle par le précepte du Seigneur, Arsène se tint loin des hommes ; bien plus, il les tint loin de lui. Un jour que son archevêque était venu pour le voir avec un juge, et qu'ils le priaient l'un et l'autre de les édifier par quelque avis, il leur répondit[2] : « et si je vous dis quelque chose, l'observerez-vous ? » Ils lui promirent qu'ils l'observeraient fidèlement. Et il leur dit : « partout où vous entendrez dire que se trouve Arsène, n'approchez pas. » L'archevêque, dans une autre visite qu'il lui fit, envoya d'abord savoir s'il lui ouvrirait, et il lui fit cette réponse : « si vous venez, je vous ouvrirai ; mais si je vous ouvre, il faudra que j'ouvre à tout le monde, et dès lors je ne pourrai plus rester ici. » L'archevêque, à cette réponse, dit : « si je vais le persécuter, je ne pourrai plus revenir voir ce saint homme. » Arsène dit aussi à une dame romaine attirée par sa sainteté[1] : « comment avez-vous osé risquer une si grande navigation ? Ignorez-vous que vous êtes femme et que vous ne devez pas sortir ? Vous avez voulu pouvoir dire aux autres femmes, de retour à Rome, que vous avez vu Arsène, et la mer sera couverte de femmes qui viendront le voir. » Celle-ci repartit : « si le Seigneur veut que je retourne à Rome, je ne laisserai venir qui que ce soit ; ce que je vous demande, c'est de prier pour moi et de vous souvenir toujours de moi. » Alors il lui dit : « je prie le Seigneur qu'il efface votre souvenir de mon cœur. » À ces mots, elle sortit toute troublée. L'abbé Marc lui ayant demandé pourquoi il fuyait les hommes[2] : « le Seigneur sait, dit-il, que je les aime ; mais je ne saurais être à la fois avec Dieu et avec les hommes. »

Les saints Pères avaient, pour le commerce et la fréquentation des hommes, une telle horreur, que quelques-uns d'entre eux, afin de pouvoir les tenir complètement à l'écart, feignaient la folie, et, chose inouïe, affichaient l'hérésie. Il n'y a qu'à lire, parmi les vies des Pères, celle de l'abbé Simon[3] ; on verra comment il se prépara à la visite du juge de sa province ; il se couvrit d'un sac, et, prenant dans sa main du pain et du fromage, il s'assit à l'entrée de sa cellule et se mit à manger. On peut lire aussi le trait de cet anachorète qui, ayant appris qu'un certain nombre de personnes venaient vers lui avec des lampes, « se dépouilla de tous ses vêtements, les jeta dans le fleuve, et debout, tout nu, se mit à les laver. Celui qui le servait, tout honteux à cette vue, dit aux visiteurs[4] : « allez-vous-en ; notre vieillard a perdu le sens. » Et revenant à lui, il lui dit : « Pourquoi avez-vous agi ainsi, mon père ? Tous ceux qui vous ont vu ont dit : il est possédé du démon. — C'est ce que je voulais entendre dire, répondit-il. »

On pourra lire encore que l'abbé Moïse, pour éviter la visite du juge de sa province, se leva et s'enfuit dans un marais, et que ce magistrat, accompagné de son escorte, l'ayant un jour rencontré et lui disant[1] : « vieillard, où est la cellule de l'abbé Moïse ? », il lui répondit : « pourquoi vouloir le chercher ? c'est un fou et un hérétique. » Que dire de l'abbé Pasteur, qui ne se laissa pas voir par le juge de sa province, pour délivrer de prison le fils de sa sœur qui l'en suppliait ? Ainsi, tandis que les puissants du siècle cherchent avec un pieux respect à voir les saints, voici les saints qui s'étudient, sans respect pour eux-mêmes, à les écarter bien loin d'eux.

Mais, pour vous faire connaître la vertu de votre sexe sur ce point, qui pourrait suffire à louer, comme elle le mérite, cette vierge qui se refusa à la visite de Martin lui-même, pour ne pas interrompre sa contemplation ? Jérôme dit, à ce sujet, dans sa lettre au moine Oceanus[2] : « dans la vie de saint Martin, écrite par Sulpice, nous lisons que ce saint, désirant saluer en passant une vierge renommée pour sa conduite et sa chasteté, elle ne le voulut pas ; mais qu'elle se borna à lui envoyer un petit présent, et que, regardant par la fenêtre, elle dit au saint homme : mon père, priez là où vous êtes, je n'ai jamais reçu la visite d'aucun homme. À ces mots, saint Martin rendit grâces au ciel de ce que, grâce à de telles mœurs, elle avait conservé sa chasteté. Puis il la bénit et se retira plein de joie. » Cette femme, qui dédaignait ou qui craignait de quitter le lit de sa contemplation, était vraiment prête à répondre à un ami frappant à sa porte[3] : « j'ai lavé mes pieds, puis-je les salir ? » Si les évêques ou les prélats de notre siècle eussent subi d'Arsène ou de cette vierge un tel refus, de quelle injure ne se seraient-ils pas crus atteints ? Qu'ils rougissent de tels exemples les moines, s'il s'en trouve encore dans le désert, qui se réjouissent de la visite des évêques, qui bâtissent des maisons pour les y recevoir, qui non seulement ne fuient pas la visite des puissants du siècle que suit la foule, ou autour desquels la foule afflue, mais qui les appellent, et qui, sous prétexte des devoirs de l'hospitalité, multipliant autour d'eux les demeures, dans la solitude qu'ils ont cherchée, créent une cité.

C'est assurément par une machination du rusé tentateur, notre premier ennemi, que presque tous les anciens monastères, qui avaient d'abord été bâtis dans la solitude pour éviter le commerce des hommes, ont plus tard, par suite du refroidissement du zèle religieux, reçu des hommes, recueilli des troupeaux de serviteurs et de servantes, vu s'élever de grandes villes sur des emplacements choisis pour la retraite, et sont revenus au siècle, ou, pour mieux dire, ont attiré le siècle à eux[1]. En se jetant dans les embarras de mille misères, en se liant servilement à la domination des puissances spirituelles et temporelles, dans leur désir de mener une vie oisive et de vivre du produit du travail d'autrui, les moines, c'est-à-dire les solitaires, ont perdu à la fois leur nom et leur caractère. Et tels sont souvent les ennuis qui les assiègent, que, tandis qu'ils cherchent à défendre les biens de ceux qui relèvent d'eux, ils perdent leurs propres biens ; plus d'une fois même leurs monastères ont péri dans le feu de l'incendie qui dévorait les maisons voisines. Et même ainsi leur ambition n'a pas de frein.

Ceux qui, ne pouvant supporter à aucun degré l'assujettissement de la vie monastique, se répandent par groupes de deux ou de trois, ou seuls, dans les villages, les bourgs, les villes, pour vivre sans être soumis à aucune règle, sont pires que les hommes du siècle, par cela seul qu'ils ont apostasié leur profession. Par un abus des mots et des choses, ils appellent obédiences les maisons qu'ils habitent et où l'on n'est astreint à aucune règle, où l'on n'obéit qu'au ventre et à la chair, où, demeurant avec ses proches ou ses amis, on fait ce que l'on veut d'autant plus librement qu'on a moins à craindre de sa conscience. Et certes il n'est pas douteux que ce qui, chez les autres, est faute vénielle, devient chez ces apostats éhontés un excès criminel. Évitez, je ne dis pas seulement de suivre de tels modèles, mais même de les connaître.

La solitude est d'autant plus nécessaire à la faiblesse de votre sexe, qu'on y est moins exposé aux assauts des tentations de la chair, et que les sens y ont moins de chances de nous égarer sur les choses de la matière. « Celui qui vit dans le repos et la solitude, dit le bienheureux Antoine[1], est soustrait à trois sortes de combats : celui de l'ouïe, celui de la parole et celui de la vue ; il n'en a plus qu'un à soutenir, celui du cœur. »

Le grand docteur de l'Église, Jérôme, considérant ces avantages et tous ceux qu'offre encore le désert, exhortait vivement le moine Héliodore à se les assurer. « Ô solitude qui jouis du commerce de Dieu ! disait-il[2]. Que fais-tu dans le monde, mon frère, toi qui es au-dessus du monde ? »

Maintenant que nous avons traité des lieux où doivent être construits les monastères, montrons quelle doit être leur position. En bâtissant un monastère, il faut, comme le bienheureux Benoît l'a prévu[3], que dans l'intérieur se trouve, autant qu'il est possible, tout ce qui est nécessaire à la vie des monastères[4], c'est-à-dire un jardin, de l'eau, un moulin, une boulangerie et un four, et des endroits où les sœurs puissent accomplir leur tâche de chaque jour afin d'éviter toute occasion de circuler.

Ainsi que dans les camps des armées du siècle, dans les camps des armées du Seigneur, c'est-à-dire dans les communautés monastiques, il faut qu'il y ait des chefs qui commandent aux autres. Dans les armées du siècle, un seul général commande à tous, qui font tout sur un signe de sa volonté. Il distribue à chacun sa tâche en raison de la quantité des troupes et de la diversité des services ; il en prépose quelques-uns à des commandements soumis à sa souveraineté, avec charge de diriger les différents corps et de surveiller les services. Il faut qu'il en soit de même dans les monastères ; c'est-à-dire qu'une seule supérieure ait l'autorité suprême ; que toutes les autres fassent tout par sentiment d'obéissance et sur un ordre de sa volonté ; que nulle ne se mette en tête de lui résister en quoi que ce soit, ni même de murmurer contre l'un de ses commandements ; car il n'est pas de communauté humaine, pas de famille, si peu nombreuse qu'elle soit, qui puisse se soutenir et durer, si l'unité n'y règne, si la direction souveraine ne repose entre les mains d'un seul. Aussi l'Arche, qui représente la figure de l'Église, finissait-elle par une seule coudée, bien qu'elle en eût plusieurs tant en long qu'en large. Et il est écrit dans les *Proverbes*[1] : « les princes se sont multipliés à cause des péchés de la terre. » C'est ainsi qu'après la mort d'Alexandre, les rois se multiplièrent avec les vices ; ainsi encore que Rome, livrée à plusieurs maîtres, ne put conserver la concorde ; ce qui a fait dire au poète Lucain, dans son premier livre[2] : « c'est toi, Rome, qui as été cause de tes maux, en te donnant à trois maîtres : toujours les pactes de la puissance partagée ont eu une issue funeste » ; et quelques vers plus bas : « tant que la terre soutiendra les mers et l'air la terre, que le soleil va et vient dans son éternel mouvement, que la nuit succédera au jour dans le ciel

en traversant les mêmes constellations, jamais la bonne
foi n'existera entre ceux qui se sont partagé l'empire, et
tout pouvoir sera jaloux de son rival. »

Tels étaient, assurément, ces disciples que le saint
abbé Fronton était parvenu à réunir jusqu'au nombre
de soixante-dix dans la ville où il était né, non sans
s'acquérir pour lui-même de grandes grâces tant aux
yeux de Dieu qu'aux yeux des hommes, et qui, ayant
abandonné le monastère de la ville ainsi que tout ce
qu'il possédait dans la ville, les entraîna dépouillés de
tout dans le désert. Bientôt, de même que jadis le peuple d'Israël se plaignait que Moïse les eût tirés d'Égypte
et leur eût fait abandonner les marmites de viande et les
terres grasses, pour les emmener dans le désert, ceux-ci
disaient, en murmurant en vain[1] :

« La chasteté ne règne-t-elle que dans les déserts, et
ne saurait-elle exister dans les villes ? Pourquoi ne pas
revenir dans la ville dont nous ne sommes sortis que
pour un temps ? Dieu n'exaucera-t-il les prières que
dans le désert ? Qui pourrait vivre de la nourriture des
anges ? Qui pourrait se féliciter d'avoir pour société les
animaux sauvages et les bêtes féroces ? Quelle nécessité
nous retient ici ? Pourquoi ne pas retourner bénir le
Seigneur dans le lieu où nous sommes nés ? »

C'est donc avec raison que l'apôtre Jacques nous
donne ce conseil[2] : « mes frères, gardez-vous de vous
donner plusieurs maîtres ; sachant bien que nous serons
traités plus sévèrement. » C'est ce qui fait dire aussi à
Jérôme, dans l'instruction qu'il adresse au moine Rusticus sur la conduite de sa vie[3] : « aucun art ne s'apprend
sans maître ; les animaux mêmes et les bêtes féroces
suivent le chef du troupeau ; chez les abeilles, il en est
une qui marche devant et toutes les autres suivent ; les
grues volent en bon ordre, suivant l'une d'elles qui les

conduit. Il n'y a qu'un seul empereur, un seul juge pour chaque province. Rome[1], au moment même de sa fondation, ne put avoir pour rois les deux frères à la fois, et elle fut consacrée par un parricide. Ésaü et Jacob se firent la guerre dans le sein de Rébecca[2]. Chaque évêque, chaque archiprêtre, chaque archidiacre, tous les ordres ecclésiastiques ont leur supérieur. Dans un navire, il n'y a qu'un pilote ; dans une maison, qu'un maître ; une armée, quelque nombreuse qu'elle soit, se règle sur les ordres d'un seul. Tous ces exemples démontrent qu'il ne faut pas te conduire d'après ta volonté, mais que tu dois vivre dans un monastère en accord avec de nombreux frères sous la direction d'un seul père. »

Afin donc de pouvoir conserver la concorde en toutes choses, il convient qu'il y ait une seule supérieure, à qui toutes les autres obéissent en tout. Au-dessous d'elle, et selon qu'elle l'aura elle-même décidé, quelques autres devront être établies pour remplir des sortes de magistratures ; elles dirigeront les offices dont elle les chargera, dans la mesure où elle le marquera ; ce seront comme autant de généraux et de consuls dans l'armée du Seigneur[3] ; les autres formeront le corps de l'armée, les soldats qui, s'en remettant à leurs chefs de la direction, combattront librement contre le démon et ses satellites.

Pour toute l'administration du monastère nous croyons qu'il faut exactement sept personnes : la portière, la cellérière, la robière, l'infirmière, une chantre, une sacristine, enfin une diaconesse, qu'on nomme aujourd'hui abbesse. Dans ce camp donc, qui renferme, pour ainsi parler, une milice divine, ainsi qu'il est dit[4] : « la vie de l'homme sur terre est une vie de combat », et ailleurs[5] : « elle est terrible comme une armée rangée en bataille », — la diaconesse tient la place du général en chef à laquelle tout le monde obéit en tout. Les six autres sœurs appelées officières, qui commandent sous elle, ont rang de généraux ou de consuls. Toutes les autres religieuses, que nous appelons cloîtrières, sont les soldats qui accomplissent le service divin. Quant aux sœurs converses[1] qui, en renonçant au monde, ont fait vœu d'obéissance aux religieuses, semblables aux hommes de pied, elles tiennent, sous un habit religieux, mais non monastique, le rang inférieur.

Il me reste maintenant, Dieu aidant, à mettre en ordre chacun des grades de cette milice, afin qu'elle soit véritablement « une armée rangée en bataille ». Commençant, comme on dit, par la tête, qui est la diaconesse, précisons d'abord ce que doit être celle par qui tout doit être réglé. L'apôtre saint Paul, dans la lettre à Timothée que nous avons citée dans la lettre précédente, indique expressément combien sa sainteté doit être supérieure et éprouvée, quand il dit[2] : « qu'on choisisse une veuve qui ne compte pas moins de soixante ans, qui n'ait eu qu'un mari, qui soit en possession d'une réputation de bonnes œuvres, qui ait élevé ses enfants, donné l'hospitalité, lavé les pieds des saints, assisté les malheureux, accompli toute espèce de bien ; quant aux jeunes veuves, il faut les éviter. » Et plus haut, en réglant la vie des diacres, il avait dit, au sujet des diaconesses[3] : « que les femmes soient également chastes, point médisantes, sobres, fidèles en toutes choses. » Quelle est la raison d'être, quel est le motif de toutes ces exigences ? Nous l'avons, je pense, suffisamment démontré dans notre lettre précédente ; nous avons surtout assez expliqué pourquoi l'apôtre veut qu'elles n'aient eu qu'un seul mari et qu'elles soient d'un âge avancé.

Aussi ne sommes-nous pas peu surpris que l'Église

ait laissé s'invétérer la dangereuse coutume de choisir des vierges plutôt que des veuves, si bien que ce sont les jeunes qui commandent aux vieilles. Et cependant l'Ecclésiaste dit[1] : « malheur à toi, terre dont le roi est un enfant » ; et nous sommes tous du sentiment du bienheureux Job[2] : « dans les anciens est la sagesse, la prudence est le fruit du temps. » D'où il est écrit dans les *Proverbes*[3] : « la vieillesse est une couronne d'honneur qui se trouve dans les voies de la justice » ; et dans l'Ecclésiastique[4] : « Qu'elle est belle, la justice des hommes chenus ; qu'il est beau de prendre conseil des anciens ! Qu'elle est belle, la sagesse de l'ancien, et glorieux son intelligence et son conseil ! Une grande expérience est la couronne des vieillards, et leur gloire, c'est la crainte de Dieu. » Et encore[5] : « parlez, vous qui êtes plus âgé » ; « c'est ton rôle, jeune homme, pour tes affaires, retiens-toi de parler[6] ». T'interroge-t-on deux fois ? que ta réponse soit brève ; parais ignorant en beaucoup de choses ; écoute en silence et instruis-toi. Au milieu des grands, n'aie point de présomption, et là où sont des vieillards, ne parle pas beaucoup. »

C'est de là que les prêtres qui, dans l'église, commandent au peuple, sont appelés vieillards, afin que leur nom même indique ce qu'ils doivent être. Et ceux qui ont écrit les *Vies* des saints[7] appelaient vieillards ceux que nous appelons aujourd'hui abbés.

Il faut donc, dans l'élection et la consécration d'une diaconesse, prendre toutes ses mesures pour suivre le conseil de l'apôtre[8], et la choisir dans des conditions telles, que par sa vie et son enseignement elle puisse commander aux autres ; que son âge garantisse la maturité de ses mœurs ; qu'elle se soit rendue, par son obéissance, digne de commander ; qu'elle ait appris la règle par la pratique plutôt que dans les livres, et qu'elle la

connaisse ainsi à fond. Si elle n'est pas lettrée[1], qu'elle
sache bien qu'elle n'a point à présider des discussions
philosophiques et des entretiens dialectiques, mais
qu'elle doit simplement se conformer à la pratique de
la règle et donner l'exemple des œuvres, ainsi qu'il est
écrit au sujet du Seigneur[2], « qui commença à faire et
à enseigner » ; à faire d'abord, et ensuite à enseigner,
parce que l'enseignement de l'œuvre est meilleur et plus
parfait que celui du discours, celui des faits meilleur
que celui des paroles. C'est un point qu'il faut bien observer ; l'abbé Ipitius le recommande. « Le vrai sage,
dit-il[3], est celui qui enseigne par ses actes, non par ses
paroles. » Et sur ce point, il donne force et confiance.

Remarquons aussi le raisonnement par lequel le bienheureux Antoine confondit les philosophes qui se
riaient, sans doute, des leçons d'un ignorant et d'un
homme illettré[4]. « Répondez-moi, leur disait-il : lequel
est le premier, du sens ou de la lettre, et lequel est le
principe de l'autre : le sens naît-il des lettres, ou les
lettres, du sens ? » Et ceux-ci reconnaissant que le sens
est le père et le créateur des lettres, « celui dont le sens
est sain, dit-il, n'a donc pas besoin de chercher les
lettres. » Écoutons encore l'apôtre, et que ses paroles
nous fortifient dans le Seigneur[5] : « Dieu n'a-t-il pas
rendu insensée la sagesse du monde ? » et ailleurs[6] :
« Dieu a choisi ce qu'il y avait de moins sage dans le
monde pour confondre les sages ; Dieu a choisi les faibles pour confondre les forts ; Dieu a choisi les vils et
les méprisables, pour que ce qui n'est rien détruise ce
qui est quelque chose, en sorte qu'aucune chair ne
puisse se glorifier devant lui. » En effet, le royaume de
Dieu n'est pas, ainsi qu'il le dit ensuite, dans les paroles,
mais dans la vertu.

Si, pour s'éclairer davantage sur certains points, la

diaconesse croit devoir recourir à l'Écriture, qu'elle ne rougisse pas de s'adresser aux gens lettrés et de s'instruire ; que, loin de dédaigner les leçons de la science, elle les reçoive, au contraire, avec un pieux empressement. Le prince des apôtres[1] lui-même ne reçut-il pas avec humilité la réprimande publique de Paul, apôtre comme lui ? Ainsi que l'a aussi rappelé le bienheureux Benoît[2], souvent c'est au plus jeune que le Seigneur révèle le meilleur parti.

Mais pour mieux entrer dans les vues du Seigneur, telles que l'apôtre les a exposées plus haut, que ce ne soit jamais qu'à la dernière extrémité et par des raisons pressantes que l'on fasse choix des femmes de haute naissance ou de grande fortune[3]. Confiantes dans leurs titres, elles sont d'ordinaire glorieuses, présomptueuses, superbes. C'est surtout lorsqu'elles sont pauvres, que leur autorité est funeste au monastère : alors, en effet, il faut craindre que le voisinage de leur famille ne les rende plus présomptueuses[4] ; qu'il ne devienne par les visites une charge ou une importunité pour le couvent : qu'il ne fasse porter atteinte aux règles de l'institut et n'expose la communauté au mépris des autres communautés, suivant le proverbe[5] : « nul prophète n'est honoré dans son pays. »

Le bienheureux Jérôme aussi avait bien prévu ces inconvénients, quand, dans sa lettre à Héliodore, après avoir énuméré tout ce qui nuit aux moines qui restent dans leur pays, il ajoute[6] : « de ce raisonnement il résulte donc qu'un moine ne saurait être parfait dans son pays ; or, c'est un péché que de ne vouloir pas être parfait. » Quel dommage pour les âmes, si celle qui préside aux devoirs de la religion est la plus tiède à les remplir ? À celles qui sont subordonnées, il suffit de faire preuve des vertus de leur état : une supérieure doit être un

exemple éminent de toutes les vertus. Il faut qu'elle enseigne d'abord par son exemple tout ce qu'elle recommande par ses paroles, de peur que ses discours ne
soient en contradiction avec sa conduite ; qu'elle veille
à ne point détruire par ses actions l'édifice bâti par ses
paroles, et à ne pas se retirer des lèvres, pour ainsi dire,
le droit de réprimander ; car, comment ne pas rougir
de corriger en autrui les fautes qu'elle commet elle-
même, de toute évidence ?

Dans la crainte que cela ne lui arrive, le psalmiste
adressait au Seigneur cette prière[1] : « n'ôtez jamais, en
quoi que ce soit, la vérité de ma bouche. » Il ne connaissait pas de punition plus grave de la part du Seigneur,
ainsi qu'il le rapporte lui-même ailleurs[2] : « le Seigneur
dit au pécheur : pourquoi racontes-tu ma justice ? pourquoi t'arroges-tu le droit de publier mon alliance, toi
qui hais ma discipline et qui as rejeté mes paroles loin
de toi ? » L'apôtre, craignant d'encourir le même reproche, disait[3] : « je châtie mon corps et je le réduis en
servitude, de peur d'être réprouvé moi-même, après
avoir prêché aux autres. » En effet, quand on méprise
la vie de quelqu'un, on en vient vite à mépriser ses préceptes et ses leçons ; et si l'on est atteint soi-même du
mal que l'on doit guérir, le malade ne manque pas de
vous dire[4] : « médecin, guéris-toi toi-même. »

Que celui-là donc qui doit commander dans l'Église
songe à la ruine que cause sa chute, puisqu'il précipite
du même coup dans l'abîme tous ceux qui se trouvent
au-dessous de lui. « Celui, dit la Vérité[5], qui violera le
moindre de mes commandements, et qui apprendra aux
autres à le faire, sera appelé le dernier dans le royaume
des cieux. » Or, on viole les commandements de Dieu,
quand on agit contre ses préceptes, et quand, corrom-
pant les autres par son exemple, on devient dans la

chaire un maître de pestilence. Si donc celui qui se conduit de la sorte doit être relégué au dernier rang dans
le royaume des cieux, quel sera le rang du supérieur à la
négligence duquel le Seigneur demandera compte non-
seulement de son âme, mais de toutes celles qu'il avait
à diriger ? C'est à juste titre[1] que la Sagesse fait ces
menaces : « le pouvoir vous a été donné par Dieu, la
vertu par le Très-Haut, qui interrogera vos œuvres et
sondera vos cœurs, parce que, étant les ministres de son
royaume, vous avez jugé injustement et sans observer
les lois de la justice. Il apparaîtra même soudain devant
vous dans sa rigueur, son jugement étant très sévère à
l'égard de ceux qui sont les chefs. C'est au petit seul
qu'est accordée sa miséricorde : aux grands sont réservés de grands supplices ; les forts sont menacés des peines les plus fortes. »

À chacun il suffit de veiller aux péchés de son âme ;
le supérieur encourt la mort pour le péché d'autrui ; les
dettes augmentent en raison des dons, et plus on a reçu,
plus on nous demande. Les Proverbes nous avertissent
de nous tenir en garde contre ce grave péril, dans ce
passage[2] : « mon fils, si tu as répondu pour ton ami, tu
as engagé ta main à un étranger ; tu t'es mis, par tes
propres paroles, dans le filet, tu t'es enchaîné par tes
propres discours. Fais donc ce que je te dis, mon fils,
et délivre-toi toi-même, parce que tu es tombé dans les
mains de ton prochain. Cours de tous côtés, hâte-toi et
va réveiller ton ami ; ne permets pas à tes yeux de dormir ni à tes paupières de reposer. » Or nous nous ren-
dons caution pour un ami, lorsque notre charité reçoit
quelqu'un dans une communauté. Nous lui promettons
de veiller comme il nous promet d'obéir ; nous lui engageons notre main, lorsque nous nous portons fort de
consacrer notre sollicitude et nos soins à son salut, et,

par là, nous tombons alors dans ses mains, en ce sens que, si nous ne nous tenons en garde contre lui, il deviendra le meurtrier de notre âme. C'est contre ce danger qu'on nous donne le conseil exprimé dans cette conclusion : « cours de tous côtés, hâte-toi, etc. » Il faut donc, à l'exemple d'un général prévoyant et infatigable, nous porter sans cesse çà et là, faire la ronde autour du camp, avoir l'œil partout, de peur que, par quelque négligence, l'accès du camp ne soit ouvert à celui qui, « semblable au lion, rôde tout autour, cherchant qui il dévorera[1] ». Il faut qu'une prieure connaisse avant tout le monde les vices de sa maison, afin d'y porter remède avant que les autres n'en soient instruits et que les exemples les entraînent. Qu'elle prenne garde d'encourir le reproche que le bienheureux Jérôme fait aux insensés et aux paresseux[2] : « d'ordinaire nous sommes toujours instruits les derniers de ce qui se passe de mal dans notre maison, et nous ignorons les défauts de nos femmes et de nos enfants, quand déjà les autres les chantent. » Qu'une supérieure ait donc toujours l'œil sur sa communauté ; car elle a accepté la garde et des corps et des âmes.

La garde des corps lui est recommandée par ces paroles de l'Ecclésiastique[3] : « vous avez des filles, conservez leur corps, et ne leur montrez pas un visage trop gai » ; et ailleurs[4] : « la fille du père est cachée ; sa vigilance et sa tendresse lui ôtent le sommeil, car il craint que sa fille ne soit souillée. » En effet, nous souillons nos corps, non seulement par la fornication, mais par tout ce que nous commettons de contraire à la décence tant par la langue que par toute autre partie dont nous abusons pour quelque satisfaction de vanité, ainsi qu'il est écrit[5] : « la mort entre par nos fenêtres », c'est-à-dire le péché trouve accès dans notre âme par les cinq sens. Et est-il mort plus terrible, est-il garde plus dangereuse que celle de l'âme ? « Ne craignez pas, dit la Vérité[1], ceux qui tuent le corps et qui n'ont aucun pouvoir sur l'âme. » D'après ce conseil, qui ne craindra la mort du corps plus que celle de l'âme ? Qui ne se gardera du glaive plus que du mensonge ? Et cependant, il est écrit[2] : « la bouche qui ment tue l'âme. »

En effet, quoi de plus facile à faire périr que l'âme ? Quelle flèche peut être fabriquée aussi vite que le péché ? Qui est seulement capable de se garantir de sa pensée ? Qui suffit à pourvoir à ses propres péchés, sans parler de ceux des autres ? Quel pasteur temporel suffirait à garder contre des loups spirituels des brebis spirituelles, un troupeau invisible contre un ennemi invisible ? Qui ne craindrait pas un ravisseur qui ne cesse de rôder, qu'aucun retranchement ne réussit à tenir éloigné, qu'aucune épée ne saurait tuer ni même atteindre, qui est toujours là tendant ses pièges, et qui s'attache surtout à persécuter les religieux, suivant la parole d'Habacuc[3] : « ses viandes sont choisies ? » Aussi l'apôtre Pierre nous exhorte-t-il à nous en bien défendre[4] : « votre ennemi, dit-il, c'est le diable qui, comme un lion rugissant, rôde cherchant celui qu'il dévorera. » Quelle ferme espérance il a de nous dévorer, le Seigneur lui-même l'a appris au saint homme Job. « Il engloutira un fleuve, dit-il[5], et il n'en sera pas étonné, il a la confiance que le Jourdain passerait par sa bouche. » Et que ne se ferait-il pas fort d'attaquer, celui qui a osé attaquer le Seigneur lui-même ? qui, dès le Paradis, a réduit en esclavage nos premiers pères, et qui a enlevé à la compagnie des apôtres celui-là même que le Seigneur avait choisi ? Quel lieu serait assez sûr contre lui, quel cloître ne franchirait-il pas ? Est-il quelqu'un qui puisse se garder de ses embûches, résister à ses assauts ? C'est lui qui, ébranlant d'un seul coup les quatre coins de la maison, a écrasé et anéanti sous ses ruines les fils et les filles innocents du saint homme Job[1]. Que pourra donc contre lui le sexe faible ? Qui doit plus que les femmes craindre ses séductions ? Car c'est la femme qu'il a séduite la première, c'est par elle qu'il a séduit l'homme et réduit en esclavage toute leur postérité ! Le désir d'un plus grand bien a privé la femme d'un plus petit qu'elle possédait. C'est par cette même ruse qu'aujourd'hui encore il séduira une femme, en lui faisant désirer de commander plutôt que d'obéir, et en lui suggérant des vues d'ambition ou de gloire. Mais les effets des sentiments en démontrent le mobile. Si une supérieure vit plus délicatement qu'une religieuse, ou si elle se permet quelque chose de plus que le nécessaire, il n'est pas douteux que c'est parce qu'elle en avait le désir. Si elle recherche des ornements d'un plus grand prix que ceux qu'elle avait auparavant, c'est qu'elle a le cœur gonflé d'un vain orgueil. En un mot, ce qu'elle était au fond du cœur, les faits le feront voir, et sa dignité révélera si les sentiments qu'elle étalait étaient feinte ou vertu.

Il faut qu'elle soit poussée à la prélature plutôt qu'elle n'y vienne, suivant la parole du Seigneur[2] : « Tous ceux qui vinrent sont autant de voleurs et de larrons. » — Sont venus, dit à son tour Jérôme[3], ceux qui n'étaient pas envoyés. » Mieux vaut que la dignité vienne au-devant de vous que d'aller au-devant de la dignité. « En effet, dit l'apôtre[4], personne ne doit s'attribuer la dignité suprême, il n'y a que celui qui est appelé par Dieu, comme Aaron. » Que celle qui est élue gémisse comme si elle était conduite à la mort ; que celle qui est repoussée se réjouisse, comme si elle était délivrée de la mort.

Nous rougissons lorsqu'on nous dit que nous valons mieux que les autres. Mais quand, comme lorsqu'il s'agit d'un choix, les faits mettent en lumière cette supériorité, nous sommes impudemment sans pudeur. Qui ne sait que ce sont les meilleurs auxquels il faut accorder la préférence ? Aussi, dans le XXIVᵉ livre des *Morales*[1] : « il ne faut se charger de la conduite des hommes, que lorsqu'on sait les reprendre en les admonestant : il ne convient donc pas que celui qui est choisi pour reprendre les autres commette les mêmes fautes qu'eux. »

Toutefois, si, par une feinte modestie, opposant au choix qu'on fait de nous un léger refus en paroles, nous acceptons en réalité la dignité qui nous est offerte, nous ne faisons qu'exciter contre nous l'accusation que cette modestie n'a d'autre but que de paraître plus vertueux et plus dignes. Combien en ai-je vu, le jour de leur élection, verser les larmes du corps, qui au fond du cœur étaient ravis ? Ils s'accusaient d'indignité : c'était une manière de capter la faveur et le crédit des hommes ; ils connaissaient ce qui est écrit[2] : « le juste est le premier accusateur de lui-même » ; et, plus tard, quand, accusés, l'occasion se présentait de se démettre, ils défendaient avec acharnement et sans pudeur cette prélature qu'ils n'avaient acceptée que malgré eux, de fausses larmes dans les yeux, et en se chargeant d'accusations qui n'étaient que trop sincères. Combien avons-nous vu de chanoines dans l'Église résister à leurs évêques, qui les pressaient d'accepter les ordres sacrés, proclamer qu'ils n'étaient point dignes d'un tel ministère et qu'ils ne voulaient absolument pas accepter : lorsque le clergé, ensuite, les a élus évêques, ils n'opposent point de résistance[3] ou à peine. La veille, ils refusaient le diaconat pour sauver leur âme, disaient-ils, et devenus justes en une nuit ou presque, ils ne craignaient plus le lendemain les abîmes d'un grade supérieur ! C'est de ces hommes qu'il est écrit dans les Proverbes[1] : « l'homme insensé battra des mains lorsqu'il aura répondu pour son ami. » Car ce malheureux se réjouit alors de ce qui devrait le faire pleurer, puisque, se chargeant de la direction d'autrui, il se trouve obligé, par son engagement, à veiller sur ses inférieurs, dont il doit se faire aimer plutôt que craindre.

Pour écarter, autant que nous le pouvons, un tel fléau, nous interdisons absolument à la diaconesse de vivre plus délicatement, plus mollement qu'aucune religieuse. Elle n'aura point d'appartements particuliers pour manger ou pour dormir ; elle fera tout en commun avec le troupeau qui lui est confié ; elle connaîtra d'autant mieux ses besoins qu'elle ne cessera jamais d'y veiller. Nous savons bien que le bienheureux Benoît[2], dans un sentiment de charité pour les pèlerins et les hôtes, avait établi une table séparée pour eux et l'abbé. Mais cette mesure, fort respectable en elle-même, a été modifiée dans la suite par un règlement très utile : pour que l'abbé ne sorte pas du couvent, c'est un hôtelier fidèle qui a été chargé de pourvoir aux besoins des pèlerins.

En effet, c'est surtout à table que la faute est facile, et qu'il convient de veiller à l'observation de la règle. Beaucoup, sous prétexte de bien traiter leurs hôtes, ne songent qu'à se bien traiter eux-mêmes ; de là les soupçons qu'excite leur absence et les murmures qu'elle soulève. Plus la vie d'un prélat est inconnue, moins il a d'autorité. Et puis toute privation est supportable, quand on voit tout le monde la partager et surtout les supérieurs. Caton[3] lui-même nous l'enseigne : comme lui l'armée souffrait de la soif ; on lui offrit un peu d'eau, il la refusa, la versa à terre, et l'onde suffit à tous.

Puis donc que la sobriété est particulièrement néces-

saire aux supérieurs, ils doivent vivre avec d'autant plus
de simplicité que leur exemple sert de règle aux autres.
Pour ne point tirer vanité du don que Dieu leur a fait,
c'est-à-dire de la prélature qui leur a été confiée, et ne
s'en point faire un moyen d'insulter leurs inférieurs,
qu'ils écoutent ce qui est écrit[1] : « ne sois pas comme
un lion dans ta maison, brusquant tous les serviteurs,
écrasant ceux qui te sont soumis : car l'orgueil est également haïssable à Dieu et aux hommes[2]. Le Seigneur
renversa les sièges des superbes, et mit à leur place les
doux de cœur[3] ; ils t'ont établi leur chef ; ne t'enor-
gueillis point ; sois parmi eux comme l'un d'eux[4]. »
Qu'ils écoutent l'apôtre Timothée traçant la conduite à
tenir vis-à-vis des inférieurs[5] : « ne maltraite pas le vieillard, mais prie-le comme ton père ; traite les jeunes gens
en frères, les femmes âgées en mères, les plus jeunes en
sœurs. »

« Ce n'est pas vous qui m'avez choisi, dit le Seigneur[6], c'est moi qui vous ai choisis. » Tous les autres
prélats sont élus par les inférieurs ; ce sont eux qui les
nomment et qui les établissent, parce qu'ils ne sont pas
élevés au rang de maîtres, mais de ministres. Dieu est
le seul Seigneur véritable ; seul il a le don de se choisir
des serviteurs parmi ceux qui lui sont soumis ; cependant il s'est montré plus ministre que maître ; il a confondu par son exemple ses disciples qui déjà aspiraient
à l'honneur du premier rang. « Les rois des peuples
sont leurs maîtres, dit-il[7], et ceux qui ont le pouvoir sur
eux sont appelés bienfaisants ; mais il n'en est pas ainsi
de vous. » C'est donc imiter les rois de la terre que de
prétendre à être maîtres plutôt que ministres ; de vouloir se faire craindre plutôt qu'aimer, et, tout bouffis de
l'autorité de la prélature, de rechercher la première
place à table, le premier rang dans la synagogue, les

saluts de la foule sur la place publique, de se faire appeler *Rabbi*. Pour nous empêcher de nous glorifier de ces
hommages et de ces titres, pour nous inviter à rester en
toute chose fidèle à l'humilité, voici ce que nous dit le
Seigneur[1] : « ne vous laissez pas appeler *Rabbi*, ne vous
laissez pas appeler père sur terre. » Enfin pour empêcher toute gloriole, il ajoute[2] : « celui qui s'élèvera sera
abaissé[3]. »

Il faut aussi prendre ses mesures pour que l'absence
du pasteur ne compromette pas le troupeau, et que
l'observation de la règle n'en soit pas suspendue. Nous
ordonnons donc que la diaconesse, plus occupée du
soin des âmes que de celui des corps, ne sorte jamais
du monastère pour vaquer aux affaires du dehors ; elle
veillera d'autant mieux aux besoins des religieuses
qu'elle vivra plus assidûment au milieu d'elles, et elle
sera d'autant plus respectée des hommes qu'elle se
montrera à eux plus rarement, ainsi qu'il est écrit[4] :
« éloignez-vous d'un puissant qui vous appelle ; il vous
appellera d'autant plus. » Si les besoins du monastère
exigent quelque mission, les moines ou les frères convers en seront chargés. C'est aux hommes de pourvoir
aux nécessités des femmes. Plus la piété des femmes est
grande, plus elles sont occupées de Dieu, plus elles ont
besoin de recourir à l'assistance des hommes. C'est ainsi
que l'ange avertit Joseph de prendre soin de la mère
du Seigneur, qu'il ne lui fut pas cependant donné de
connaître[5]. Le Seigneur, lui-même, en mourant, donne,
pour ainsi dire, à sa mère un autre fils, chargé de pourvoir à ses besoins temporels[6]. Quel soin les apôtres
aussi ont pris des saintes femmes, on le sait et nous
l'avons dit ailleurs : c'est pour elles qu'ils ont institué
sept diacres[7]. Suivant ces autorités, et conformément
d'ailleurs aux exigences de la nécessité, nous ordonnons

que des moines et des convers, à l'exemple des diacres, rendent aux monastères des femmes tous les services qui touchent à l'extérieur ; les moines étant particulièrement employés pour la messe, les convers pour les œuvres manuelles.

Il faut donc, ainsi que nous lisons que cela avait lieu à Alexandrie sous la direction de l'évangéliste Marc, au temps de la primitive Église, il faut qu'il y ait des monastères de femmes et d'hommes vivant sous la même règle, et que les hommes rendent aux femmes les services extérieurs. Alors assurément les femmes observeront bien plus fidèlement leur règle, si des religieux pourvoient à leurs besoins, si le même pasteur conduit les béliers et les brebis, en sorte que le chef des hommes soit aussi le chef des femmes, suivant l'institution apostolique[1] : « que le chef de la femme soit l'homme, comme le Christ est le chef de l'homme, et Dieu du Christ. »

Ainsi le monastère de la bienheureuse Scholastique, situé dans les possessions du monastère des frères, était-il soumis à la direction de son frère et à celle de ses frères qui, dans leurs fréquentes visites, apportaient des lumières et des consolations[2].

Le bienheureux Basile nous parle aussi, dans un endroit de sa règle, de la sagesse de ce gouvernement[3]. « Question : faut-il que celui qui dirige le couvent des frères ait, indépendamment de celle qui dirige les sœurs, des entretiens d'édification avec les vierges ? — Réponse : oui, à condition qu'on observe ce précepte de l'apôtre : « que tout se fasse honnêtement et selon la règle. » Et dans le chapitre suivant : « Question : convient-il que celui qui dirige le couvent des frères s'entretienne fréquemment avec celle qui dirige les sœurs, quand certains frères en sont scandalisés ? — Réponse :

Pourquoi ma liberté serait-elle jugée par la conscience d'autrui ? Il est bon cependant d'imiter l'apôtre[1] dans ce qu'il dit : « je ne me suis pas servi de mon pouvoir, dit-il[2], de peur de porter la moindre atteinte à l'Évangile du Christ. » Autant que faire se peut, il faut donc voir rarement les sœurs, et les entretenir brièvement. »

Le concile de Séville tient le même langage. « D'un commun accord, dit-il[3], nous avons décidé que les monastères de femmes de la Bétique seront placés sous l'administration et le gouvernement des moines. C'est rendre un utile service aux vierges consacrées au Christ que de leur choisir des pères spirituels qui non seulement tiennent le gouvernail de leurs affaires, mais dont les lumières puissent les édifier. Toutefois les précautions suivantes sont recommandées aux moines : tenus loin de tout entretien avec les religieuses, ils n'auront pas la liberté d'approcher même jusqu'au vestibule ; leur abbé ou celui qui le suppléera ne sera pas libre d'entretenir les vierges du Christ, de matières touchant à l'institution de leurs mœurs, en l'absence de leur supérieure ; il ne s'entretiendra jamais seul à seule avec celle-ci, mais toujours en présence de deux ou trois sœurs : visite rare, discours bref. » À Dieu ne plaise, en effet, que nous tolérions la moindre familiarité entre les moines et les vierges ! Conformément aux rites de la règle et des canons, nous les séparons d'elles, nous les tenons à l'écart, et nous ne leur déléguons que les soins de l'administration ; nous voulons seulement qu'un moine éprouvé soit chargé de gérer leurs biens de la ville ou des champs, surveille les constructions, et pourvoie à tous les autres besoins du monastère, en sorte que les servantes du Christ, n'ayant à songer qu'au salut de leur âme, appartiennent tout entières au culte divin, et se consacrent exclusivement à leurs œuvres. — Il importe que le moine qui sera proposé par son abbé ait l'approbation de son évêque[1].

En retour, les religieuses feront les habits des moines dont elles attendent protection, et à qui elles devront, comme je l'ai dit, les fruits de leurs travaux en même temps que l'aide de leur protection.

Suivant donc cette sage disposition, nous voulons que les monastères de femmes soient toujours soumis à des monastères d'hommes, en sorte que les frères prennent soin des sœurs, qu'un seul abbé préside comme un père aux besoins des deux monastères, et qu'il n'y ait, dans le Seigneur, qu'une seule bergerie et un seul pasteur[2]. Cette fraternité spirituelle sera d'autant plus agréable à Dieu et aux hommes qu'elle pourra, parfaite en elle-même, offrir un asile aux conversions des deux sexes, c'est-à-dire que les religieux recevront les hommes, les religieuses les femmes, et que la communauté pourvoira ainsi au sort de toute âme songeant à son salut : quiconque voudra se convertir avec sa mère, sa sœur, sa fille ou quelque autre dont elle a besoin, trouvera là pleine consolation ; car les deux monastères seront unis entre eux par une charité d'autant plus grande et d'autant plus disposés à s'assister l'un l'autre que les personnes qui les composeront auront déjà entre elles des liens de parenté[3].

Mais si nous voulons que le supérieur des moines qu'on nomme abbé ait le gouvernement des religieuses, c'est en telle sorte qu'il reconnaisse pour ses supérieures les épouses du Christ dont il est le serviteur, et qu'il mette sa joie non à leur commander, mais à leur être utile. Il doit être ce qu'est dans une maison royale l'intendant, qui ne fait pas sentir son pouvoir à sa maîtresse, mais se montre prévoyant à son égard ; il doit lui obéir sans tarder dans les choses justes ; n'entendre pas

ce qu'elle demande de nuisible ; régler les affaires du
dehors, et ne pénétrer, que si on l'y invite, dans le secret
des appartements. C'est de cette façon que nous voulons que le serviteur du Christ veille aux besoins des
épouses du Christ : tenant la place du Christ, qu'il s'ac-
quitte fidèlement du soin qu'il en doit prendre, traite
de chaque chose avec la diaconesse, ne décide rien au
sujet des servantes du Christ et de tout ce qui les concerne qu'après avoir pris son avis ; ne leur transmette
ses instructions ou ne leur parle que par son intermédiaire. Toutes les fois que la diaconesse le mande, qu'il
ne se fasse pas attendre, qu'il ne tarde pas à exécuter,
autant que faire se peut, ce qu'elle lui aura demandé
pour elle ou pour ses religieuses. Lorsqu'il sera appelé
qu'il ne parle jamais à la diaconesse qu'en public, et en
présence de personnes éprouvées ; qu'il ne s'approche
pas trop d'elle, et qu'il ne la retienne pas trop
longtemps[1].

Tout ce qui concerne la nourriture, le costume, l'argent même, s'il y en a, sera réuni et conservé chez les
religieuses : elles pourvoiront, de leur superflu, au nécessaire des frères.

Les frères s'occuperont donc de tous les soins extérieurs, et les sœurs de tout ce qu'il convient à des
femmes de faire à l'intérieur, c'est-à-dire de coudre les
habits des frères, de les laver, de pétrir le pain, de le
mettre au four et de l'en tirer cuit ; elles auront le soin
du laitage et de tout ce qui en dépend ; elles donneront
à manger aux poules et aux oies ; elles feront enfin tout
ce que des femmes peuvent faire mieux que des
hommes.

Le prévôt, dès qu'il aura été établi, jurera, en présence de l'évêque et des sœurs, de leur être un fidèle
économe dans le Christ, et de veiller rigoureusement à

ce que leur chasteté ne reçoive aucune atteinte. Si par hasard, ce dont Dieu le préserve, l'évêque le trouve en défaut sur ce point, il le déposera aussitôt comme parjure. Tous les frères, en faisant leurs vœux, prêteront aussi serment aux sœurs ; ils jureront de ne les laisser souffrir en rien, et de veiller également, en ce qui les concerne, à leur pureté charnelle. Aucun moine n'aura donc accès auprès des sœurs sans la permission du prévôt, et les religieuses ne recevront que de la main du supérieur ce qui leur sera adressé. Aucune sœur ne franchira l'enceinte du monastère ; tous les soins extérieurs, ainsi que nous l'avons dit, regarderont les frères : aux forts de suer dans les travaux de force. Aucun frère n'entrera dans l'enceinte du couvent des femmes, si ce n'est avec la permission du prévôt et de la diaconesse, et pour un motif nécessaire et honnête. Celui qui enfreindra cet ordre sera aussitôt expulsé.

De peur cependant que les hommes n'abusent de leur force pour opprimer les femmes, nous voulons qu'ils n'entreprennent rien contre la volonté de la diaconesse, et ne fassent rien qu'avec son consentement. Hommes et femmes, tous feront profession et promettront obéissance à la diaconesse, en sorte que la paix soit d'autant plus solide et la concorde d'autant plus ferme, que les plus forts auront moins de pouvoir, et que les faibles, moins gênées par l'obéissance, auront moins à craindre la violence : il est certain que plus on s'humilie devant Dieu, plus on s'élève.

En voilà assez pour le moment sur les diaconesses ; venons maintenant aux officières.

La sacristine, qui en même temps sera trésorière, aura soin de l'oratoire ; elle aura la garde des clefs et de tous les objets du culte ; elle recevra les offrandes, elle pourvoira aux ornements, se chargera de les faire réparer et

d'en fournir de nouveaux. Ce sera à elle encore de préparer les hosties, les vases sacrés, les livres et la décora-
tion de l'autel, les reliques, l'encens, le luminaire, l'hor-
loge et les cloches.

Ce sont les vierges, s'il est possible, qui feront les hosties [1], nettoieront le froment qui sert à les faire, et laveront
les nappes d'autel. Quant aux reliques et aux vases d'autel des religieux, ni la sacristine ni aucune religieuse
n'aura le droit d'y toucher, ni leurs nappes d'autel, à
moins qu'on ne leur donne à laver ; on appellera et on at-
tendra pour cela les moines ou leurs convers, et, s'il le
faut, on en subordonnera pour cela à la sacristine quelques-uns qui soient dignes de les toucher : ils les pren-
dront et les replaceront dans les armoires qu'elle aura ouvertes. Il convient que celle qui a ainsi la garde du
sanctuaire se distingue par la pureté de sa vie ; qu'elle
soit, autant que possible, vierge de corps et d'âme, d'une
abstinence et d'une continence éprouvées. Il est absolument indispensable qu'elle connaisse le comput de la
lune, afin de parer l'église suivant l'ordre des temps.

La chantre aura la direction du chœur et veillera à la
disposition des divins offices ; elle apprendra aux autres
à chanter, à lire, à écrire et à dicter la musique. Elle
aura aussi la garde de la bibliothèque, donnera et re-
prendra les livres, prendra soin des copies et des enlu-
minures, en tenant compte des demandes [2]. Elle réglera
la tenue du chœur, assignera les places, désignera celles
qui devront lire ou chanter, et dressera la liste des heb-
domadières qui sera lue tous les samedis au chapitre.
En vue de ces divers services, il convient donc qu'elle
soit instruite et qu'elle connaisse particulièrement la
musique. Sous les ordres de la diaconesse, elle tiendra
la main à l'observation de la règle, et, en cas d'empêche-
ment, c'est l'infirmière qui la remplacera dans ses
fonctions.

L'infirmière aura le soin des malades et veillera à les préserver de la faute autant que du besoin. Tout ce que leur état de santé exigera, aliments, bains ou toute autre chose, elle le leur donnera. On connaît le proverbe : « ce n'est pas pour les malades que la loi a été faite. » On ne leur refusera donc jamais de la viande, si ce n'est les vendredis, les veilles des grandes fêtes, les quatre-temps et le carême ; car il faut d'autant plus les préserver du péché qu'elles doivent davantage songer à leur salut. C'est alors surtout qu'il faut s'étudier à garder le silence, où l'excès n'est jamais un défaut, et se livrer à la prière, ainsi qu'il est écrit[1] : « mon fils, ne t'abandonne pas toi-même dans la maladie, mais prie le Seigneur, et il aura soin de toi. Détourne-toi du péché, redresse ta main, et purifie ton cœur de tout péché. » Il faut aussi que l'infirmière fasse une garde vigilante auprès des malades, qu'elle soit toujours prête à venir à leur aide, en cas de besoin ; il faut que la maison soit fournie de tout ce qui est nécessaire aux malades. Elle doit s'approvisionner de médicaments, suivant les ressources de l'endroit : ce qu'elle fera d'autant mieux si elle n'est pas ignorante de la médecine[2]. À elle encore appartiendra de veiller à tout ce qui touche aux menstruations des sœurs. Il faut qu'elle sache saigner, pour que cette opération ne nécessite l'accès d'aucun homme auprès des religieuses. L'infirmière réglera encore les heures des offices et la communion pour les malades, afin qu'elles n'en soient pas privées ; le dimanche au moins elles doivent communier, après préparation par la confession et la contrition dans la mesure du possible. Au sujet de l'onction des malades, on veillera avec soin à l'observation du précepte du bienheureux apôtre Jacques[3]. Pour administrer ce sacrement à une malade désespérée, on introduira dans le monastère les deux plus vieux prêtres d'entre les moines et le diacre ; ils apporteront avec eux les saintes huiles, et feront la cérémonie de l'onction, toute la communauté y prenant part, mais séparés par une cloison. On fera de même toutes les fois qu'il sera nécessaire pour la communion. Il faut donc que l'infirmerie soit disposée pour l'administration des sacrements, de telle sorte que les moines puissent entrer et sortir sans voir la communauté ni en être vus.

Chaque jour, une fois au moins, la diaconesse, accompagnée de la cellérière, visitera toutes les malades, autres Christ, afin de s'éclairer sur leurs besoins temporels ou spirituels et d'y pourvoir. Ainsi mériteront-elles d'entendre ces paroles du Seigneur[1] : « j'étais malade et vous m'avez visité. » Si une malade approche de sa fin et tombe dans les angoisses de l'agonie, aussitôt une de celles qui la veillent, parcourant le couvent avec la crécelle et la faisant tourner, annoncera le trépas de la sœur ; alors la communauté entière, quelle que soit l'heure du jour ou de la nuit, se réunira auprès de la mourante, à moins que la célébration des offices ne l'en empêche. Dans ce cas, comme le service de Dieu doit passer avant tout[2], il suffira que la diaconesse, accompagnée de quelques sœurs qu'elle choisira, fasse diligence : la communauté viendra ensuite. Toutes celles qui seront accourues à l'appel de la crécelle réciteront les litanies, parcourant la liste entière des saints et des saintes ; puis les psaumes et les prières des morts. Combien sont bonnes ces visites aux malades ou aux morts, l'Ecclésiaste[3] le fait remarquer avec soin : « mieux vaut aller, dit-il, dans une maison où l'on pleure que dans une maison où règne la joie d'un festin ; dans la première, on apprend quelle est la fin de tous les hommes, et vivant, on pense à ce que l'on doit être un jour » ; et encore[4] : « le cœur du sage se plaît là où est la tristesse, celui de l'insensé, là où est la joie. »

Dès que la malade a expiré, son corps doit être lavé par les sœurs ; on lui mettra une robe grossière, mais une chemise propre, et des sandales ; puis on la placera sur un brancard, la tête couverte de son voile. Il faut que ses vêtements soient solidement cousus ou attachés au corps, de manière qu'ils n'éprouvent aucun dérangement. Le corps apporté dans l'église, les moines, lorsqu'il en sera temps, l'enterreront, et ce pendant les sœurs ne cesseront de psalmodier ou de prier avec ferveur. Le seul honneur de plus accordé à la diaconesse, c'est d'envelopper son corps dans un cilice, où elle sera cousue tout entière comme dans un sac[1].

La robière aura le soin de tout ce qui concerne l'habillement, tant pour les chaussures que pour le reste. Elle fera tondre les brebis, et recevra le cuir ; elle recueillera et gardera le lin et la laine ; elle prendra soin de la fabrication des toiles ; elle distribuera le fil, les aiguilles, les ciseaux ; elle aura la surveillance du dortoir et des lits ; elle sera chargée de diriger la taille, la couture, le lavage des nappes de table, des serviettes et de tout le linge du monastère. C'est surtout à elle que s'applique ce passage[2] : « elle a recueilli la laine et le lin, et les a travaillés de ses mains. Sa main a pris la quenouille, et ses doigts ont fait tourner le fuseau. Elle ne craindra pas le froid ou la neige pour sa maison, car tous ses serviteurs ont double vêtement ; elle se rit du lendemain car elle a toujours gardé le seuil de sa maison, et elle n'a pas mangé son pain dans l'oisiveté. Ses enfants se sont levés et ont annoncé qu'elle était bienheureuse. » Elle aura tous les instruments nécessaires à son emploi ; elle réglera la tâche de chacune des sœurs ; c'est elle qui prendra soin des novices, jusqu'à ce qu'elles soient admises dans la communauté.

La cellérière aura la charge de tout ce qui concerne

la nourriture : cellier, réfectoire, cuisine, moulin, boulangerie, four, jardins, vergers et champs, ruches, troupeaux, animaux de toute sorte et oiseaux. C'est sur elle que l'on comptera pour tout ce qui touche à l'alimentation. Elle ne doit pas se montrer avare, mais toujours prête et empressée à donner ce qui est nécessaire. « Dieu, est-il dit [1], aime celui qui donne gaiement. » Défense lui est faite de songer à elle-même plus qu'aux autres dans les soins de sa charge, de se préparer des mets particuliers qu'elle refuse aux autres. « Le meilleur économe, dit Jérôme [2], est celui qui ne se réserve rien. » Judas, ayant abusé de sa charge pour se faire une bourse, fut exclu du cénacle des apôtres. Ananias aussi et Saphire [3], sa femme, ayant retenu leur bien, furent condamnés à mort.

Quant à la portière ou à l'ostiaire, ce qui est la même chose, à elle appartient le soin de recevoir les étrangers et tous ceux qui se présentent, de les annoncer, de les mener où il faut, et de pourvoir à tous les besoins de l'hospitalité. Il convient qu'elle soit d'un âge et d'un esprit sûrs, qu'elle sache donner et recevoir une réponse, et distinguer ceux qu'il faut de ceux qu'il ne faut pas recevoir. Placée à l'entrée du monastère comme dans le vestibule du Seigneur, c'est elle qui donnera la première impression : il est donc bon qu'elle fasse honneur à la tenue de la maison, qu'elle ait la parole douce, l'abord agréable, afin que ceux même qu'elle éconduira soient édifiés dans leur charité par la justesse des raisons qu'elle leur donnera. Car il est écrit [4] : « une réponse douce brise la colère, et une parole dure fait monter la fureur » ; et ailleurs : « une parole douce multiplie les amis et apaise les ennemis. »

Voyant plus souvent les pauvres et les connaissant mieux, c'est elle qui leur distribuera les aliments et les vêtements qu'on voudra leur donner[1]. Dans le cas où elle aurait besoin, elle ou les autres officières, d'assistance et de soulagement, la diaconesse leur donnera des suppléantes qu'elle choisira particulièrement parmi les sœurs converses, pour qu'aucune sœur ne manque au service divin, au chapitre ou au réfectoire.

La portière aura un petit logement auprès de la porte, afin qu'elle ou sa suppléante soit toujours prête à répondre aux arrivants. Elles n'y devront pas rester oisives, et elles s'attacheront d'autant plus à observer le silence que leur bavardage pourrait plus facilement arriver aux oreilles des personnes qui sont dehors. À la portière incombe le soin non seulement d'écarter les hommes, mais de fermer la porte aux rumeurs qui pourraient pénétrer dans le couvent : elle sera responsable de tous les abus de cette sorte. Si elle entend quelque chose qui mérite d'être su, elle ira en faire part secrètement à la diaconesse, qui prendra telles mesures qu'elle jugera opportunes.

Dès qu'on a frappé ou appelé à la porte, elle doit se présenter, demander aux survenants ce qu'ils sont et ce qu'ils veulent, et leur ouvrir aussitôt, s'il y a lieu, pour les recevoir. Les femmes seules pourront être reçues dans l'intérieur ; les hommes seront dirigés chez les moines. Pour quelque motif que ce soit, aucun ne sera admis dans le couvent que sur l'avis et par l'ordre de la diaconesse. Quant aux femmes, elles auront immédiatement porte ouverte. Les femmes accueillies, les hommes entrés pour un motif quelconque, la portière les fera demeurer dans sa cellule jusqu'à ce que la diaconesse ou les sœurs, s'il y a nécessité ou convenance, viennent les recevoir. Si ce sont des pauvres à qui il faille laver les pieds, la diaconesse elle-même et les sœurs s'acquitteront avec empressement de ce devoir d'hospitalité.

C'est en se livrant à cet humble service d'humanité que le Seigneur s'est fait appeler diacre par les apôtres, ainsi qu'il est dit dans la *Vie des Pères*[1] : « l'Homme-Sauveur s'est fait diacre pour toi : il s'est ceint d'un linge pour laver les pieds de ses disciples, leur commandant de laver les pieds de leurs frères. » C'est ce qui a fait dire à l'apôtre en parlant de la diaconesse[2] : « si elle a donné l'hospitalité, si elle a lavé les pieds des pauvres. » Et le Seigneur lui-même[3] : « j'étais étranger et vous m'avez reçu. » Toutes les officières devront être investies de fonctions qui n'ont pas de rapport avec les lettres, excepté la chantre, et celles qui sont propres à cela, si l'on en trouve, afin qu'elles puissent vaquer plus facilement aux lettres.

Que les ornements de l'église soient suffisants ; qu'ils n'aient rien de superflu ; qu'ils soient propres plutôt que précieux. Point de matière d'or ou d'argent, sinon un calice d'argent ou plusieurs, s'il le faut. Point d'autres ornements en soie que les étoles et les manipules. Point d'images taillées : une croix de bois sur l'autel ; une peinture de l'image du Sauveur n'est pas interdite, mais les autels ne doivent avoir aucune autre image[4]. Deux cloches suffisent au monastère. Un vase d'eau bénite sera placé à l'entrée de l'église, au dehors, afin qu'avant d'entrer le matin, ou au moment de sortir, à complies, les religieuses puissent se sanctifier. Nulle ne peut s'absenter aux heures canoniales ; au premier signal, toutes doivent tout quitter pour se rendre à l'office avec empressement, d'un pas modeste toutefois. En entrant dans l'église, que celles qui le pourront disent[5] : « J'entrerai dans votre maison, je me prosternerai dans votre sanctuaire. » On n'aura point d'autres livres au chœur que celui qui sera utile pour l'office du moment. Les psaumes seront récités à haute et intelligible voix, et la psalmodie ou le chant mis sur un ton qui permette aux voix les plus faibles de suivre. Il ne sera rien lu ni chanté dans l'église qui ne soit tiré authentiquement de la Sainte Écriture, en particulier du Nouveau ou de l'Ancien Testament, et on aura soin de distribuer les lectures de façon que les Écritures soient lues en entier à l'église dans le cours de l'année. Les sermons ou les exhortations des Pères de l'Église, tous les textes propres à l'édification seront lus particulièrement au réfectoire ou au chapitre, et on en permettra la lecture partout où besoin sera[1].

Aucune religieuse ne se hasardera à lire ou à chanter sans s'y être préparée ; si par hasard, malgré cette précaution, elle laissait échapper quelque faute à l'église, elle s'en excusera sur-le-champ devant toutes ses sœurs en répétant elle-même au fond de son cœur : « Seigneur, pardonnez encore cette fois à ma négligence. »

Au milieu de la nuit, on se lèvera pour chanter les vigiles suivant l'instruction du prophète, et, à cet effet, on se couchera de bonne heure, afin que les santés délicates puissent supporter cet exercice. D'ailleurs, tout ce qui appartient aux devoirs du jour doit finir avec le soleil, selon la règle de saint Benoît[2]. Après vigiles, on rentrera au dortoir pour n'en sortir qu'aux matines. Tout le reste de la nuit sera accordé aux exigences de la nature : le sommeil refait les forces, rend le corps propre au travail, le conserve sain et dispos. Celles qui ont besoin de méditer sur quelque psaume ou sur quelques lectures, suivant la règle du bienheureux Benoît, doivent le faire sans troubler le sommeil des autres. Voilà pourquoi le bienheureux Benoît dit *méditation* et non *lecture*, de peur que la lecture n'empêche les autres de dormir. Au reste, il n'oblige personne à cet exercice, puisqu'il dit : « aux frères qui en ont besoin. » Si l'on a besoin d'apprendre à chanter, on devra s'imposer la même règle.

Les matines se chanteront à la pointe du jour, et on les sonnera, s'il est possible, dès le crépuscule. Cet office fini, on retournera au dortoir. En été, les nuits étant courtes et les matinées longues, nous n'interdisons pas de dormir jusqu'à l'heure de primes, pourvu qu'au premier coup de cloche on soit debout. Le bienheureux Grégoire fait mention de ce repos après matines dans son chapitre des *Dialogues*[1], lorsqu'il dit, en parlant du vénérable abbé Libertinus : « on devait, ce jour-là, prendre une mesure importante pour le monastère : après matines, Libertinus vint au lit de l'abbé pour lui demander humblement sa bénédiction. » Il n'est donc pas interdit de reposer après matines, depuis la Pâque jusqu'à l'équinoxe d'automne, époque à partir de laquelle les jours sont plus courts que les nuits.

Au sortir du dortoir, on se lavera, on prendra les livres, et on restera dans le cloître à lire ou à chanter jusqu'au coup de primes. À l'issue de primes, on se rendra au chapitre, et là, toutes les sœurs étant réunies, on lira le martyrologe après avoir indiqué le jour de la lune ; ensuite il sera fait quelque entretien édifiant ou quelque lecture commentée de la règle ; enfin ce sera le moment de pourvoir aux corrections ou aux dispositions nouvelles, s'il y a lieu.

On doit comprendre qu'un monastère, pas plus qu'une autre maison, ne passe pour mal ordonné parce qu'il s'y produit quelque désordre, mais parce que, le désordre produit, il n'y est pas diligemment porté remède. Quel est, en effet, le lieu où le péché n'ait sa place ? Le bienheureux Augustin était bien convaincu de cette vérité, quand dans un certain passage de son instruction à son clergé, il disait[2] : « quelque vigilante que soit la règle de ma maison, je suis homme, et je vis parmi les hommes, et je ne me flatte pas que ma maison vaille mieux que l'arche de Noé[1], où cependant sur huit hommes il y eut un réprouvé ; mieux que la maison d'Abraham, à qui il a été dit[2] : « chasse ta servante et son fils » ; mieux que celle d'Isaac, où Dieu a dit[3] : « j'ai aimé Jacob et haï Esaü » ; mieux que celle de Jacob, où le fils a souillé le lit de son père[4] ; mieux que celle de David[5], dont un fils a couché avec sa sœur, tandis que l'autre s'est révolté contre la sainte douceur de son père[6] ; mieux que la compagnie de l'apôtre Paul, qui n'aurait pas dit, s'il n'eût habité que parmi des justes[7] : « au dehors les combats, au dedans les alarmes » ; et encore[8] : « il n'y a personne qui s'occupe cordialement de vous, chacun ne cherche que son bien » ; mieux que la compagnie du Christ lui-même, auquel onze justes ont fait supporter la perfidie et les larcins de son douzième disciple, de Judas[9] ; mieux enfin que le ciel dont les anges ont été précipités[10]. » Le même Père qui nous encourage à suivre la règle du monastère ajoute[11] : « j'avoue devant Dieu que, du jour où je me suis consacré à son service, je n'ai pas trouvé de meilleurs chrétiens que ceux qui sont partis dans les monastères conformément à leurs vœux ; mais je n'en ai pas non plus connu de pires que ceux qui ont failli dans les monastères. » En sorte que, si je ne me trompe, c'est de là qu'il est écrit dans l'Apocalypse[12] : « le juste devient plus juste, et celui qui s'est souillé s'enfonce davantage dans la souillure. »

Il faut donc que la règle de la correction soit tendue de telle sorte, que si quelque religieuse a connu la faute d'une autre et l'a dissimulée, elle soit punie plus rigoureusement que la coupable. Nulle ne doit différer d'accuser son péché ou le péché d'autrui[13]. Celle qui préviendra l'accusation des autres en s'accusant elle-même, ainsi qu'il est écrit[1] : « le juste est le premier à s'accuser », encourra une peine plus douce, pourvu qu'elle ne retombe pas dans la même faute. Nulle ne doit prendre sur soi d'en excuser une autre, à moins que la diaconesse ne lui demande de lui faire connaître une chose que les autres ne sauraient pas. Nulle ne doit s'arroger le droit de corriger les autres, si ce n'est de la part de la diaconesse, car il est écrit, au sujet du règlement de la correction[2] : « mon fils, ne rejetez point la correction du Seigneur, et ne vous abattez point lorsqu'il vous châtiera. Dieu châtie celui qu'il aime, et il se complaît en celui qu'il châtie comme un père en son fils. » Et encore[3] : « celui qui ménage la verge hait son fils[4] ; celui qui l'aime le corrige avec insistance[5]. En voyant le corrompu châtié l'insensé deviendra plus sage. Le fouet est fait pour le cheval[6], le licol pour l'âne, et la verge pour les hommes qui se conduisent mal. Celui qui en châtie un autre trouvera dans la suite auprès de lui plus de reconnaissance que celui qui le trompe par les caresses de ses éloges[7]. Toute correction, sur le moment, semble pleine non de joie, mais d'amertume ; mais un jour elle rapportera à ceux qui en auront subi l'épreuve les fruits les plus doux de la vertu[8]. La confusion d'un père est dans un enfant qui n'a pas été corrigé, et sa honte dans la mauvaise conduite de sa fille[9]. Celui qui aime son fils le corrige sans cesse, afin d'être heureux dans sa vieillesse[10]. Celui qui instruit son fils sera loué dans son fils et glorifié en lui au milieu de toute sa maison. Un cheval qu'on ne dompte pas devient intraitable, un fils auquel on a lâché les rênes devient insolent. Nourris ton fils, et il te fera trembler ; joue avec lui, et il te contristera. »

Dans les délibérations du conseil, chaque religieuse

aura le droit de donner son avis ; mais tout ce que la diaconesse aura décidé sera tenu pour immuable ; c'est de sa volonté que tout dépend, dût-elle même, ce dont Dieu la préserve, se tromper et s'arrêter au plus mauvais parti. C'est ce qui a fait dire au bienheureux Augustin dans son livre des *Confessions*[1] : « Celui-là commet un grand péché qui désobéit en quelque chose à ses supérieurs, alors même qu'il ferait mieux que ce qui lui est ordonné. » Mieux vaut, en effet, bien faire que faire le bien. Il faut moins se préoccuper de la chose en elle-même que de la façon dont elle est faite et de l'esprit dans lequel on la fait. Tout ce qui est fait par obéissance est bien fait, encore que cela ne paraisse pas un bien. En tous points il faut obéir aux supérieurs, quels que soient les inconvénients des choses, dès le moment qu'il n'y a point péril pour l'âme. C'est au supérieur de bien ordonner, puisqu'il suffit aux religieux de bien obéir, et de suivre, conformément à leurs vœux, non leur propre volonté, mais celle de leurs supérieurs. Nous interdisons donc d'une manière absolue de jamais faire prévaloir la coutume sur la raison, et de rien défendre parce que c'est la coutume, non parce que c'est la raison ; c'est sur ce qui est bien, non sur ce qui est en usage, qu'il faut se régler, en sorte qu'un ordre soit accueilli d'autant plus volontiers qu'il paraît meilleur ; autrement, ce serait judaïser et préférer l'ancienne loi à l'Évangile[2].

Le bienheureux Augustin, s'appuyant sur le témoignage de Cyprien, dit en quelque endroit[3] : « celui qui, au mépris de la vérité, prend sur lui de suivre la coutume, est assurément ou jaloux et envieux de ses frères auxquels la vérité a été révélée, ou ingrat envers Dieu, dont l'inspiration est la lumière de l'Église. » Et encore : « Le Seigneur dit dans son Évangile : je suis la vérité[4], et non : je suis la coutume. Lors donc que la vérité a

été manifestée, il convient que la coutume s'efface devant elle. » Et encore[1] : « lorsque la vérité a été révélée,
il faut que l'erreur s'efface devant la vérité. Pierre cessa
de circoncire et céda le pas à Paul, lorsque Paul commença à prêcher la vérité. » Et ailleurs, dans son livre
quatrième sur le baptême[2] : « c'est en vain que ceux
qui sont vaincus par la raison nous opposent la coutume, comme si la coutume était supérieure à la vérité,
comme si dans les choses spirituelles il ne fallait pas
suivre ce que l'Esprit-Saint a révélé de meilleur. » C'est
donc un point incontestable, qu'il faut faire passer la
raison et la vérité avant la coutume. — « Assurément,
écrivait Grégoire VII[3] à l'évêque Vimond, assurément
il faut, suivant la maxime du bienheureux Cyprien, faire
passer la vérité avant la coutume, quelque ancienne et
quelque répandue que soit la coutume, et tout usage
contraire à la vérité doit être détruit. » Avec quel amour
nous devons, même dans nos paroles, nous attacher à
la vérité, l'Ecclésiastique nous l'apprend dans le passage
où il dit[4] : « ne rougis pas de dire la vérité pour le salut
de ton âme. » Et encore[5] : « ne contrarie en rien la
parole de vérité. » Et ailleurs[6] : « que la parole de vérité
inspire toutes tes œuvres, et une ferme sagesse tes actions. » Ne vous autorisez point de l'exemple de la
foule, mais de l'approbation des sages et des justes. « Le
nombre des insensés, dit Salomon[7], est infini », et selon
la parole de la vérité même[8], « beaucoup sont appelés
et peu élus. » Tout ce qui est précieux est rare ; l'abondance d'une chose en diminue le prix. Ne suivons donc
pas le conseil du plus grand nombre, mais le meilleur.
Ne considérons pas l'âge de l'homme, mais sa sagesse ;
ne consultons pas l'amitié, mais la vérité. De là cette
pensée du poète[9] : « il est permis de profiter des leçons
même d'un ennemi. »

Toutes les fois qu'il y a quelque résolution à prendre, il ne faut point perdre de temps, et si la délibération est grave, il faut assembler la communauté. Dans la discussion des affaires moins importantes, il suffit que la diaconesse réunisse quelques-unes des principales sœurs, car il est écrit au sujet du conseil[1] : « où il n'y a personne pour gouverner, le peuple périt ; le salut est là où il y a beaucoup de conseil ; la route est toujours droite aux yeux de l'insensé, mais le sage écoute les conseils[2]. Mon fils, ne fais rien sans prendre conseil, et tu n'auras pas de regret[3]. » Si quelque affaire réussit d'aventure sans qu'on ait pris conseil, la faveur de la fortune n'excuse pas la présomption de l'homme ; si, au contraire, l'échec arrive après le conseil, le pouvoir qui a pris conseil ne saurait être accusé de présomption : celui qui a eu confiance est moins coupable que ceux aux mauvais avis desquels il s'est rangé.

Au sortir du chapitre, les religieuses se remettront chacune à leur ouvrage, soit à la lecture, soit au chant, soit à des travaux manuels, jusqu'à l'heure de tierce. Après tierce, on dira la messe : elle sera célébrée par un prêtre choisi à cet effet par les moines, pour la semaine, et assisté, si les moines sont en nombre, d'un diacre et d'un sous-diacre qui le serviront et rempliront chacun leur office. Leur arrivée et leur départ auront lieu de telle sorte qu'ils ne soient point vus de la communauté. Dans le cas où un plus grand nombre de moines serait nécessaire, on y pourvoira, mais autant que possible de telle façon que les messes des religieuses n'empêchent pas les religieux d'assister aux offices divins dans leur couvent.

Pour la communion des sœurs, on choisira le prêtre le plus âgé, qui la leur donnera après la messe, après avoir fait sortir auparavant le diacre et le sous-diacre, pour supprimer toute occasion de tentation. La communauté entière communiera au moins trois fois l'an : à Pâques, à la Pentecôte, à Noël[1], ainsi que les Pères l'ont établi même pour les personnes qui vivent dans le siècle. Elle se préparera à ces communions par une pénitence de trois jours précédée de la confession ; pendant ces trois jours, les religieuses vivront de pain et d'eau, se purifieront incessamment par la prière avec humilité et tremblement, en se remettant devant l'esprit la terrible sentence de l'apôtre[2] : « quiconque aura mangé le pain ou bu le calice du Seigneur sans en être digne sera coupable du corps et du sang du Seigneur. Que l'homme se mette donc à l'épreuve, avant de manger ce pain et de boire ce calice. Car celui qui mange et boit sans en être digne, mange et boit sa propre condamnation, pour n'avoir pas jugé que c'était le corps du Seigneur. C'est pour cela que l'on voit parmi nous tant de malades et de faibles, tant de gens endormis. Si nous nous jugeons nous-mêmes, nous y gagnerons de n'être pas jugés. »

Après la messe, les religieuses retourneront à leurs occupations jusqu'à sexte ; elle ne doivent point être oisives un seul moment ; chacune d'elles doit faire ce qu'elle peut et ce qu'il faut. Après sexte on dînera, si ce n'est pas jour de jeûne, car alors il faudrait attendre après none, et dans le carême après vêpres. En tout temps, on doit faire la lecture au réfectoire. Lorsque la diaconesse l'aura trouvée assez longue, elle dira : assez, et aussitôt tout le monde se lèvera pour les grâces. Dans l'été, après dîner, on se retirera jusqu'à none au dortoir pour s'y reposer ; après none, on reviendra à la besogne jusqu'à vêpres. Immédiatement après vêpres, on soupera ou l'on fera collation, suivant l'ordre des temps. Les samedis, avant la collation, on se purifiera, c'est-à-

dire qu'on se lavera les pieds et les mains. C'est la diaconesse qui s'acquittera humblement de ce service, avec
les cuisinières de semaine. Après la collation, on se rendra aussitôt à complies, puis on ira se coucher.

Quant à la nourriture et à l'habillement, on observera
le précepte de l'apôtre qui dit[1] : « contentons-nous de
nos aliments et de nos vêtements », c'est-à-dire contentons-nous du nécessaire, sans chercher le superflu. On
emploiera ce qu'il y a de moins coûteux, ce qu'on
pourra se procurer le plus aisément et porter sans scandale. C'est seulement le scandale de sa propre conscience et de celle des autres que l'apôtre recommande
d'éviter dans la nourriture : il savait que le vice n'est
point dans l'aliment, mais dans la gourmandise[2] : « que
celui qui mange, dit-il, ne méprise pas celui qui ne
mange pas ; que celui qui ne mange pas ne juge pas
celui qui mange ; Dieu s'en est chargé. Qui êtes-vous,
vous qui jugez le serviteur d'autrui ? Celui qui mange,
mange pour plaire au Seigneur, car il lui rend grâces, et
celui qui ne mange pas, ne mange pas pour plaire au
Seigneur, et il lui rend grâces aussi. Ne nous jugeons
donc pas les uns les autres ; mais pensez plutôt que vous
ne devez offrir à votre frère ni pierre d'achoppement,
ni scandale. Je sais et je crois dans le Christ, qu'il n'y a
rien d'impur par soi, mais seulement par l'impureté
qu'on y met ; car le royaume de Dieu ne consiste pas
dans le boire et le manger, mais dans la justice, dans la
paix et dans la joie que donne l'Esprit-Saint. Tout est
pur ; le mal est dans l'homme qui mange pour scandaliser les autres. Il vaut mieux ne point manger de chair
ni boire de vin, ni rien faire qui puisse offenser ou scandaliser votre frère. » Le même apôtre, après avoir parlé
du scandale que l'on cause à son frère, ajoute[3], au sujet
du scandale que l'on cause à soi-même en mangeant

contre sa conscience : « heureux celui qui ne se condamne pas lui-même en ce qu'il veut faire ! Mais celui
qui se demande s'il mangera est condamné parce qu'il
n'agit pas par un acte de foi ; or, tout ce qui n'est pas
acte de foi est péché. »

Nous péchons en tout ce que nous faisons contre notre conscience et notre croyance. Nous nous jugeons et
nous nous condamnons nous-mêmes, au nom de la loi
que nous avons reçue et acceptée, par cela seul que
nous approuvons, c'est-à-dire que nous mangeons tels
aliments que, suivant cette loi, nous rejetons et nous
condamnons comme impurs. Telle est l'importance du
témoignage de la conscience, qu'il suffit à nous excuser
ou à nous accuser devant Dieu. C'est ce que rappelle
Jean dans sa première épître. « Mes frères, dit-il[1], si
notre cœur ne nous reproche rien, ayons confiance en
Dieu, et tout ce que nous lui demanderons, nous le re-
cevrons, si nous sommes fidèles à ses préceptes, et si
nous ne faisons rien qui ne lui soit agréable. » C'est
aussi avec raison que Paul avait dit[2] auparavant qu'il
n'y a rien de commun pour le Christ, si ce n'est pour
celui qui le croit tel, c'est-à-dire ce qu'il croit impur et
interdit pour soi. En effet, nous appelons communs les
aliments qui, selon la loi, sont appelés immondes, parce
que la loi, les interdisant à ses fidèles, les expose, pour
ainsi dire, et les met en vente pour ceux qui sont hors
la loi. De là vient que les femmes communes sont impu-
res, et que tout ce qui est commun, tout ce qui est du
domaine public est vil ou moins précieux. Paul dit donc
qu'il n'est point par le Christ de nourriture commune,
c'est-à-dire impure, puisque la loi du Christ n'en interdit aucune, si ce n'est, comme je l'ai dit, pour éviter le
scandale de sa propre conscience et de celle d'autrui. Il
dit ailleurs à ce sujet[3] : « c'est pourquoi, si la viande

que je mange scandalise mon frère, je n'en mangerai
jamais, pour ne pas scandaliser mon frère. Ne suis-je
pas libre ? Ne suis-je pas apôtre ? » Soit, en d'autres
termes : n'ai-je pas cette liberté que le Seigneur a donnée aux apôtres, de manger de tout et de recevoir toute
espèce d'assistance ? En effet, il dit quelque part, en
envoyant ses apôtres prêcher[1] : « Mangez et buvez ce
que vous trouverez chez eux. » Il ne faisait aucune distinction entre les aliments. L'apôtre, fidèle à cette doctrine, la maintient en disant qu'il est permis aux chrétiens de manger toute espèce d'aliments, fussent-ce
même des aliments destinés aux infidèles ou offerts aux
idoles, à la seule condition, je le répète, d'éviter le scandale. « Tout est permis, dit-il[2], mais tout n'est pas op-
portun ; tout est permis, mais tout n'édifie pas. Que
personne ne cherche son bien propre, mais le bien d'autrui. Mangez de tout ce qui se vend au marché, sans
scrupule. La terre et tout ce qu'elle porte en son sein
est au Seigneur. Si quelque infidèle vous invite à sa table
et qu'il vous plaise d'y aller, mangez de tout ce qu'on
vous servira, sans scrupule. Si l'on vous dit : « ceci a été
offert aux idoles », n'en mangez pas, par respect pour
le scrupule de celui qui fait la distinction, par respect
pour la conscience d'autrui, dis-je, non pour la vôtre :
ne blessez ni les Juifs, ni les Gentils, ni l'Église de
Dieu. »

De ces paroles de l'apôtre il ressort clairement qu'aucun aliment ne nous est interdit, si nous en pouvons
manger sans blesser notre propre conscience ni celle
des autres. Nous agissons sans blesser notre propre
conscience, si nous croyons de bonne foi suivre le genre
de vie qui doit nous conduire au salut ; sans blesser la
conscience des autres, s'ils ont la confiance que notre
genre de vie doit nous sauver. Et nous vivrons de cette

manière, si nous satisfaisons les besoins de la nature en évitant le péché ; si, ne présumant pas trop de notre vertu, nous ne nous chargeons pas, par nos vœux, d'un joug sous lequel nous succomberions ; chute d'autant plus grave que le degré auquel nous avaient élevés nos vœux serait plus haut [1].

Prévenant cette chute, et les vœux d'un engagement irréfléchi, l'Ecclésiaste dit [2] : « si vous avez fait un vœu à Dieu, ne différez pas de vous en acquitter : tout engagement irréfléchi et que l'on ne tient pas lui déplaît ; quels que soient les vœux que vous avez faits, accomplissez-les : mieux vaut de beaucoup ne point faire de vœux que de ne point tenir ceux qu'on a faits. » C'est aussi à ce péril que l'apôtre veut remédier, quand il dit [3] : « je veux que les jeunes veuves se marient, qu'elles aient des enfants, qu'elles tiennent une maison, et qu'ainsi elles ne donnent à l'ennemi aucune occasion de pécher ; car il en est qui sont retournées à Satan. » Considérant la faiblesse de l'âge, au danger d'une vie meilleure il oppose le remède d'une vie plus libre. Il conseille de se tenir en bas, de peur d'être précipité d'en haut.

C'est également le sentiment du bienheureux Jérôme, dans les instructions qu'il donne à Eustochie. « Si celles, lui dit-il [4], qui sont restées vierges sont néanmoins condamnées pour d'autres péchés, qu'adviendra-t-il de celles qui auront prostitué les membres de Jésus-Christ, et qui auront changé en lieu de débauche le temple de l'Esprit-Saint ? Mieux eût valu pour l'homme subir le mariage et suivre le chemin de la plaine, que de vouloir s'élever et d'être précipité dans les abîmes de l'enfer. » Repassons en esprit tous les préceptes de l'apôtre, nous verrons que c'est aux femmes seulement qu'il permet un second mariage ; pour les hommes, il les engage à la continence. « Si un homme est appelé circoncis, dit-il [5],

qu'il ne se fasse pas gloire de montrer son prépuce. »
Et ailleurs[1] : « N'es-tu pas marié ? Ne cherche pas de
femme. » Moïse, au contraire, plus indulgent aux hommes qu'aux femmes, accorde à l'homme plusieurs
femmes, tandis qu'il refuse à la femme plusieurs maris,
et punit plus sévèrement l'adultère chez les femmes que
chez les hommes[2]. « La femme, dit l'apôtre[3], à la mort
de son mari, est affranchie du lien qui l'attachait à lui ;
elle n'est point adultère en s'unissant à un autre homme. » Et ailleurs[4] : « je dis aux femmes non mariées
qu'il est bon pour elles de rester dans cet état, ainsi que
j'y reste moi-même. Mais si elles ne peuvent garder la
continence, qu'elles se marient : mieux vaut se marier
que de brûler. » Et ailleurs[5] : « la femme dont le mari
est endormi du sommeil éternel est libérée ; elle peut
épouser qui elle voudra, pourvu que ce soit dans le Seigneur ; mais elle sera plus heureuse si, suivant mon conseil, elle reste veuve. » Ce n'est pas seulement un second
mariage qu'il accorde aux femmes ; il ne leur assigne
pas de limites : dès que celui qu'elles ont épousé est
endormi du sommeil éternel, il les autorise à en épouser
un autre. Il ne fixe pas le nombre de leurs mariages,
pourvu qu'elles évitent la fornication. Qu'elles se marient plusieurs fois plutôt que de forniquer une seule
fois, de peur qu'après s'être livrées à un, elles ne payent
à beaucoup d'autres la dette du commerce de la chair.
Le payement de cette dette n'est jamais complètement
pur de péché ; mais on tolère les moindres péchés pour
éviter les plus grands. Qu'y a-t-il donc d'étonnant que,
pour ne pas exposer au péché, on accorde une chose
qui n'en renferme aucun, c'est-à-dire qu'on permette,
en fait d'aliments, tout le nécessaire, non le superflu ?
Car, je le répète, il n'y a point de mal à manger ; le
mal est dans la gourmandise, c'est-à-dire qu'il consiste

à vouloir ce qui n'est pas permis, à désirer ce qui est interdit, à prendre sans retenue, comme il arrive parfois, ce qui peut causer un très grand scandale.

Parmi les aliments des hommes, en est-il un d'aussi dangereux, d'aussi contraire à nos vœux et au repos de la sainteté, que le vin ? Aussi le plus grand des sages nous détourne-t-il avec grand soin d'en user. « Le vin, est-il écrit[1], est une source d'intempérance ; l'ivrognerie est la mère du désordre. Quiconque se plaît à boire n'est pas sage. À qui malheur[2] ? au père de qui malheur ? à qui les querelles ? pour qui les précipices ? pour qui les blessures sans sujet ? pour qui les yeux battus ? si ce n'est pour ceux qui s'attardent à boire et qui font étude de vider les coupes ? Ne regardez pas le vin et ses reflets d'or quand son éclat resplendit dans le verre. Il entre en caressant, mais il finira par mordre comme la couleuvre ; semblable au basilic, il répandra le poison. Vos yeux verront des choses étranges, votre cœur parlera à tort et à travers.

Et vous serez comme un homme endormi en pleine mer, comme un pilote assoupi qui a lâché le gouvernail, et vous direz : « ils m'ont accablé de coups, et je ne m'en suis pas aperçu ; ils m'ont traîné, et je ne l'ai point senti. Et vous répéterez : quand me réveillerai-je et trouverai-je encore du vin ? » Et ailleurs[3] : « ne donne pas, non, ne donne pas du vin aux rois, Lamuel ; où règne l'ivresse, il n'y a plus de secret : le vin pourrait leur faire oublier la justice, et ils trahiraient la cause des enfants du pauvre. » Et dans l'Ecclésiastique[4] : « l'ouvrier adonné au vin ne deviendra jamais riche ; celui qui néglige les petites choses, tombera peu à peu. Le vin et les femmes font apostasier les sages et condamner les gens sensés. »

Le prophète Isaïe, passant sur tous les autres aliments, signale seulement le vin comme une des causes de la captivité du peuple. « Malheur, dit-il[1], à vous qui vous levez dès le matin pour vous livrer à l'ivresse et pour boire jusqu'au soir, échauffés par le vin ! La cithare et la harpe, le tambour, la flûte et le vin, voilà ce qui règne à vos tables, et vous ne songez pas à l'œuvre de Dieu ; c'est pour cela que mon peuple a été conduit en captivité, parce qu'il n'a pas eu l'intelligence. Malheur à vous qui êtes puissants à boire et vaillants à vous enivrer ! » Du peuple il étend ses reproches jusque sur les prêtres et les prophètes. « Eux aussi, dit-il[2], ils sont tellement aveuglés par le vin qu'ils ne se connaissent plus : l'ivresse les fait trébucher. Le prêtre et le prophète, dans leur ivresse, ne se connaissent plus ; ils sont pris de vin, ils trébuchent, ils n'ont pas connu la prophétie, ils ont ignoré le jugement ; toutes les tables sont souillées d'ignobles vomissements ; il n'y a pas une place propre. À qui le Seigneur enseignera-t-il sa loi ? à qui donnera-t-il l'intelligence de sa parole ? » Car il dit, par la bouche de Joël[3] : « réveillez-vous, ivrognes, et pleurez, vous qui buvez par plaisir. » Il ne défend pas, en effet, de boire par nécessité, ainsi que l'apôtre le conseille à Timothée[4], « à cause des faiblesses fréquentes de son estomac ! » : il ne dit pas seulement faiblesses, mais faiblesses fréquentes.

Noé, qui le premier planta la vigne, ignorait encore, sans doute, le mal de l'ivrognerie, et, s'étant enivré, il découvrit son corps : la honte de la luxure est attachée à l'ivresse. Un de ses fils s'étant raillé de lui s'attira sa malédiction, et il fut réduit en servitude ; ce qui n'avait jamais encore été fait auparavant, que nous sachions. Les filles de Loth avaient bien prévu que ce saint homme ne pourrait être entraîné à un inceste que par l'ivresse[5]. La bienheureuse veuve Judith savait[6] bien qu'elle ne pouvait tromper et abattre que par ce moyen l'orgueilleux Holopherne. Nous lisons[1] que, lorsque les anges apparurent aux anciens patriarches, qui leur donnèrent l'hospitalité, ils firent usage de viande, mais non de vin. Les corbeaux qui, matin et soir, portaient au grand Élie[2], notre chef, caché dans la solitude, du pain et de la viande pour se nourrir, ne lui portaient pas de vin.

Le peuple d'Israël, qui, dans le désert, se nourrissait de la chair si délicate des cailles, n'avait pas de vin, et nous ne lisons pas qu'il en ait même jamais désiré[3]. C'est avec des pains et des poissons que le peuple répara ses forces dans le désert : il n'avait pas de vin. C'est seulement aux noces, pour lesquelles on se relâche de la règle, que fut accompli le miracle du vin, source de la luxure[4]. Mais le désert, qui est la demeure propre des moines, a connu le don de la chair plutôt que celui du vin.

C'était un point essentiel de la loi des Nazaréens, que ceux qui se consacraient au Seigneur évitaient le vin et tout ce qui peut enivrer[5]. Est-il, en effet, une vertu, est-il une qualité que les ivrognes puissent conserver ? Aussi lisons-nous que le vin et tout ce qui peut enivrer était interdit aux prêtres de l'ancienne loi. Voilà pourquoi Jérôme, écrivant à Népotien sur la conduite des clercs, s'indigne si vivement de ce que les prêtres de l'ancienne loi, s'abstenant de tout ce qui peut enivrer, étaient par là supérieurs à ceux de la nouvelle. « Ne sentez jamais le vin, dit-il[6], de peur qu'on ne vous applique ce mot du philosophe : ce n'est pas tendre la joue, c'est présenter le corps. »

L'apôtre condamne donc les prêtres adonnés au vin, et l'ancienne loi en interdit l'usage[7] : « ceux qui sont attachés au service de l'autel ne boiront jamais de vin ni de bière », dit-elle. — Par bière, en langue hébraïque, on entend toute boisson qui peut enivrer, qu'elle soit le résultat de la fermentation de la levure, du jus de la pomme ou du miel cuit, qu'elle soit tirée du suc des herbes, des fruits du palmier et des fraises, qui, étendues dans l'eau ou passées au feu, donnent une liqueur douce et onctueuse. — « Tout ce qui peut enivrer et ébranler la raison, fuyez-le à l'égal du vin. » D'après la règle de saint Pacôme[1], « nul, à l'exception des malades, ne doit toucher au vin ou à une liqueur quelconque ». Qui de vous ignore que le vin ne convient nullement aux moines, et que jadis les religieux l'avaient en telle horreur que, pour s'en détourner, ils l'appelaient Satan ? Aussi lisons-nous dans les *Vies des Pères*[2] : « quelqu'un rapporta un jour à l'abbé Pasteur qu'un certain moine ne buvait pas de vin, et il leur dit : le vin ne convient nullement aux moines. » Et quelques lignes plus bas[3] : « un jour qu'on célébrait des messes dans le monastère de l'abbé Antoine, il s'y trouva une cruche remplie de vin ; un des vieillards en versa dans une coupe qu'il porta à l'abbé Sisoï et qu'il lui offrit ; l'abbé Sisoï but ; on lui offrit une seconde coupe, il but encore. Mais lorsqu'on lui en offrit une troisième, il refusa, disant : assez, mon frère, ignores-tu que c'est Satan ? » Et ailleurs encore, au sujet de l'abbé Sisoï : « Abraham, son disciple, lui demandait si ce ne serait pas beaucoup boire, le samedi ou le dimanche, à l'église, que de boire trois coupes de vin : Non, si ce n'était pas Satan, ce ne serait pas beaucoup. » Le bienheureux Benoît n'avait pas oublié ce principe, lorsqu'il permettait le vin aux moines dans une certaine mesure, « Nous lisons bien, sans doute, dit-il[4], que le vin ne convient nullement aux moines ; mais c'est une chose qu'aujourd'hui il serait difficile de leur persuader. »

Il n'est donc pas étonnant que le bienheureux
Jérôme, qui n'autorisait l'usage du vin pour les hommes
qu'avec restriction, le défende absolument aux femmes
dont la nature est plus faible, bien qu'elle résiste mieux
à l'ivresse. En effet, dans les règles de conduite qu'il
donne à la vierge Eustochie pour conserver sa virginité,
il lui tient ce chaleureux langage[1] : « si je suis capable
de donner quelque conseil, et si l'expérience mérite
confiance, voici le premier avis, la première prière que
j'adresse à une épouse du Christ : qu'elle fuie le vin
comme un poison. Ce sont les premières armes des démons contre la jeunesse. La cupidité ébranle moins profondément, l'orgueil rend moins superbe, l'ambition a
moins d'attraits. Nous nous débarrassons aisément des
autres vices : celui-ci est un ennemi enfermé au cœur
de la place ; partout où nous allons, nous le portons
avec nous. Vin et jeunesse, double foyer de volupté.
Pourquoi jeter de l'huile sur le feu ? Pourquoi alimenter
un brasier ardent ? »

Cependant[2] les ouvrages écrits sur la physique ont
démontré que le vin a moins de prise sur les femmes
que sur les hommes. Et Théodore Macrobe en donne
la raison dans son livre des *Saturnales*[3], quand il dit :
« selon Aristote, les femmes s'enivrent rarement, les
vieillards souvent. La femme a le corps très humide ; ce
qui le prouve, c'est le poli et l'éclat de sa peau ; ce qui
le prouve surtout, ce sont les purgations qui la débarrassent périodiquement d'un excès d'humeur. Lors donc
que le vin qu'elle a bu tombe dans ce large courant
d'humeur, il perd sa force, sa chaleur s'y éteint et ne
monte plus au cerveau. » Et encore : « le corps de la
femme, épuré par de fréquentes purgations, est un tissu
criblé de nombreux pores qui facilitent l'écoulement, et
qui offrent un passage à l'humeur qui s'amasse et cher-

che à sortir. C'est par ces pores que la vapeur du vin
s'évapore en un instant. »

Pourquoi donc tolérer chez les religieux ce qu'on refuse aux religieuses ? Quelle folie d'autoriser l'usage du
vin chez ceux auxquels il peut faire le plus de mal, et
de l'interdire aux autres ? Quoi de plus insensé que de
ne pas inspirer à des religieux l'horreur d'une chose qui
est, plus que toute autre, opposée à l'esprit de religion,
et capable de faire apostasier la foi en Dieu ? Quoi de
plus honteux que d'omettre, dans l'abstinence chrétienne, ce qui est interdit aux rois et aux prêtres de
l'ancienne loi ? et même d'y laisser trouver les plus
grandes délices[1] ? Qui ne sait, en effet, quel soin les
clercs et les moines d'aujourd'hui mettent à remplir
leurs celliers de toute espèce de vins, à y mêler des plantes, du miel et d'autres ingrédients qui les enivrent d'autant plus aisément que le mélange est plus agréable, et
qui les excitent d'autant plus à la luxure qu'ils les
échauffent davantage ? Ah ! c'est plus qu'une erreur,
c'est folie, que ceux qui ont fait vœu de continence ne
fassent rien pour observer ce vœu, fassent même tout
pour le rompre. Leurs corps sont retenus dans les cloîtres, mais leur cœur est plein de désir ; leur âme brûle
de toutes les ardeurs de la fornication. « Ne bois pas
encore d'eau, mais prends un peu de vin, à cause des
faiblesses fréquentes de ton estomac », écrivait l'apôtre
à Timothée[2]. C'est à cause de sa délicatesse qu'un peu
de vin lui est permis : il est clair qu'en bonne santé il
n'en prendrait point. Si nous faisons vœu de vivre suivant la règle apostolique, si nous nous engageons particulièrement à faire pénitence, si nous voulons fuir le
siècle, pourquoi faire nos plus grandes délices de ce qui
est particulièrement contraire à notre dessein et de ce
qu'il y a de plus délectable dans tous les aliments ? Le

bienheureux Ambroise, ce grand peintre de la pénitence, ne blâme que le vin dans la nourriture des pénitents[1]. « Est-il croyable, dit-il, qu'on fasse pénitence,
quand on a l'ambition des honneurs, quand on use et
abuse du vin, quand on se donne les jouissances du
mariage ? Il faut renoncer au siècle. Il m'a été plus facile
de trouver des hommes ayant conservé leur innocence
que des hommes faisant pénitence comme il faut. » Et
ailleurs, dans le livre sur la *Fuite du siècle*[2] : « vous le
fuyez bien, dit-il, si vos yeux évitent les coupes et les
bouteilles, de peur de prendre le goût de la luxure en s'ar-
rêtant sur le vin. » Parmi les aliments à éviter, il ne cite,
dans son ouvrage, que le vin : fuir le vin, c'est assez, il l'affirme, pour fuir le siècle ; il semble, à son sens, que toutes
les voluptés du siècle dépendent du vin. Et il ne dit pas :
si votre bouche évite de le goûter ; mais : si vos yeux évitent de le voir ; de peur qu'à force de le regarder, les attraits de la débauche et de la volupté ne vous saisissent.
C'est aussi ce que Salomon veut dire dans le passage que
j'ai cité plus haut[3] : « ne regardez pas le vin et ses reflets
d'or, quand son éclat resplendit dans le verre. » Que di-
rons-nous donc, je vous prie, nous qui, pour qu'il nous
fasse plaisir à boire comme à voir, y mêlons du miel, des
plantes, toute espèce d'ingrédients, nous qui voulons
boire encore par l'odorat ?

Forcé de tolérer l'usage du vin, le bienheureux Benoît
disait[4] : « nous n'y consentons qu'à la condition expresse
qu'on ne boira pas jusqu'à la satiété, mais avec mesure ;
car le vin fait apostasier même les sages[5]. » Plût à Dieu
que nous en fussions à nous contenter de boire jusqu'à
satiété, et que nous ne nous laissions pas aller, par une
transgression plus grave, jusqu'à l'excès ! Le bienheureux Augustin, dans sa règle pour les monastères qu'il
avait établis, dit : « le samedi seulement et le dimanche,

selon la coutume, on donnera du vin à ceux qui en voudront. » C'était autant par respect pour le dimanche et
pour les vigiles du dimanche, qui ont lieu le samedi, que
parce que les frères, dispersés d'ordinaire dans leurs cellules, se réunissaient ce jour-là, ainsi que le bienheureux
Jérôme le rappelle dans la *Vie des Pères*, où il dit en parlant d'un monastère qu'il appelle la Celle[1] : « chacun
reste dans sa cellule ; le samedi et le dimanche seulement,
on se rassemble à l'église, et là, tous se regardent comme
s'ils étaient revenus du ciel. » Voilà pourquoi c'était une
tolérance convenable que celle qui procurait quelque
plaisir à la communauté réunie, alors que les frères sen-
taient plus qu'ils ne disaient[2] : « combien c'est chose
bonne et douce d'habiter en frères sous le même toit ! »

Actuellement, si nous nous abstenons de viande, est-
ce un si grand mérite, quand nos tables sont chargées
d'une quantité superflue d'autres aliments ? nous ache-
tons à grands frais toute espèce de poissons ; nous mé-
langeons les saveurs du poivre et des épices ; gorgés de
vin, nous y ajoutons encore des boissons et des liqueurs
fortes : l'excuse de tout cela, c'est l'abstinence des viandes à vil prix, abstinence devant le monde, encore :
comme si c'était la qualité et non la superfluité des aliments qui faisait la faute ! Ce que Dieu nous défend,
c'est la goinfrerie et l'ivrognerie, c'est-à-dire la superfluité, et non la qualité de la nourriture et du vin[3].

Aussi le bienheureux Augustin ne craint-il dans la
nourriture que le vin, et ne fait-il aucune distinction
d'aliments ; il lui suffit qu'on s'abstienne de vin, ainsi
qu'il le recommande en peu de mots. « Domptez votre
chair par le jeûne et par l'abstinence dans le boire et le
manger, dit-il[4], autant que votre santé vous le permettra. » Il avait lu, si je ne me trompe, ce passage des
Exhortations du bienheureux Athanase aux moines[5] :

« pour les jeûnes aussi, on ne doit pas les mesurer à la
volonté, mais à la possibilité, qui s'étend en raison de
l'effort. Que les jeûnes aient lieu tous les jours, sauf le
dimanche ; qu'ils soient toujours solennels, s'ils ont fait
l'objet d'un vœu. » C'est comme s'il eût dit : si l'on a
fait le vœu de jeûner, il faut le tenir dévotement en tout
temps, excepté le dimanche. Il n'assigne d'ailleurs aucune règle aux jeûnes : la mesure, pour chacun, c'est sa
santé. « Il ne regarde qu'à la force du tempérament »,
est-il dit ; « il permet à chacun de se fixer une règle,
sachant qu'on ne pèche en rien quand on observe la
mesure en tout. » Il tient ce langage, sans doute, pour
que nous ne nous laissions pas amollir par les voluptés,
comme ce peuple nourri de la fleur du froment et du
vin le plus pur, dont il est écrit[1] : « ce peuple chéri
s'est engraissé et s'est révolté. » Il ne faut pas que, ayant
macéré nos corps par une abstinence déraisonnable,
nous succombions, absolument vaincus, ou que nous
perdions notre récompense par nos murmures, ou que
nous nous glorifiions de notre prouesse. C'est l'excès
que l'Ecclésiaste veut prévenir, quand il dit[2] : « le juste
périt dans sa justice. Ne soyez donc pas juste au delà
de la mesure, ni sage plus qu'il ne faut afin de ne pas
devenir insensé » ; c'est-à-dire prenez garde de vous
gonfler d'admiration pour votre prouesse.

C'est à la sagesse, mère de toutes les vertus, de mesurer le poids des fardeaux ; de n'imposer à chacun que
ce qu'il peut porter, c'est-à-dire à chacun selon sa propre vertu ; de suivre la nature, non de la traîner ; de ne
jamais proscrire l'usage, mais seulement l'abus ; de ne
supprimer que le superflu en respectant le nécessaire ;
en un mot, de déraciner les vices sans blesser la nature.
C'est assez, pour les faibles, d'éviter le péché, même
s'ils n'atteignent pas le sommet de la perfection. Il suffit

d'avoir un coin dans le paradis pour ceux qui ne peuvent prendre place auprès des martyrs. Il est plus sûr
de faire des vœux mesurés, afin que la grâce, par ses
effets, y puisse ajouter quelque chose. C'est pourquoi il
est écrit : « lorsque vous aurez fait tout ce qui est ordonné, dites : nous sommes des serviteurs inutiles ; nous
avons fait ce que nous devions. » — « La loi, dit l'apôtre[1], produit la colère ; car où il n'y a point de loi, il n'y
a point de prévarication. » Et ailleurs[2] : « sans la loi, le
péché était mort, et moi je vivais autrefois sans loi ;
mais, le commandement étant survenu, le péché est ressuscité, et moi je suis mort ; et il s'est trouvé que le
commandement, qui était fait pour me donner la vie,
m'a donné la mort ; car le péché, ayant pris occasion
du commandement, m'a séduit et tué par ce commandement même ; en sorte que le péché est devenu, par le
commandement, pécheur au plus haut point. » Augustin disait de même à Simplicien[3] : « la défense a augmenté le désir, qui est devenu plus doux et par cela
même nous a trompés. » Et dans le livre des *Questions*[4],
question soixante-sixième : « le charme du péché est
plus entraînant et plus vif lorsqu'il y a défense. »

D'où ce qu'a dit le poète[5] : « Toujours nous tendons
vers ce qui nous est interdit et nous désirons ce qu'on
nous refuse. »

Que ces réflexions fassent donc trembler quiconque
veut se soumettre au joug de quelque règle et s'engager
dans les vœux d'une loi nouvelle. Qu'il choisisse selon
ses forces ; qu'il évite ce qui les dépasse. On n'est coupable envers la loi, que lorsqu'on a fait serment de lui
obéir. Réfléchissez avant de vous engager ; après la profession, observez votre engagement. Avant, l'acte est volontaire ; après, l'obéissance est nécessaire. « Dans la
maison de mon Père, a dit la Vérité[6], il y a plusieurs

demeures. » Ainsi y a-t-il aussi plusieurs voies qui y conduisent. On n'est pas condamné par le mariage, seulement on est sauvé plus aisément par la virginité. Ce n'est pas pour nous sauver que les saints Pères ont institué des règles, mais pour que nous puissions faire plus facilement notre salut et nous consacrer plus purement à Dieu. « Une vierge, dit l'apôtre[1], ne pèche pas en se mariant ; mais, mariée, elle souffrira dans sa chair des maux que je veux vous éviter. » Et encore[2] : « une femme qui n'est point mariée et qui est vierge ne pense qu'aux choses du Seigneur, en sorte qu'elle est sainte de corps et d'âme ; mais celle qui est mariée pense aux choses de ce monde, elle cherche comment elle plaira à son mari. Je vous le dis donc dans votre intérêt, non pour vous tendre un piège ; je vous le dis pour vous engager à ce qui est bien, à ce qui vous donnera la facilité de prier Dieu sans obstacle. »

Or rien n'est plus facile lorsque, s'éloignant matériellement du monde, on se renferme dans les cloîtres des monastères, de façon à ne plus être troublé par les tumultes du siècle. Mais ce n'est pas seulement à celui qui se soumet à la loi, c'est à celui qui l'impose de prendre garde, en multipliant les commandements, de multiplier les transgressions. En venant en ce monde, le Verbe de Dieu a abrégé la loi. Moïse avait beaucoup parlé, bien que, comme dit l'apôtre[3], « ce ne soit pas la loi qui conduise à la perfection. » En effet, ses commandements étaient si nombreux et d'une observation si difficile, que l'apôtre Pierre déclare que personne n'a pu en soutenir le poids. « Mes frères, dit-il[4], pourquoi tenter Dieu en imposant sur la tête de vos disciples un joug que ni nos pères ni nous n'avons pu porter ? Nous croyons que la grâce du Seigneur Jésus nous sauvera et eux aussi. »

C'est en peu de mots que le Christ a instruit ses apôtres des règles de la pureté des mœurs et de la sainteté
de la vie, qu'il leur a enseigné la perfection. Écartant
les préceptes austères et difficiles, il n'en a donné que
de doux et de faciles, et il y a renfermé toute la religion.
« Venez à moi, dit-il [1], vous tous qui peinez et qui êtes
chargés, et je vous réconforterai. Imposez-vous mon
joug, apprenez de moi que je suis doux et humble de
cœur, et vous trouverez le repos de vos âmes ; car mon
joug est doux et mon fardeau léger. »

En effet, il en est souvent des œuvres de sainteté
comme des choses du siècle. Ce sont bien souvent ceux
qui peinent le plus qui gagnent le moins ; de même, ce
ne sont pas toujours ceux qui paraissent les plus éprouvés qui ont le plus de mérite devant Dieu : Dieu regarde
les cœurs plutôt que les œuvres. Plus on est occupé aux
choses du dehors, moins on peut vaquer au soin des
choses du dedans ; d'autant que plus on est connu des
hommes qui jugent sur les dehors, plus on acquiert de
gloire parmi le monde, plus on se laisse séduire par l'orgueil. C'est pour prévenir cet égarement que l'apôtre
rabaisse grandement le mérite des œuvres et insiste sur
la justification par la foi. « Si Abraham, dit-il [2], a été
justifié par ses œuvres, il a de quoi se glorifier, mais non
devant Dieu. En effet, que dit l'Écriture ? Abraham
crut en Dieu, et cela lui a été imputé à vertu. » Et encore [3] : « que disons-nous donc ? que les Gentils, qui ne
cherchaient point la justice, ont atteint la justice, cette
justice qui vient de la foi, tandis qu'Israël, en cherchant
la loi de justice, n'est point parvenu à la loi de justice ?
Pourquoi ? parce que ce n'était pas par la foi, mais
comme par les œuvres. » Ceux qui tiennent cette conduite ressemblent aux gens qui nettoient l'extérieur
d'un plat ou d'un vase, mais qui ne s'occupent pas de

la propreté de l'intérieur ; plus occupés de la chair que de l'âme, ils sont plus charnels que spirituels.

Pour nous, qui désirons que le Christ habite dans l'homme intérieur par la foi, nous faisons peu de cas des choses extérieures qui sont communes aux réprouvés et aux élus, suivant ce qui est écrit[1] : « Ils sont en moi, mon Dieu, les vœux que je vous ai faits, je m'en acquitterai dans un sacrifice de louange. » Aussi ne suivons-nous pas les préceptes d'abstinence extérieure de la loi, laquelle évidemment ne contribue en rien à la vertu. Le Seigneur ne nous a rien interdit en fait de nourriture, mais seulement la goinfrerie et l'ivresse, c'est-à-dire l'excès[2]. Ce qu'il a toléré en nous, il n'a pas rougi de l'autoriser par son propre exemple, même si beaucoup se scandalisaient et s'emportaient en reproches. Ce qui lui a fait dire de lui-même[3] : « Jean est venu ne mangeant ni ne buvant, et ils ont dit : il est possédé du démon. Le Fils de l'Homme est venu mangeant et buvant, et ils ont dit : voilà un goinfre, un ivrogne. » Et même pour excuser ses disciples, qui ne jeûnaient pas comme ceux de Jean, et qui, pour manger, ne se mettaient pas en peine de laver leurs mains, il dit[4] : « les fils de l'époux ne peuvent prendre le deuil, tandis qu'il est au milieu d'eux. » Et ailleurs[5] : « ce n'est pas ce qui entre dans la bouche de l'homme qui le souille, c'est ce qui en sort. Or, ce qui sort de la bouche vient du cœur, et voilà ce qui souille l'homme ; mais de ne point se laver les mains pour manger, cela ne souille pas l'homme. »

Ce n'est donc pas la nourriture qui souille l'âme, c'est la convoitise de la nourriture défendue. Car, ainsi que le corps ne peut être souillé que par des choses corporelles, l'âme ne peut être souillée que par des choses spirituelles. Ce qui se passe dans notre corps n'est point à craindre, si l'âme n'y a point de part, et il n'y a pas à se glorifier de la pureté de son corps, lorsque l'âme est intentionnellement corrompue. C'est donc dans le cœur que réside tout entière la mort ou la vie de l'âme. Ce qui fait dire à Salomon, dans ses Proverbes[1] : « gardez votre cœur avec toute la vigilance possible, car il est la source de la vie. » Suivant cette déclaration de la Vérité, c'est du cœur que sort ce qui souille l'homme, parce que l'âme se perd ou se sauve par ses bons ou ses mauvais désirs.

Mais comme l'âme et le corps sont intimement unis dans la même personne, il faut bien prendre garde que le plaisir du corps n'entraîne le consentement de l'âme, et que, par trop d'indulgence pour la chair, la chair, abandonnée à elle-même, n'entre en lutte avec l'esprit et ne domine là où elle doit obéir. Or, nous éviterons ce danger si, comme je l'ai dit, donnant satisfaction à tous les besoins du corps, nous en retranchons le superflu, et si nous accordons au sexe le plus faible l'usage de toute nourriture, ne lui en interdisant que l'abus. Qu'il soit permis de manger de tout, mais qu'il ne soit permis de manger de rien avec excès. « Tout ce que Dieu a créé, dit l'apôtre[2], est bon, et il ne faut rien rejeter de ce qui est reçu avec des actions de grâce ; car la parole de Dieu et la prière le sanctifient. En donnant cette règle à tes frères, tu te montreras bon ministre du Christ, nourri des paroles de la foi et de la bonne doctrine à laquelle tu t'es attaché. »

Nous donc, suivant avec Timothée la doctrine de l'apôtre, et, selon le précepte du Seigneur, n'évitant rien dans les aliments que la goinfrerie et l'ivresse, usons de tous dans une mesure telle qu'ils servent à soutenir en nous la faiblesse de la nature, non à nourrir les vices. Portons surtout cette mesure dans l'usage de ceux qui, par leur superfluité, peuvent être les plus dangereux : il est plus grand et plus louable de manger sobrement que de jeûner tout à fait. Ce qui fait dire au bienheureux Augustin dans son *Traité sur le bien conjugal*, là où il parle des aliments qui doivent soutenir le corps[1] : « on n'use bien que des choses dont on peut se passer. Beaucoup, en effet, trouvent plus aisé de n'en pas user du tout, que d'en régler sagement l'usage ; il n'y a pas sagesse cependant là où il n'y a pas continence. » C'est de cette mesure que Paul disait[2] : « je sais supporter l'abondance et la privation. » Souffrir la privation, c'est le lot de tous les hommes ; mais savoir souffrir la privation est le trait des grands hommes. De même, il n'est personne qui ne puisse commencer à vivre dans l'abondance ; mais savoir supporter l'abondance est le propre de ceux que l'abondance ne corrompt point.

Quant au vin, qui, je le répète, est une source de luxure et de désordre, et qui, par là même, est aussi contraire à la continence qu'au silence, ou bien les femmes s'en abstiendront absolument pour l'amour de Dieu, comme les femmes des Gentils en étaient privées par la crainte des adultères ; ou bien elles le tempéreront avec de l'eau, afin de pourvoir en même temps et à leur soif et à leur santé, sans se faire de mal ; et il en sera ainsi, si le mélange contient au moins un quart d'eau. Le plus difficile est de ne pas boire à satiété le vin que nous avons près de nous, ainsi que le recommande le bienheureux Benoît[3]. Aussi pensons-nous qu'il est plus sûr de ne pas interdire la satiété pour ne pas nous exposer à un autre danger ; car ce n'est pas dans la satiété, je le répète, c'est dans la superfluité qu'est le mal. Quant à composer du vin avec des plantes comme médicament, ou à prendre du vin pur, nous ne l'interdisons point ; mais à la condition que les malades seuls en goûtent, et que la communauté n'en use point.

Défense absolue de faire le pain avec du froment pur ; lorsqu'on aura du froment, on y devra mêler au moins un tiers de farine plus grossière. Point de pain tendre ; du pain qui soit cuit au moins de la veille. Quant aux autres aliments, la diaconesse y pourvoira ; c'est, comme je l'ai dit, en achetant les choses les moins chères et les plus faciles à se procurer, qu'elle devra subvenir aux besoins du sexe faible. Quelle folie, en effet, d'acheter aux autres, quand ce qu'on a soi-même suffit ? de chercher au dehors le superflu, quand on a chez soi le nécessaire ? de se donner de la peine pour avoir au delà du suffisant, quand on a le suffisant sous la main.

Ces sages habitudes de mesure, ce sont moins les hommes que les anges, voire Dieu lui-même qui nous les enseigne et qui nous montre que ce qu'il faut pour cette vie de passage, ce n'est pas de rechercher la qualité des aliments, c'est de se contenter de ceux qu'on a près de soi. Les anges mangèrent des viandes qu'Abraham leur servit[1] ; c'est avec des poissons trouvés dans le désert que le Seigneur Jésus rassasia une multitude à jeun[2]. Ce qui prouve clairement que l'usage de la chair ou du poisson n'a rien de répréhensible en soi, et qu'il faut prendre la nourriture qui est pure du péché, s'offre d'elle-même et est de l'apprêt le plus facile, du prix le moins coûteux.

Sénèque, le plus grand des sectateurs de la pauvreté et de la continence, le plus éminent des prédicateurs de morale parmi les philosophes, disait[3] : « notre but est de vivre selon la nature. Or, il est contre la nature de tourmenter son corps, de fuir la propreté qui ne coûte rien, de se plaire dans la saleté, d'user d'une nourriture, non grossière, mais dégoûtante. Et si chercher les choses délicates est le propre de la mollesse, c'est folie de se priver de celles dont tout le monde use et qui coûtent peu. La philosophie exige qu'on soit sobre, non qu'on se martyrise. Il peut y avoir une sage frugalité ; c'est cette mesure qui me plaît. » C'est ce qui fait aussi que Grégoire, dans son trentième livre des *Morales* [1], pour montrer que les hommes pèchent moins par la qualité des aliments que par celle des sentiments, distingue ainsi les tentations de la gourmandise : « tantôt elle cherche les aliments les plus délicats ; tantôt elle prendra la première chose venue, mais à la condition que la préparation en soit tout particulièrement soignée. » C'est quelquefois ce qu'il y a de plus grossier qu'elle désire, et cependant par la violence même de ce désir, elle pèche encore.

Le peuple tiré d'Égypte succomba dans le désert parce que, au mépris de la manne, il demanda des viandes qu'il croyait plus délicates. Ésaü perdit la gloire de son droit d'aînesse [2], pour avoir ardemment désiré une nourriture grossière, un plat de lentilles. En vendant à ce prix son droit d'aînesse, il a trahi la violence de sa convoitise. Ce n'est pas dans la nourriture, c'est dans la convoitise qu'est le péché. Aussi pouvons-nous bien souvent manger les mets les plus délicats sans péché, tandis qu'il en est de grossiers auxquels nous ne pouvons toucher sans que notre conscience nous accuse. Ésaü donc, je le répète, a perdu son droit d'aînesse pour un plat de lentilles, et Élie, dans le désert, a conservé la pureté de son corps en mangeant de la viande. Aussi l'antique ennemi du monde, sachant bien que ce n'est pas l'aliment, mais la convoitise de l'aliment qui est la cause de la condamnation, s'est assujetti le premier homme, non avec de la chair, mais avec une pomme. Le second, c'est également avec du pain, non avec de la viande qu'il l'a tenté [3]. Ainsi commettons-nous bien souvent le péché d'Adam, alors même que nous prenons des aliments vils et grossiers.

Il faut donc prendre ce que réclame le besoin de la nature, non ce que la passion de manger suggère. On désire avec moins d'ardeur ce qui a moins de prix, ce qui est moins rare et moins cher. Telles sont les viandes communes, qui, valant mieux que le poisson pour soutenir des tempéraments faibles, sont moins coûteuses et d'un plus facile apprêt.

Il en est de la viande et du vin comme du mariage : ce sont choses intermédiaires entre les bonnes et les mauvaises, c'est-à-dire indifférentes, bien que le commerce de la chair ne soit pas tout à fait sans péché, et que le vin soit le plus pernicieux de tous les aliments. Or si, pris avec mesure, le vin n'est pas interdit au régime religieux, qu'avons-nous à craindre pour les autres aliments [1], dès le moment que nous ne dépassons pas la mesure ? Si le bienheureux Benoît [2], tout en reconnaissant que le vin ne convient pas aux moines, se croit cependant obligé, à cause du refroidissement de la ferveur de l'ancienne charité, d'en tolérer l'usage dans une certaine mesure, que ne devons-nous pas permettre aux femmes, auxquelles aucune règle encore n'interdit rien ? Si les évêques eux-mêmes, si les chefs de la sainte Église, si, enfin, les communautés religieuses peuvent, sans pécher, manger de la viande parce qu'ils n'ont pas fait de vœux qui les en empêchent, qui pourra nous blâmer d'être aussi tolérants pour des femmes, quand surtout elles sont soumises en tout le reste à une plus grande austérité ? Il suffit au disciple d'être comme son maître [3] ; et ce serait une grande inconséquence que de refuser à des communautés de femmes ce qu'on accorde à des communautés d'hommes. Il faut prendre garde que les femmes, avec la règle sévère du monastère, ne soient pas inférieures, sur le point de la viande, aux fidèles laïcs, puisque, au témoignage de Chrysostome [4],

« rien n'est permis aux séculiers qui ne soit permis aux moines, sauf le droit de se marier ». Le bienheureux Jérôme aussi, jugeant que la conduite des clercs ne doit pas être inférieure à celle des moines, dit : « c'est comme si l'on prétendait que tout ce qui est enjoint aux moines ne s'étend pas aux clercs, qui sont les pères des moines. »

Et qui peut méconnaître qu'il est contraire à tout discernement d'imposer aux faibles la même charge qu'aux forts, et d'obliger les femmes à la même abstinence que les hommes ? En veut-on une preuve, indépendamment des enseignements de la nature ? Que l'on consulte le bienheureux Grégoire ; ce chef, ce docteur éminent de l'Église, éclairant sur ce point les autres docteurs de l'Église, au chapitre vingt-quatrième de son *Pastoral*, s'exprime ainsi[1] : « autres sont les instructions à donner aux hommes, autres celles qui conviennent aux femmes. Aux uns, on peut imposer un joug pesant, aux autres, il faut un joug plus doux ; à ceux-ci les grandes épreuves, à celles-là des épreuves légères qui les convertissent doucement. » Ce qui est peu de chose pour les forts est beaucoup pour les faibles. Au reste, l'usage des viandes communes donne moins de plaisir que celui de la chair des poissons ou des oiseaux. Cependant le bienheureux Benoît ne nous les interdit pas[2], et l'apôtre, en faisant la distinction de diverses espèces de viandes, dit[3] : « toute chair n'est pas même chair ; celle des hommes n'est pas celle des animaux ; autre est celle des oiseaux, autre celle des poissons. » La loi du Seigneur a mis au nombre des chairs à lui offrir en sacrifice celle des animaux, celle des oiseaux, et point celle des poissons, afin qu'on ne croie pas que la chair du poisson est plus pure aux yeux de Dieu que la viande. En effet, le poisson est une chair d'autant plus dispendieuse et plus onéreuse pour les pauvres, qu'elle est moins abondante et moins fortifiante ; elle coûte davantage et ne nourrit pas autant.

Prenant donc en considération les ressources des hommes et leur nature, nous n'interdisons pour les aliments, je le répète, que le superflu. Nous recommandons l'usage modéré des viandes et de tous les autres aliments, en telle sorte que l'abstinence soit plus sévère chez les religieuses, tous les aliments leur étant permis, que chez les religieux, à qui certains aliments sont interdits. Nous voulons que l'usage de la viande soit réglé de telle façon qu'elles n'en mangent qu'une fois par jour ; qu'on ne serve jamais deux portions de viandes différentes à la même personne ; qu'on n'y ajoute aucune garniture, et qu'on ne puisse user de chair plus de trois jours par semaine, savoir : le dimanche, le mardi et le jeudi, quelles que soient les fêtes qui tombent dans les intervalles ; car plus grande est la solennité, plus il la faut célébrer par l'abstinence. C'est à quoi Grégoire de Nazianze, ce remarquable docteur, nous engage vivement dans son troisième livre de la Chandeleur ou de la seconde Épiphanie [1]. « Célébrons ce jour de fête, sans complaisance pour notre ventre, mais exultant dans l'esprit. » Et ailleurs, au quatrième livre de son traité *Sur la Pentecôte et l'Esprit-Saint* [2] : « ce jour est le jour de notre fête, dit-il ; amassons dans le trésor de nos cœurs quelque chose de durable, d'éternel, non de ces choses qui passent et se dissolvent. Le corps a assez de ses mauvais penchants, il n'a que faire de plus de matière ; c'est une bête insolente, gardons-nous de la rendre plus insolente par une abondante nourriture : elle nous tourmenterait plus violemment. » Il faut donc célébrer les fêtes tout spirituellement. C'est aussi ce que recommande, dans sa lettre sur la manière de recevoir les présents, le bienheureux Jérôme, fidèle à la doctrine de son maître. « Nous devons moins nous inquiéter, dit-il[1], de célébrer les fêtes par l'abondance de la chère que par l'exaltation de l'esprit : il serait absurde d'honorer par des excès de table un martyr qui s'est rendu agréable à Dieu par ses jeûnes. » Augustin, *Sur l'utilité de la pénitence*[2] : « considérez ces milliers de martyrs : pourquoi célébrer leurs fêtes par des repas de débauche, et ne pas plutôt imiter leur vie par une honnête conduite ? »

Les jours où on ne mangera pas de viande, il y aura deux portions de légumes : on pourra ajouter du poisson. Point d'assaisonnement recherché ; on se contentera de ceux qui sont produits par le pays. Point de fruits que le soir. Quant à celles qui ont besoin d'être soignées, nous ne défendons point qu'on leur serve des herbes, des racines, des fruits, ou autre chose de ce genre.

Si quelque religieuse étrangère à laquelle on aura donné l'hospitalité prend part au repas, on lui offrira une portion supplémentaire, pour lui donner une idée de la charité de la maison. Elle sera libre de partager cette portion avec qui elle voudra. On la fera asseoir à la grande table, elle et les autres, si elles sont plusieurs. La diaconesse les servira ; elle prendra ensuite son repas avec les servantes de table.

Si quelque sœur veut dompter en elle les ardeurs de la chair en diminuant la quantité de sa nourriture, qu'elle ne prenne point sur elle de rien faire sans permission ; cette permission ne devra jamais lui être refusée, si ce n'est point un caprice, mais un sentiment de vertu qui lui a inspiré ce désir de privation, et si son tempérament est de force à la supporter. Mais il ne sera jamais permis à qui que ce soit de demeurer un jour sans manger.

Les vendredis, on ne mangera jamais rien d'accommodé au gras ; on se contentera de la nourriture des jours de Carême, abstinence qui sera comme une marque de compassion pour les souffrances de l'époux mort ce jour-là. Il est encore une chose qu'il faut non seulement défendre, mais avoir en horreur, bien qu'elle soit en usage dans la plupart des monastères : c'est que les religieuses essuient leurs mains ou leurs couteaux avec les morceaux de pain qui restent du dîner et qui sont la part des pauvres : pour ménager le linge de table, on ne doit point salir le pain des pauvres, que dis-je ? le pain de celui qui a dit en parlant des pauvres[1] : « ce que vous avez fait au moindre des miens, c'est à moi que vous l'avez fait. »

Relativement aux jeûnes, il suffira de suivre la règle générale de l'Église ; car nous ne prenons pas sur nous d'imposer aux religieuses des pratiques plus sévères que celles des fidèles laïques ; nous ne voulons pas mettre la faiblesse des femmes au-dessus de la force des hommes. Depuis l'équinoxe d'automne jusqu'à Pâques, à cause de la brièveté des jours, nous pensons qu'un seul repas suffit ; nous disons à cause de la brièveté des jours, et non eu égard à l'abstinence monastique. Nous ne ferons point ici de distinction d'aliments.

Quant aux vêtements, on évitera par-dessus tout les vêtements de prix, qui sont absolument condamnés par l'Évangile. Le Seigneur lui-même nous en détourne, en condamnant l'orgueil du mauvais riche, et en exaltant l'humilité de Jean. C'est ce qu'explique le bienheureux Grégoire dans sa sixième *Homélie sur l'Évangile*. « Pourquoi, dit-il[2], se sert-il de ces paroles : « les gens qui sont délicatement vêtus dans les maisons des rois[3], » si ce n'est pour démontrer clairement qu'ils combattent pour le royaume de la terre, non pour celui des cieux, ceux qui refusent de souffrir pour Dieu, et qui, adonnés tout entiers aux biens extérieurs, ne cherchent que les douceurs et les délices de la vie présente ? » Et le même, dans sa quarantième *Homélie* : « il en est qui pensent que le goût des vêtements délicats et de grand prix n'est pas un péché. Si ce n'était pas une faute, la parole du Seigneur n'indiquerait pas aussi expressément que le riche qui souffrait les tortures de l'enfer était couvert de lin et de pourpre[1]. Or, on ne recherche des vêtements de luxe que pour la satisfaction d'une vaine gloire, que dans l'idée de s'attirer plus d'hommages. Ce qui le prouve, c'est qu'on ne se revêt d'habits de prix que là où l'on peut être vu du monde. » Pierre détourne également de cet abus les femmes séculières et mariées, dans sa première *Épître*[2] : « que les femmes soient soumises à leurs maris, en telle sorte que si les maris ne croient pas à la parole des femmes, ils soient gagnés par les exemples de leur conduite, et envisagent avec crainte votre vie chaste. Point de parure extérieure : cheveux tressés, bijoux d'or, élégance de la toilette ; mais qu'elles portent ce qui est caché dans le cœur de l'incorruptibilité d'un esprit calme et modeste, ce qui est précieux aux yeux de Dieu. »

C'est avec raison qu'il a cru devoir détourner de cette vanité les femmes plutôt que les hommes, parce que leur esprit faible les y pousse d'autant plus que la luxure a plus de prise sur elles. Or si les femmes qui vivent dans le monde doivent être retenues, que convient-il de faire à l'égard des femmes vouées à Dieu, elles dont le véritable ornement est de n'en avoir pas ? Pour elles, rechercher cette élégance ou ne pas la rejeter, c'est perdre leur réputation de chasteté ; c'est sembler se préparer moins à la religion qu'à la fornication ; c'est être comptées au rang, non des religieuses, mais des courti-

sanes. Pour elles la parure est comme l'appel à l'entre-
metteur, elle trahit la corruption de l'âme, ainsi qu'il
est écrit[1] : « l'habillement, le rire, la marche, révèlent
l'homme. »

Nous voyons que le Seigneur a loué et exalté dans
Jean-Baptiste la grossièreté des vêtements plutôt que
l'austérité des aliments. « Qu'êtes-vous allé voir, dit-il[2],
dans le désert ? un homme vêtu d'habits délicats ? »
Parfois, en effet, la recherche dans les aliments peut
avoir quelque utilité, mais dans les vêtements, jamais ;
plus les vêtements sont précieux, plus on les conserve
avec soin ; moins ils servent, plus ils coûtent à celui qui
les a achetés ; leur finesse même fait qu'ils se détériorent
plus aisément et procurent au corps moins de chaleur.

Les habits seront d'étoffe de laine noire ; point d'autre couleur, c'est celle qui convient au deuil de la pénitence, et aucune fourrure ne convient mieux que celle
des agneaux aux épouses du Christ ; ce vêtement leur
remettra en mémoire qu'elles doivent toujours paraître
revêtues ou se revêtir de l'Agneau, époux des vierges.

Les voiles ne seront pas de soie, mais de toile ou
d'étoffe teinte. Il y en aura de deux sortes : les uns pour
les vierges consacrées par l'évêque, les autres pour les
novices. Les voiles des vierges consacrées seront mar-
qués du signe de la croix, qui témoignera par sa blancheur que leur corps est entièrement voué au Christ, et
que la différence qui existe entre leur habit et celui des
autres est en raison de leur consécration : en sorte
qu'arrêtés par ce signe, les fidèles aient plus horreur de
porter sur elles un œil de concupiscence. Mais ce n'est
qu'après la consécration de l'évêque que la vierge
pourra porter sur le sommet de la tête cette croix faite
de fil blanc, en signe de la pureté virginale : nul autre
voile n'aura cette marque[3].

Elles porteront sur la peau des chemises de toile, qu'elles ne quitteront pas même pour dormir. Nous ne refusons pas à la délicatesse de leur nature l'usage des matelas et des draps. Elles mangeront et coucheront chacune séparément. Nulle ne trouvera mauvais que l'on passe à une de ses sœurs qui en a un plus pressant besoin les habits ou autre chose qui lui auraient été donnés à elle-même. Elle sera particulièrement heureuse, au contraire, d'avoir eu un fruit de l'aumône à offrir à sa sœur en peine, et de penser qu'elle vit non pour elle, mais pour les autres ; autrement, elle n'aurait plus droit d'appartenir à la communauté, elle serait coupable du sacrilège de propriété.

Nous croyons qu'il suffit, pour couvrir le corps, d'une chemise, d'une peau d'agneau et d'une robe, en ajoutant par-dessus, pendant la rigueur du froid, un manteau qui serve de couverture, au lit. Pour prévenir par le lavage l'invasion de la vermine et l'encrassement, elles auront tous ces vêtements en double, ainsi que Salomon a dit, à la louange de la femme forte et sage[1] : « elle ne craint pas pour sa maison le froid de l'hiver, car tous ses serviteurs ont double vêtement. » La taille de l'habit sera mesurée ; il ne devra pas descendre au-dessous du talon, pour ne pas soulever la poussière. Les manches n'excéderont pas la longueur des bras et des mains. Les jambes seront couvertes de chausses, et les pieds de chaussons et de souliers. Jamais elles ne marcheront pieds nus, même sous prétexte de dévotion. Chaque lit aura un matelas, un traversin, un oreiller, une couverture et un drap. La tête sera couverte d'une bandelette blanche avec un voile noir par-dessus ; lorsqu'il sera nécessaire, à cause de la tonsure, on ajoutera un bonnet de peau d'agneau.

Ce n'est pas seulement dans la nourriture et l'habillement qu'il faut éviter le superflu, c'est aussi dans les bâtiments et tous les autres biens. Quant aux bâtiments, s'ils sont plus spacieux ou plus beaux qu'il n'est nécessaire, si nous les ornons de peintures ou de sculptures, il sera manifeste que ce ne sont plus des asiles de pauvres, ce sont des palais de rois. « Le Fils de l'homme n'a pas où reposer sa tête[1], dit Jérôme[2], et vous avez de vastes portiques et des bâtiments immenses ! » Se plaire à avoir de beaux chevaux, des chevaux de prix, ce n'est pas seulement de la superfluité, c'est évidemment une vanité pure. Multiplier ses troupeaux, étendre ses domaines, c'est donner carrière à l'ambition des biens extérieurs ; plus nous possédons sur cette terre et plus nous sommes forcés de penser à ce que nous possédons, plus nous sommes détournés de la contemplation des choses du ciel. Notre corps a beau être enfermé dans un cloître, l'âme, attachée à ces possessions du dehors, est forcée de les suivre ; elle se répand çà et là avec elles ; nous sommes d'autant plus torturés de crainte que nous possédons plus de choses qui peuvent être perdues ; plus elles ont de valeur, et plus nous les aimons, plus elles tiennent notre misérable cœur enchaîné à leur poursuite.

Il faut donc songer à fixer une mesure aux dépenses de notre maison, de façon à ne rien chercher au delà du nécessaire, à ne recevoir aucune offrande, à ne garder aucun dépôt. Tout ce qui dépasse le nécessaire, nous ne le possédons qu'à titre de vol, et nous sommes coupables de la mort d'autant de pauvres que nous aurions pu en secourir avec ce superflu. Chaque année donc, après la récolte, il faudra assurer les besoins de l'année ; le reste, on le donnera, ou plutôt on le restituera aux pauvres.

Il en est qui, ignorant la mesure de la sagesse, se font

honneur d'avoir une maison nombreuse, n'ayant que peu de revenus ; et pour subvenir à ces lourdes charges, ils vont impudemment mendier, quand ils n'arrachent pas violemment ce qu'on ne leur veut point donner. Tels nous voyons aujourd'hui certains supérieurs, qui, fiers du nombre de leurs religieux, tiennent moins à en avoir de bons qu'à en avoir beaucoup, et s'estiment d'autant plus grands qu'ils sont grands au milieu d'un plus grand nombre. Pour attirer les novices dans leurs maisons, au lieu de leur annoncer des austérités, ils leur promettent toutes sortes de douceurs, et, les recevant imprudemment sans examen ni épreuve, ils les perdent facilement par l'apostasie. C'est contre eux sans doute que la Vérité s'élevait par ces paroles[1] : « malheur à vous qui parcourez la mer et la terre pour faire un prosélyte, et qui, l'ayant fait, le rendez deux fois plus que vous digne de la géhenne ! » Certes ils seraient moins fiers de la multitude de leurs religieux, s'ils cherchaient le salut des âmes plutôt que le nombre des prosélytes, et s'ils présumaient moins de leurs forces dans la conduite de leur communauté.

Le Seigneur a choisi un petit nombre d'apôtres, et parmi ceux qu'il avait choisis, il se trouva un apostat, ce qui lui fait dire[2] : « ne vous ai-je pas choisis tous les douze ? et cependant il se trouve parmi vous un démon. » Tel avait été Judas parmi les disciples, tel fut Nicolas parmi les sept diacres[3]. Lorsque les apôtres n'avaient encore réuni qu'un petit nombre de fidèles, Ananie et Saphire, sa femme, méritèrent d'être frappés d'une sentence de mort[4]. De tous ceux qui s'étaient d'abord attachés à suivre le Seigneur, beaucoup l'abandonnèrent et il n'en resta qu'un bien petit nombre ; car étroite est la voie qui conduit à la vie, et il en est peu qui peuvent y pénétrer[5] ; large et spacieuse, au contraire, est la voie qui conduit à la mort, et il en est beaucoup qui s'y engagent[1]. C'est que, selon la parole du Seigneur, « il est beaucoup d'appelés et peu d'élus[2] ». — « Le nombre des insensés, dit Salomon[3], est infini. »

Qu'il tremble donc, celui qui se réjouit de la multitude de ses religieux ; qu'il craigne que, selon la parole du Seigneur, il se trouve parmi eux peu d'élus, et que, multipliant sans mesure son troupeau, il ne puisse suffire à le garder, en sorte qu'il mérite cette parole du prophète[4] : « vous avez multiplié ce peuple, mais vous n'avez pas augmenté sa joie. » Tels sont, en effet, ceux qui sont fiers du nombre : obligés pour leurs propres besoins et pour ceux de la communauté de sortir, de rentrer dans le siècle et de courir çà et là en mendiant, ils s'embarrassent bien plus du soin des corps que du soin des âmes, et s'attirent plus de mépris que de gloire.

Une telle conduite serait pour des femmes une honte d'autant plus grande qu'il y a moins de sûreté pour elles à courir par le monde. Quiconque veut vivre honnêtement, tranquillement, se donner au service du Seigneur, se rendre cher à Dieu et aux hommes, doit craindre de rassembler plus de frères qu'il n'en peut soigner ; ne point compter, pour ses dépenses, sur la bourse d'autrui, songer à faire, non à demander l'aumône. L'apôtre Paul, le grand prédicateur de l'Évangile, avait, au nom de l'Évangile, le droit de recevoir assistance : il travaillait de ses mains, pour n'être à charge à personne et ne point porter atteinte à sa gloire. Pour nous, dont le devoir est non de prêcher, mais de pleurer les péchés, quel serait notre témérité, notre honte d'aller mendier notre subsistance ! Comment pourrions-nous soutenir ceux que nous aurions inconsidérément réunis ? N'est-ce pas déjà assez de folie d'aller soudoyer des prédicateurs, faute de savoir prêcher, et conduisant à la ronde ces faux apôtres, de porter partout nos croix et nos reliques pour vendre aux simples et aux imbéciles non la parole de Dieu, mais les mensonges du diable, pour leur tout promettre afin de leur escroquer leur argent ? C'est déjà cette cupidité impudente à chercher les biens de ce monde et non ceux du Christ qui fait, ainsi que personne ne l'ignore, qu'on n'a plus de respect ni pour notre ordre, ni pour la prédication de la parole de Dieu.

Aussi les abbés, les supérieurs des monastères qui se glissent avec importunité chez les puissants du siècle et dans les cours princières passent-ils plutôt pour des courtisans que pour des cénobites[1]. Tandis qu'ils poursuivent par tous moyens la faveur des hommes, ils s'habituent à bavarder avec le monde plutôt qu'à parler avec Dieu. Ils ont lu plus d'une fois sans doute, mais ils ont négligé, ils ont entendu, mais ils n'ont pas mis en pratique cet avertissement du bienheureux Antoine[2] : « les poissons qui demeurent longtemps sur le sable meurent ; de même les moines qui vivent trop longtemps hors de leurs cellules et dans le commerce des séculiers rompent leur vœu de retraite. Nous devons donc retourner en toute hâte à la cellule comme le poisson à la mer, de peur que restés dehors trop longtemps, nous n'oubliions l'habitude de vivre au dedans. » Convaincu de cette vérité, l'auteur de la règle monastique, le bienheureux Benoît, a clairement enseigné, par son exemple comme par ses écrits, qu'il veut que les abbés soient assidus au couvent et restent à veiller avec sollicitude à la garde de leur troupeau. Il avait un jour quitté ses frères pour rendre visite à sa chère sœur sainte Scholastique, et celle-ci voulait le retenir auprès d'elle seulement une nuit pour profiter de ses instructions ; il déclara[3] qu'il ne pouvait absolument rester hors de sa cellule ; il ne dit même pas : « nous ne pouvons », mais : « je ne puis pas », parce que les frères pouvaient le faire avec sa permission, tandis que lui ne le pouvait que sur l'ordre de Dieu, comme il l'a fait plus tard.

Aussi, dans sa règle, ne parle-t-il nulle part des sorties de l'abbé, mais seulement de celles des frères. Il a, au contraire, si bien pris ses mesures pour assurer sa présence assidue, qu'aux vigiles des dimanches et des jours de fête, il veut que la lecture de l'Évangile et des instructions qui y sont jointes ne soit faite que par l'abbé. Dans son règlement sur la table à laquelle l'abbé doit s'asseoir avec les pèlerins et les hôtes, il lui permet, à défaut d'hôtes, d'inviter les frères qu'il lui plaît, en ayant soin seulement de laisser un ou deux des anciens avec les frères[1] ; par là il fait entendre clairement que l'abbé ne doit jamais être absent du monastère à l'heure des repas, de peur qu'une fois habitué à la chère délicate des grands, il ne laisse le pain grossier aux religieux. C'est de ces abbés que la Vérité a dit[2] : « ils lient des fardeaux pesants et au-dessus des forces humaines, et ils les mettent sur le dos des autres ; tandis que, pour eux, ils n'y veulent pas toucher du bout du doigt. » Et ailleurs, parlant des faux prédicateurs[3] : « gardez-vous des faux prophètes qui viennent vers vous. Ils viennent d'eux-mêmes, dit-il, sans que Dieu les envoie et les ait chargés d'une mission. » Jean-Baptiste, notre chef, à qui le pontificat revenait par héritage, s'éloigna de la ville pour se retirer dans le désert, c'est-à-dire qu'il abandonna le pontificat pour le monastère, la vie des cités pour la solitude. Le peuple venait à lui, ce n'était pas lui qui allait chercher le peuple. Il était si grand qu'il fut pris pour le Christ et eut le pouvoir de réformer beaucoup d'abus dans les villes. Il était déjà dans le petit lit où il était prêt à répondre au bien-aimé frappant à sa porte[1] : « je me suis dépouillé de ma robe, pourquoi la reprendrai-je ? j'ai lavé mes pieds, pourquoi les salir ? »

Quiconque désire vivre dans le secret de la paix monastique doit donc se réjouir d'avoir un petit lit plutôt qu'un grand, car c'est de ce lit que la Vérité a dit[2] : « qu'on prenne l'un et qu'on laisse l'autre. » C'est, ainsi que nous le lisons, que le petit lit de l'épouse n'est autre chose que le lit d'une âme contemplative étroitement unie au Christ et s'attachant à lui d'un souverain désir. Et ce lit, dès qu'on y est entré, on n'est jamais abandonné. « En veillant toute la nuit dans mon petit lit, dit-elle elle-même[3], j'ai cherché celui que chérit mon âme. » C'est de ce petit lit que, dédaignant ou craignant de se lever, elle fait au bien-aimé qui frappe la réponse que j'ai rappelée tout à l'heure ; loin de son lit elle ne voit que des souillures dont elle craint de salir ses pieds.

Dina n'est sortie qu'une fois pour aller voir des étrangers, et elle s'est perdue[4] ; et, comme un moine cloîtré nommé Malchus[5] l'entendit un jour dire à son abbé, comme il en fit lui-même l'expérience, la brebis qui sort de la bergerie tombe bientôt sous la dent du loup. Ne formons donc pas une communauté trop nombreuse dont les besoins nous invitent à sortir, voire nous y obligent et nous fassent faire le bien des autres à notre détriment, semblables au plomb qu'on met dans le creuset pour conserver l'argent. Craignons au contraire qu'une fournaise trop ardente de tentations ne consume à la fois le plomb et l'argent. On objectera que la Vérité a dit[6] : « je ne rejetterai pas celui qui sera venu à moi. » Nous ne voulons pas rejeter ceux qui sont admis, mais nous voulons qu'on regarde à ceux qu'on recevra, en sorte qu'après les avoir admis, nous ne soyons pas exposés à être rejetés nous-mêmes à cause d'eux. Car, si nous lisons que le Seigneur lui-même n'a pas rejeté ceux qu'il avait acceptés, il en a repoussé qui se présentaient, puisqu'à celui qui lui disait[1] : « Maître, je vous suivrai partout où vous irez », il a répondu : « les renards ont des tanières », etc.

Il nous avertit encore de calculer les dépenses de toute entreprise avant de l'exécuter. « Quel est, dit-il[2], celui d'entre vous qui, voulant bâtir une tour, ne compte de sang-froid ce qu'elle lui coûtera et s'il aura de quoi la mener à bonne fin, de peur que, ne pouvant l'achever après en avoir jeté les fondements, tous ceux qui la verraient ne se moquent de lui et ne disent : cet homme a commencé de bâtir et il n'a pu aller jusqu'au bout ? » C'est beaucoup pour chacun de faire son propre salut ; il est dangereux de prendre à sa charge le salut de plusieurs, quand c'est à peine si l'on peut suffire à la garde de soi-même. On ne garde, d'ailleurs, avec sollicitude, que lorsqu'on a pris l'engagement de le faire avec tremblement. Nul ne persévérera dans une entreprise, autant que celui qui a hésité et réfléchi avant de s'y lancer. Les femmes y doivent donc mettre d'autant plus de réflexion que leur faiblesse supporte moins les lourds fardeaux, et doit être soutenue par un calme absolu.

L'Écriture sainte est, sans contredit, le miroir de l'âme ; quiconque se nourrit de sa lecture, et profite de ce qu'il y comprend, connaît la beauté de ses mœurs ou en découvre la laideur, en sorte qu'il peut accroître l'une et diminuer l'autre. C'est ce miroir que saint Grégoire, dans ses *Morales*, livre second, nous rappelle[3] : « l'Écriture sainte est pour les yeux de l'âme comme un miroir qui nous est présenté afin que nous y voyions notre visage intérieur. C'est là, en effet, que nous connaissons nos trahisons ou nos bonnes actions, là que nous jugeons ce que nous avons fait de progrès et combien nous sommes éloignés d'en avoir fait. »

Or celui qui regarde l'Écriture sans la comprendre est comme un aveugle qui aurait un miroir sous les yeux. Il ne peut y voir ce qu'il est, ni y chercher l'instruction pour laquelle elle est faite. Il est comme un âne devant une lyre, comme un affamé auquel est servi un pain qu'il ne sait pas manger : incapable de pénétrer par lui-même le sens de la parole de Dieu, et n'ayant personne pour lui apprendre à le rompre, il est pourvu d'une nourriture qui lui est absolument inutile.

Aussi l'apôtre dit-il, nous engageant tous en général à l'étude de l'Écriture Sainte[1] : « tout ce qui est écrit l'a été pour notre instruction ; afin que, par la patience et la consolation que donne l'Écriture, nous possédions l'espérance. » Et ailleurs[2] : « remplissez-vous de l'Esprit-Saint, en vous entretenant vous-même dans les psaumes, les hymnes et les cantiques spirituels. » Or, c'est s'entretenir soi-même, que de comprendre ce que l'on dit et de savoir tirer le fruit de ses paroles. Le même apôtre dit à Timothée[3] : « en attendant que je vienne, appliquez-vous à la lecture, à l'exhortation, à l'instruction. » Et ailleurs[4] : « quant à toi, demeure ferme dans les choses que tu as apprises et qui t'ont été confiées ; sachant de qui tu les as apprises, et que tu as été nourri, dès ton enfance, dans les lettres saintes qui peuvent t'instruire pour le salut, par la foi qui est dans le Christ. Toute Écriture inspirée divinement est utile pour instruire, pour persuader, pour corriger, pour s'élever dans la vie de la justice, en sorte que l'homme de Dieu soit parfait, étant formé à toute espèce de bonnes œuvres. » Et dans sa lettre aux Corinthiens, il les invite à se pénétrer de l'intelligence de l'Écriture Sainte, afin de pouvoir expliquer les passages qui seraient cités devant eux[1] : « attachez-vous, dit-il, à la charité ; cherchez à gagner les dons spirituels, surtout le don des prophéties ; car celui qui parle en langues parle non pour les hommes, mais pour Dieu, tandis que celui qui prophétise édifie l'Église. C'est pourquoi celui qui parle en langues demande en sa prière le don d'interpréter. Je prierai en esprit, je prierai aussi de façon à être entendu. Je chanterai en esprit, je chanterai aussi de façon à être entendu. Au surplus, si vous rendez grâce en esprit, qui pourra prendre le rôle du peuple ? Comment répondra-t-il *amen* à votre bénédiction, s'il ne sait ce que vous dites ? Votre action de grâces est bonne, mais nul n'en est édifié. Je rends grâces à Dieu de ce que je parle une langue que vous entendez tous, mais j'aimerais mieux, quant à moi, dire dans l'église cinq paroles intelligibles qui instruiraient les autres, que dix mille en langues. Mes frères, ne soyez pas enfants pour ce qui est du jugement, soyez enfants pour la malice, pour le jugement soyez parfaits. »

Parler une langue c'est former des sons avec sa bouche et non pas en donner l'intelligence aux autres. Prophétiser ou interpréter, c'est, à l'exemple des prophètes qu'on appelle voyants, c'est-à-dire intelligents, comprendre ce que l'on dit et en donner l'explication. Celui-là prie ou chante de cœur seulement, qui forme des mots, et en profère le bruit sans y appliquer son intelligence. Ainsi, lorsque c'est la bouche qui prie en nous, c'est-à-dire lorsque nous nous bornons à articuler des sons par le souffle de la prononciation, sans que le cœur conçoive ce qu'émet la bouche, notre âme n'en reçoit pas le fruit qu'elle doit avoir de la prière pour que, par l'intelligence des mots, elle soit pleine de componction et de zèle en Dieu. C'est pour cette raison que l'apôtre nous recommande d'avoir la perfection dans les mots, en sorte que nous ne sachions pas seulement proférer des mots, comme les enfants, mais que nous en ayons pleinement l'intelligence ; autrement, il le déclare, prière et chant seraient sans profit. Le bienheureux Benoît était aussi de cet avis. « Appliquons-nous à chanter, dit-il[1], de façon que notre âme soit en harmonie avec notre voix. » C'est aussi le précepte du psalmiste : « chantez avec intelligence. » Il veut qu'à l'expression des mots l'assaisonnement de l'intelligence, qui donne le goût, ne manque pas, et que nous puissions en toute sincérité dire au Seigneur[2] : « que vos paroles sont douces à mon gosier ! » Et ailleurs[3] : « ce n'est pas avec des flûtes que l'homme se rendra agréable à Dieu. » La flûte, en effet, émet des sons qui charment les sens, mais qui ne pénètrent pas dans l'intelligence ; aussi dit-on que ceux-là jouent bien de la flûte, mais ne sont pas agréables au Seigneur, qui se plaisent à produire des sons mélodieux, sans que l'intelligence en soit édifiée. Et comment, dit l'apôtre, comment à la bénédiction, dans les cérémonies de l'Église, répondra-t-on *amen*, si la formule de la bénédiction n'est pas comprise, si l'on ne sait si ce que demande la prière est bon ou non ? Ainsi voyons-nous souvent dans les églises des gens simples et illettrés faire, faute de savoir, des prières qui leur sont plus nuisibles qu'utiles. Quand on dit par exemple : « afin que, passant à travers les biens de ce monde, nous ne perdions pas ceux de l'éternité », il en est que l'affinité des mots presque semblables induit en erreur, et qui disent : « afin que nous perdions les biens éternels », ou encore : « afin que nous n'admettions pas les biens éternels ». C'est ce danger que l'apôtre veut prévenir, quand il dit[4] : « au reste, si vous bénissez de cœur », c'est-à-dire si vous vous bornez à émettre des

lèvres les mots de la bénédiction, sans prendre la peine
d'en faire arriver le sens à l'intelligence de l'auditeur,
« qui prendra le rôle du peuple ? », c'est-à-dire qui
parmi les assistants, dont le rôle est de répondre, se
chargera de répondre pour le peuple, qui ne peut pas,
qui ne doit pas le faire ? Comment dira-t-il *amen*, ne
sachant si c'est dans une bénédiction ou dans une malédiction que vous l'engagez ? Enfin, comment ceux qui
ne comprennent pas les Écritures pourront-ils se permettre des discours édifiants, exposer, interpréter la règle, ou en corriger les abus [1] ?

Aussi ne sommes-nous pas peu étonnés — c'est une
inspiration du démon —, qu'il ne se fasse dans les monastères aucune étude pour l'intelligence des Écritures,
qu'on s'occupe d'exercer au chant et à la prononciation
des mots, et point d'en donner la compréhension ;
comme si, pour la brebis, bêler était plus utile que paî-
tre [2]. L'intelligence de la divine Écriture est l'aliment
et la nourriture spirituelle de l'âme. C'est ainsi que le
Seigneur, destinant Ézéchiel [3] à la prédication, le nourrit
d'un livre qui fut aussitôt dans sa bouche comme un
doux miel. Nourriture dont il est écrit dans Jérémie [4] :
« les enfants ont demandé du pain, et il ne s'est trouvé
personne pour le leur rompre. » Car c'est rompre le
pain aux enfants que de donner aux simples l'intelligence des lettres. Et ces enfants qui demandent du pain
sont ceux qui désirent nourrir leur âme de l'intelligence
de l'Écriture, ainsi que le dit ailleurs le Seigneur [5] :
« j'enverrai la faim sur la terre, non pas une faim de
pain ni une soif d'eau, mais la faim d'entendre la parole
de Dieu. »

L'antique ennemi, au contraire, a envoyé dans les
cloîtres des monastères la faim et la soif d'entendre les
paroles des hommes et les bruits du monde, en sorte

qu'occupés d'un vain bavardage, nous repoussions d'autant plus la parole divine, que faute des doux assaisonnements de l'intelligence, elle nous paraît insipide. C'est de là que le psalmiste disait, ainsi que je l'ai rapporté plus haut[1] : « que ces paroles sont douces à mon gosier ! elles sont plus douces que le miel à mes lèvres. » Et il explique aussitôt en quoi consiste cette douceur : « vos préceptes m'ont donné l'intelligence » ; c'est-à-dire : « c'est par vos préceptes plus que par ceux des hommes que j'ai reçu l'intelligence » ; ce sont eux qui m'ont instruit et éclairé. Quelle est l'utilité de cette intelligence, il n'oublie pas de la montrer : « c'est pour cela, ajoute-t-il, que j'ai haï toutes les voies d'iniquité. » Il est, en effet, beaucoup de voies d'iniquité si manifestement ouvertes, qu'il est difficile que tout le monde n'en vienne pas à les haïr ou les mépriser ; mais ce n'est que par l'intelligence de la parole divine que nous pouvons connaître toutes celles qui existent, et les éviter. C'est de là que le psalmiste dit encore[2] : « j'ai caché nos paroles dans mon cœur, afin de ne pas vous offenser. » Elles sont cachées dans notre cœur plutôt qu'elles ne résonnent sur nos lèvres, lorsque notre méditation en retient l'intelligence. Ainsi moins nous nous appliquons à cette intelligence, moins nous connaissons, moins nous évitons les voies d'iniquité, et moins nous pouvons nous prémunir contre le péché.

Cette négligence est d'autant plus coupable chez des moines qui aspirent à la perfection, que la science leur est plus facile, grâce à l'abondance des livres saints dont ils sont pourvus, et aux loisirs dont ils jouissent. Aussi, dans les *Vies des Pères*, l'auguste vieillard accusait-il vivement ceux qui se glorifient de la multitude des livres qu'ils possèdent et qui ne prennent aucun soin de les lire. « Les prophètes ont écrit des livres, dit-il[3] ; nos pères, qui sont venus ensuite, ont beaucoup travaillé sur ces livres, leurs successeurs en ont rempli leur mémoire ; puis est venue cette génération, la nôtre, qui les transmet sur des parchemins et des peaux, mais qui les laisse reposer dans les vitrines des bibliothèques ! » C'est pour cela que l'abbé Palladius aussi nous engage vivement à apprendre et à enseigner[1]. « Il faut qu'une âme qui veut vivre selon la volonté du Christ, dit-il, apprenne fidèlement ce qu'elle ignore, ou enseigne clairement ce qu'elle sait. » Or, si elle ne veut ni l'une ni l'autre de ces choses, le pouvant, c'est qu'elle est atteinte de folie.

En effet le premier principe de l'éloignement de Dieu, c'est le manque de goût pour sa doctrine. Et comment peut-on l'aimer, quand on ne désire pas ce dont l'âme a toujours besoin ? Aussi le bienheureux Athanase, dans son *Exhortation aux moines*, leur recommande-t-il le soin de la lecture et de l'étude jusqu'à leur permettre, pour s'y livrer, d'interrompre l'exercice de la prière : « je vais, dit-il[2], tracer le chemin de notre vie. D'abord l'abstinence, le jeûne, la prière et la lecture assidues, ou, pour ceux qui ne seraient pas encore versés dans les lettres, le soin d'écouter, inspiré par le besoin d'apprendre. Ce sont, si je puis dire, les premiers jouets des nourrissons au berceau de la connaissance de Dieu » ; et après quelques explications : « il faut, ajoute-t-il, incessamment prier : d'une prière à l'autre, qu'il y ait à peine l'intervalle d'un moment. Il ne doit y avoir d'interruption, dit-il ensuite, que pour la lecture. » Et Pierre ne dit pas autrement[3] : « soyez toujours prêts à rendre raison de votre foi et de vos espérances à qui vous interroge. » Et l'apôtre[4] : « nous ne cessons de prier pour vous, afin que vous soyez remplis de la connaissance de Dieu en sagesse et en intelligence spirituelle. » Et encore[5] : « que la parole du Christ demeure en vous avec la plénitude de sa sagesse. »

Dans l'Ancien Testament, la loi recommande aussi aux hommes de s'instruire des préceptes sacrés. « Heureux l'homme, dit David[1], qui ne s'est pas laissé aller au conseil des impies, qui ne s'est pas arrêté dans la voie des pécheurs, qui ne s'est pas assis dans les chaires de pestilence, mais dont la volonté repose sur la loi du Seigneur. »

Dieu lui-même dit à Josué[2] : « ce livre ne sortira pas de tes mains, et tu le méditeras jour et nuit. »

Parmi les occupations du monastère s'introduisent souvent les mauvaises pensées, dont la pente est glissante ; et bien que notre assiduité tienne notre esprit tendu vers Dieu, la morsure des choses du siècle a toujours prise sur nous et nous tourmente. Si celui qui se livre avec zèle aux exercices religieux est exposé à ces tentations, comment celui qui ne fait rien y échappera-t-il ? Le bienheureux pape Grégoire, dans son dix-neuvième livre des *Morales*, dit[3] : « nous gémissons de voir déjà arrivé le temps où nous trouvons dans l'Église tant de prélats qui ne veulent pas exécuter ce qu'ils comprennent, ou qui dédaignent même de connaître et de comprendre la parole divine. Car ils détournent leurs oreilles de la vérité pour écouter des fables ; ils cherchent tout ce qui est de ce monde, non ce qui est de Jésus-Christ[4]. Partout on trouve les écrits qui renferment la parole de Dieu, partout on peut les lire. Mais les hommes dédaignent de les connaître, et nul, pour ainsi dire, ne cherche à savoir ce qu'il croit. »

Et pourtant la règle de chaque monastère et les exemples des saints Pères nous y exhortent. Benoît ne donne aucun précepte sur l'enseignement ou l'étude du chant, et il en donne un grand nombre sur la lecture ; il fixe même exactement les moments de lire comme ceux de travailler[5] ; il règle si bien l'enseignement de la dictée et de l'écriture, que, parmi les objets nécessaires que les moines ont le droit d'attendre de l'abbé, il n'oublie ni les tablettes ni le stylet[1]. Bien plus, il prescrit entre autres choses, au commencement du Carême, que tous les moines reçoivent un certain nombre de livres de la bibliothèque pour les lire à la suite et d'un bout à l'autre[2]. Or, quoi de plus ridicule que de donner du temps à la lecture et de ne pas prendre le soin de comprendre ce qu'on lit ? On connaît le proverbe du Sage : « lire sans comprendre, c'est perdre son temps. » C'est à un tel lecteur qu'on peut appliquer avec justesse ce mot du philosophe[3] : « un âne devant une lyre. » Il est, en effet, comme un âne devant une lyre, ce lecteur qui tient un livre mais n'en comprend pas le sens.

Mieux vaudrait pour ceux qui lisent ainsi porter leur effort sur quelque chose d'utile que de perdre leur temps à regarder des lettres et à tourner des feuillets. Ces sortes de lecteurs accomplissent bien la prophétie d'Isaïe[4] : « toutes les visions des prophètes vous seront comme les caractères d'un livre fermé d'un sceau qu'on donnerait à un homme qui sait lire en lui disant : « lis ce livre, et il répondra : « je ne puis, ce livre est fermé » ; alors on donnera le livre à un homme qui ne sait pas lire, en lui disant : « lis », et il répondra : « je ne sais pas lire. » C'est pourquoi le Seigneur a dit : « ce peuple s'approche de moi, mais seulement de bouche ; il me glorifie, mais seulement des lèvres ; quant à son cœur, il est éloigné de moi ; il ne me craint que parce que les hommes l'ordonnent et l'enseignent ainsi. Voici donc que je frapperai encore ce peuple d'admiration et d'étonnement en accomplissant un grand prodige, et la sagesse de ses sages périra, et l'entendement de ses habiles sera obscurci. »

On dit dans les cloîtres que ceux qui savent pronon-

cer les lettres savent lire. Pour ce qui est de l'intelligence, ils avouent qu'ils ignorent la loi ; et le livre qu'on
leur donne est pour eux un livre scellé, comme pour
ceux qu'ils appellent illettrés. Eh bien, ce sont ceux-là
que le Seigneur accuse de s'approcher de lui de la bouche seulement et des lèvres plus que du cœur, puisqu'ils
ne peuvent comprendre les mots qu'ils savent, tant bien
que mal, prononcer. Étrangers à la science des révélations divines, ils suivent plutôt, dans leur obéissance, la
coutume des hommes que l'utilité de l'Écriture. C'est
pour cela que le Seigneur menace d'aveugler ceux qui
parmi eux passent pour sages et siègent comme docteurs.

Le grand docteur de l'Église, l'honneur de la vie monastique, Jérôme, nous exhorte à l'amour des livres,
quand il dit[1] : « aime la science des lettres : c'est le
moyen de ne pas aimer les vices de la chair. » Combien
il leur a consacré lui-même de temps et de peine, son
témoignage nous l'apprend. Entre les différentes révélations qu'il nous fait sur ses propres études, pour nous
instruire de son exemple, il dit, en certain passage, à
Pammachius et à Oceanus[2] : « quand j'étais jeune,
j'étais dévoré d'une ardeur d'apprendre extraordinaire.
Et je n'ai pas fait moi-même mon éducation, suivant les
présomptueuses prétentions de quelques-uns ; j'ai suivi
les leçons d'Apollinaire à Antioche, je me suis attaché à
lui, et il m'instruisait dans les Saintes Écritures. Déjà
des cheveux blancs parsemaient ma tête, et le rôle de
maître me convenait moins que celui de disciple : j'allai
néanmoins à Alexandrie, je suivis les leçons de Didyme,
et je lui rends grâces de m'avoir appris bien des choses
que j'ignorais encore. On croyait que j'en avais fini
d'apprendre : je retournai à Jérusalem et à Bethléem
pour assister (au prix de quel travail et de quelles dé-

penses !) aux cours du docteur hébreu Barannias ; il les faisait la nuit, car il craignait les Juifs, et il se montrait pour moi comme un autre Nicodème. » Il avait, sans doute, gravé dans la mémoire ce qu'il avait lu dans l'Ecclésiastique[1] : « mon fils, commencez à vous instruire dès votre jeunesse, et jusqu'en vos vieux ans vous trouverez la sagesse. » Et ce n'étaient pas seulement les paroles de l'Écriture, c'étaient aussi les exemples des saints Pères qui l'avaient instruit ; car parmi les éloges qu'il donne à cet excellent monastère, il ajoute ceci au sujet de l'étude particulière qu'on y faisait des Saintes Écritures[2] : « nous n'avons jamais vu tant d'application à la méditation, à l'intelligence, à l'étude des divines Écritures ; on les aurait pris pour autant d'orateurs appelés à l'enseignement de la sagesse divine. »

Saint Bède aussi, reçu enfant dans un monastère, disait, ainsi qu'il le rapporte dans son *Histoire d'Angleterre*[3] : « pendant tout le temps de ma vie, que j'ai passée dans le même monastère, je me suis livré à la méditation de l'Écriture, et dans les intervalles de loisir que me laissaient l'observance de la règle et le soin quotidien de chanter à l'église, j'ai fait mes délices d'apprendre, d'enseigner ou d'écrire. » Et aujourd'hui ceux qui sont élevés dans les monastères se complaisent dans une telle ignorance, que, se bornant à émettre des sons, ils ne prennent aucun souci de comprendre ; ce n'est pas leur cœur, c'est leur langue qu'ils s'attachent à former. C'est à eux que s'adresse clairement Salomon dans ses Proverbes, lorsqu'il dit[4] : « le cœur du sage cherche la science, et la bouche de l'insensé se repaît d'ignorance » ; cela, sans doute, quand il se plaît à répéter des paroles qu'il ne comprend pas ; et certes, ils peuvent d'autant moins aimer Dieu et s'enflammer pour lui qu'ils sont plus éloignés de le comprendre et d'entendre l'Écriture qui nous le fait connaître.

Deux causes particulièrement ont, selon nous, contribué à cette ignorance dans les monastères : d'abord la jalousie des frères laïques ou convers, et même des supérieurs ; ensuite le vain parlage et l'oisiveté que nous voyons aujourd'hui régner dans la plupart des monastères. Dans leur désir de nous attacher avec eux aux choses de la terre plutôt qu'aux choses du ciel, ces moines ressemblent aux Philistins qui persécutaient Isaac[1] tandis qu'il creusait des puits, et qui comblaient ces puits avec de la terre pour l'empêcher d'avoir de l'eau. C'est ce que le bienheureux Grégoire définit dans son seizième livre des *Morales*, lorsqu'il dit[2] : « souvent, tandis que nous nous appliquons aux Saintes Écritures, nous avons à lutter contre les embûches des esprits malins, qui jettent dans nos yeux la poussière des pensées de la terre et les ferment à la lumière de la vue intérieure. » Ce que le psalmiste n'avait que trop éprouvé, quand il disait[3] : « éloignez-vous de moi, esprits mauvais, et je scruterai les commandements de mon Dieu », faisant entendre par là clairement qu'il ne pouvait scruter les commandements de Dieu, tandis que son esprit était en lutte avec les embûches des esprits malins.

C'est ce que marque aussi dans l'œuvre d'Isaac la méchanceté des Philistins, qui remplissaient de terre les fossés qu'il avait creusés.

En effet, nous creusons des puits lorsque nous pénétrons dans les profondeurs du sens des divines Écritures, et les Philistins les comblent secrètement, quand, parmi nos méditations profondes, ils nous suggèrent les pensées terrestres de l'esprit immonde, et nous privent de la science divine comme d'une source que nous aurions découverte. Et comme personne ne peut triompher de tels ennemis par sa propre vertu, il est dit par Éliphas[4] : « le Tout-Puissant sera contre tes ennemis, et un monceau d'argent sera pour toi. » C'est comme s'il était dit : tandis que le Seigneur, par sa puissance, éloignera de vous les esprits malins, le trésor de la divine parole s'augmentera en vous. Il avait lu, sans doute, les homélies sur la Genèse du grand philosophe des Chrétiens, d'Origène, et il y avait puisé ce qu'il nous dit de ces puits. Car non seulement c'était un foreur ardent des puits spirituels, non seulement il nous engageait à venir boire de leur eau, mais il nous exhortait à en forer nous-mêmes, ainsi qu'il le dit dans le développement de sa douzième *Homélie*[1] : « essayons de faire ce que la sagesse nous enseigne en disant[2] : « buvez de l'eau de vos fontaines et de vos puits, et ayez une fontaine à vous. » Et vous aussi, mes chers auditeurs, tâchez d'avoir un puits, une source à vous, afin que, lorsque vous aurez pris un livre des Saintes Écritures, vous puissiez de vous-même en interpréter le sens, conformément aux leçons que vous avez reçues dans l'Église. Tâchez, vous aussi, d'étancher votre soif à la source de votre esprit. Vous avez en vous un fonds d'eau vive, une source intarissable, un courant d'intelligence et de raison : ne les laissez pas combler par la terre et les pierres. Creusez votre terrain d'une main ferme, nettoyez-le, c'est-à-dire cultivez votre esprit, écartez-en la mollesse et l'engourdissement. Écoutez, en effet, ce que dit l'Écriture[3] : « piquez votre œil et il en sortira des larmes ; piquez votre cœur, et il en sortira de l'intelligence. » Purifiez donc votre esprit, afin d'arriver à boire de l'eau de votre source, à puiser de l'eau vive à votre puits. Si vous recueillez la parole de Dieu, si vous recevez l'eau vive de Jésus et si vous la gardez fidèlement, elle deviendra pour vous une source jaillissante dans la vie éternelle. » Et encore dans l'*Homélie* suivante sur les puits d'Isaac : « ces puits, dit-il[4], qui avaient été

comblés par les Philistins, ceux-là les comblent évidemment qui ferment l'intelligence spirituelle, en sorte
qu'ils n'y boivent pas eux-mêmes et qu'ils ne permettent pas aux autres d'y boire. » Écoutez plutôt le Seigneur [1] : « malheur à vous, scribes et Pharisiens qui avez
enlevé la clef de la science, qui n'êtes pas entrés vous-
mêmes et qui n'avez pas laissé entrer ceux qui le voulaient. »

Pour nous, ne nous lassons pas de creuser des puits
d'eau vive, approfondissons les anciens, creusons-en de
nouveaux, prenons pour modèle ce scribe de l'Évangile
dont le Seigneur a dit [2] « qu'il tira de son trésor des
pièces de monnaie anciennes et nouvelles ». Et encore :
« imitons Isaac, et creusons avec lui des puits d'eau
vive : les Philistins dussent-ils s'y opposer et nous chercher querelle, n'en persévérons pas moins à creuser des
puits avec lui, afin qu'il nous soit dit, à nous aussi [3] :
« buvez de l'eau de vos vases et de vos puits. »

Creusons jusqu'à ce que l'eau déborde dans nos places publiques ; que la science des divines Écritures ne
donne pas seulement satisfaction à nos propres besoins,
éclairons les autres, apprenons-leur à boire. Que les
hommes boivent et les animaux aussi, suivant cette parole du Prophète [4] : « Seigneur, vous sauverez les hommes et les bêtes de somme. » Et quelques lignes plus
bas : « celui qui est Philistin et qui n'a que le goût de
la science terrestre ne saurait ni trouver de l'eau dans
le monde entier, ni trouver le sens intelligent des choses. À quoi bon la science, si tu ne sais en faire usage ?
À quoi bon la parole, pour ne s'en point servir ? C'est
ressembler aux enfants d'Isaac qui creusaient des puits
d'eau vive dans quelque terrain que ce fût. » Qu'il n'en
soit pas ainsi de vous. Fuyez tout vain bavardage, et
que celles d'entre vous auxquelles est échue la grâce

d'apprendre s'attachent à s'instruire des choses de Dieu, ainsi qu'il est écrit du bienheureux homme[1] : « sa volonté repose sur la loi de Dieu, et il méditera sur sa loi nuit et jour. » Pour prouver l'utilité de cette étude assidue de la loi du Seigneur, il est dit ensuite[2] : « et il sera comme un arbre planté au bord d'un ruisseau. » En effet, ce qui n'est point arrosé par les eaux de la divine parole est comme un arbre sec et stérile. « Il coulera de son sein des fleuves d'eau vive », est-il écrit[3] de la Sainte Écriture.

Ce sont ces fleuves que l'Épouse, dans le Cantique des cantiques, célèbre à la louange de l'Époux, quand elle dit[4] : « ses yeux sont comme des colombes sur le bord des ruisseaux, des colombes qui se baignent dans le lait et qui séjournent près des fleuves au large cours. » Et vous aussi, vous baignant dans ce lait, c'est-à-dire resplendissant du pur éclat de la chasteté, demeurez comme les colombes auprès de ces fleuves, afin qu'y buvant à longs traits la sagesse, vous puissiez non seulement apprendre, mais enseigner, et indiquer la route aux autres du regard, pour ainsi dire, voir le divin Époux et le décrire aux autres.

Nous savons qu'au sujet de l'Épouse qui mérita l'honneur singulier de concevoir par l'oreille du cœur[5], il est écrit : « Marie conservait toutes ces paroles et les gardait dans son cœur[6]. » Cette Mère du Verbe éternel avait donc, non sur les lèvres, mais dans le cœur, les paroles divines, et elle les gardait précieusement, méditant chacune d'elles avec zèle, les rapprochant les unes des autres, étudiant leur harmonie. Suivant le mystère de la loi, elle savait que tout animal est impur, sauf celui qui rumine et qui a l'ongle fendu[7].

En effet, il n'y a d'âme pure que celle qui rumine autant qu'elle peut, par la méditation, les divins préceptes, et qui applique son discernement à les suivre, er sorte que non seulement elle fasse le bien, mais qu'elle le fasse bien, c'est-à-dire avec une intention droite. Quant à la corne du pied fendue, c'est le discernement dont il est écrit[1] : « Si tu fais une offrande juste, mais que tu ne partages pas de même, tu pèches. »

« Celui qui m'aime, dit la Vérité[2], conservera ma parole. » Or, qui pourra garder par l'obéissance les paroles ou les enseignements du Seigneur, s'il n'a commencé par les comprendre ? On n'a de zèle pour exécuter que lorsqu'on a été attentif à écouter, ainsi qu'il est écrit de cette sainte femme qui, dédaignant tout le reste, s'assit aux pieds du Seigneur, pour entendre sa parole, sans doute avec les oreilles de cette intelligence qu'il demande lui-même, quand il dit[3] : « que celui-là écoute qui a des oreilles pour écouter. »

Si vous ne pouvez être enflammés de la même ferveur de piété, imitez du moins, dans l'amour et l'étude des saintes lettres, ces bienheureuses disciples de saint Jérôme, Paule et Eustochie, à la demande desquelles ce grand docteur a, par tant d'ouvrages, éclairé l'Église[4].

FIN DES LETTRES D'ABÉLARD
ET D'HÉLOÏSE

DOSSIER

CHRONOLOGIE

L histoire d'Héloïse et d'Abélard est mêlée aux péripéties de la vie politique et religieuse de la France au début du XIIᵉ siècle. Aussi paraît-il naturel de mêler la chronologie de leurs vies à celle des hommes de leur temps. D'autres événements marquants de la période sont également signalés, autant pour donner des points de repère chronologiques que pour manifester, en creux, les mouvements ou les épisodes auxquels les deux protagonistes semblent avoir prêté peu d'intérêt : par exemple, et pour n'évoquer que les plus significatifs, le mouvement communal et la croisade.

C. 1050.   Début de la réforme de l'Église dans le diocèse de Nantes, sous l'impulsion de l'évêque Airard.

1079.   Naissance de Pierre, surnommé Abélard, près de Nantes, au Pallet, dont son père était seigneur.

C. 1080.   Essor de l'école de Paris.

1090.   Naissance de Bernard de Clairvaux.

1094.   Abélard élève de Roscelin à Loches ; début de ses études et de ses voyages.

1096.   Début de la première croisade.

1099.   Prise de Jérusalem par les Croisés.

1100.   Arrivée d'Abélard à Paris, où il est élève de Guillaume de Champeaux.

1101.   Naissance d'Héloïse.
          Mort de saint Bruno, fondateur des Chartreux.

1102.   Abélard enseigne à Melun.

1104.   Abélard enseigne à Corbeil.

1105-1108. Disgrâce d'Étienne de Garlande, protecteur d'Abélard. « Maladie » et séjour en Bretagne d'Abélard.

1108. Louis VI devient roi après la mort de Philippe Ier.
Retour en grâce des Garlande. Retour d'Abélard à Paris.
Guillaume de Champeaux fonde à Saint-Victor un chapitre de chanoines réguliers.
Gilbert succède à Guillaume de Champeaux comme archidiacre et cède sa chaire à Abélard.

1109. Guillaume de Champeaux destitue Gilbert et reprend son poste. Abélard retourne enseigner à Melun.

1110. Étienne de Garlande devient doyen de l'abbaye de Sainte-Geneviève. Abélard vient enseigner sur la montagne Sainte-Geneviève.

1112. Gilbert de Garlande devient bouteiller de France.
Révolution communale à Laon.
Entrée de Bernard à Cîteaux.
Séjour d'Abélard en Bretagne pour assister à la prise d'habit de ses parents.

1113. Abélard va à Laon suivre les cours de théologie d'Anselme.
Guillaume de Champeaux devient évêque de Châlons.
Abélard, maître en théologie à l'école cathédrale de Notre-Dame de Paris.

1115. Hiver : début de la relation d'Abélard avec Héloïse.
Bernard fonde l'abbaye de Clairvaux.

1116. Gilbert de Garlande devient évêque de Paris.
Naissance d'Astrolabe, fils d'Abélard et Héloïse.
Mort de Robert d'Arbrissel, fondateur de Fontevrault.
Mariage d'Héloïse et Abélard.
Geoffroy devient évêque de Chartres.

1117-1118. Héloïse à Argenteuil ; castration d'Abélard ; entrée en religion d'Abélard à Saint-Denis ; reprise de l'enseignement d'Abélard à Saint-Denis.

1120. Mise en forme et publication par Abélard de la *Théologie du Souverain Bien*.
Reprise de l'enseignement d'Abélard à Maisoncelle, en Champagne.

C. 1120-1160. Troubadours : Marcabru, Cercamon, Jaufré Rudel.

Traduction latine de la *Nouvelle Logique* d'Aristote, dont les successeurs d'Abélard à Paris se serviront.

1121. Avril : condamnation d'Abélard au concile de Soissons, malgré la défense de Geoffroy, évêque de Chartres ; Abélard, d'abord retenu à l'abbaye Saint-Médard de Soissons, est autorisé à retourner à Saint-Denis.

1122. Polémique d'Abélard, à l'abbaye de Saint-Denis, autour de la *Vie de saint Denis* d'Hilduin. Abélard se réfugie à Provins ; il écrit le *Sic et non*.
À la mort d'Adam, Suger devient abbé de Saint-Denis. Sur l'intervention d'Étienne de Garlande, Suger permet à Abélard de se retirer ; Abélard fonde l'oratoire du Paraclet, près de Nogent-sur-Seine.

C. 1125-1127. Abélard est élu abbé de Saint-Gildas-de-Rhuys, près de Vannes, avec l'accord de Suger.

1127. Disgrâce des Garlande.

1129. Suger fait expulser les moniales d'Argenteuil.

1130. Abélard installe Héloïse et ses moniales au Paraclet ; début du schisme pontifical : double élection d'Innocent II et d'Anaclet (antipape).

1131. Le pape Innocent II confirme la donation du Paraclet aux religieuses.

1132-1133. *Histoire de mes malheurs* ; correspondance d'Abélard et Héloïse.
Retour en grâce d'Étienne de Garlande.

1136. Retour d'Abélard à Paris ; enseignement à Sainte-Geneviève.

1137. Mort de Louis VI ; Suger éclipse les Garlande, définitivement disgraciés, auprès du nouveau roi Louis VII.

1139. Dénonciation d'Abélard par Guillaume de Saint-Thierry auprès de Bernard de Clairvaux.
Concile de Latran II : exaltation de la chasteté religieuse.

1140. Condamnation de l'*Introduction à la théologie* d'Abélard au concile de Sens ; départ pour Rome ; séjour à Cluny, où il est accueilli par Pierre le Vénérable ; retraite à Saint-Marcel-lès-Chalon.
Décret de Gratien.

1142. 21 avril : mort d'Abélard.

1143. Pierre le Vénérable écrit à Héloïse pour lui annoncer la mort d'Abélard.

1144. Transfert de la dépouille d'Abélard au Paraclet. Héloïse demande à Pierre le Vénérable une prébende pour son fils Astrolabe.

1147. Saint-Victor prend possession de Sainte-Geneviève. Bernard de Clairvaux prêche la deuxième croisade ; Suger obtient la régence durant le temps de la croisade.

1151. Mort d'Étienne de Garlande.

1152. Louis VII répudie Aliénor d'Aquitaine, qui épouse Henri II Plantagenêt.

1153. Mort de Bernard de Clairvaux.

1156. Mort de Pierre le Vénérable.

1164. Mort et sépulture d'Héloïse au Paraclet.

1174. Canonisation de Bernard de Clairvaux.

1290. Jean de Meun traduit en français l'*Historia calamitatum*.

1497. Transfert de la dépouille d'Héloïse et d'Abélard dans l'église du Paraclet.

1792. Transfert à Nogent-sur-Seine, avant la vente du Paraclet comme bien d'émigrés.

1817. Transfert des restes d'Héloïse et Abélard au cimetière du Père-Lachaise, à Paris.

                                                          É.B.

NOTICE

Présentation du texte

La correspondance d'Héloïse et d'Abélard consiste en huit lettres, cinq d'Abélard et trois d'Héloïse, ici numérotées de I à VIII. Cette correspondance date des années 1132-1133. En voici le détail :

— Lettre I : *Histoire de mes malheurs*, ou *Lettre de consolation d'Abélard à un ami.*

Abélard raconte à un ami demeuré non identifié, pour le consoler de ses propres difficultés, l'histoire de sa vie et la succession de ses malheurs.

— Lettre II : lettre d'Héloïse. Le manuscrit de la lettre I étant passé entre les mains d'Héloïse, elle lui écrit pour lui reprocher son silence.

— Lettre III : réponse d'Abélard. S'il n'a jamais adressé de lettres de direction spirituelle à Héloïse, c'est qu'elle n'en avait pas besoin ; il lui promet de lui en écrire si elle le demande. Il réclame pour lui les prières de la communauté du Paraclet.

— Lettre IV : réponse d'Héloïse. Dans cette lettre pleine de gémissements et d'imprécations, Héloïse crie son amour pour Abélard, craignant pour sa vie, lui déclarant que son désir est intact et qu'elle met l'amour pour lui au-dessus de l'amour de Dieu.

— Lettre V : réponse d'Abélard. Distinguant quatre points dans la lettre IV, Abélard y répond successivement : il explique pourquoi il est son serviteur et pourquoi elle le surpasse en dignité ; il a parlé de ses malheurs et de la mort qui le menace seulement parce qu'elle l'en avait adjuré ; il l'approuve de dédaigner les éloges, pourvu qu'il ne s'agisse pas de coquetterie ; il s'étend enfin très longuement sur les circonstances et les bienfaits de leur conversion monastique.

— Lettre VI : Héloïse demande à Abélard des lumières sur l'origine historique du monachisme féminin, ainsi qu'une règle monastique cohérente et adaptée à sa communauté du Paraclet.

— Lettre VII : Abélard, répondant à la première demande de la lettre VI, fait remonter le monachisme féminin à l'Antiquité païenne et biblique, ainsi qu'à l'Église primitive. Il fait du sexe féminin un rare et chaleureux panégyrique.

— Lettre VIII : Abélard, répondant à la seconde demande de la lettre VI, donne à Héloïse un véritable traité (cette lettre est la plus longue des huit) de la vie monastique féminine. Appuyant son propos sur l'autorité des Pères, il passe en revue les vœux, l'organisation et les détails pratiques.

La correspondance peut donc être divisée en quatre ensembles :

— l'autobiographie d'Abélard (lettre I) ;

— la consolation d'Héloïse (lettre II) ;

— une correspondance personnelle des anciens amants, dans laquelle ils reviennent sur leur passé (lettres III à V) ;

— une correspondance impersonnelle, au sujet de l'administration du Paraclet et de la vie monastique féminine (lettres VI à VIII), qui fait dire à Michael Clanchy (p. 276) qu'Abélard est le « plus grand pourvoyeur de littérature de dévotion pour les moniales au XIIᵉ siècle ».

La plupart des éditions françaises ne donnent que le texte des lettres I à V.

Tradition manuscrite

Jacques Monfrin rappelle, dans son introduction à la publication de l'*Historia calamitatum* (lettre I), que le texte latin a été établi grâce à neuf manuscrits :

— cinq manuscrits de la Bibliothèque nationale de France, à Paris (latin 2923, latin 2544, nouvelles acquisitions latines 1873, latin 2545 et latin 13057) ;

— un manuscrit conservé à la bibliothèque municipale de Douai (ms. 797) ;

— un manuscrit conservé à la bibliothèque municipale de Reims (ms. 872) ;

— un manuscrit conservé à la bibliothèque municipale de Troyes (ms. 802) ;

— un manuscrit conservé à la bibliothèque bodléienne, à Oxford (Add. C. 271).

Le manuscrit de Troyes donne le texte le meilleur : c'est donc celui qu'ont choisi les éditeurs du XXᵉ siècle, en ne manquant pas de mentionner les variantes.

Les manuscrits contiennent l'ensemble de la correspondance, qu'il a donc semblé logique de publier ici intégralement. Aucun d'entre eux n'est antérieur à la fin du XIIIᵉ siècle : un siècle et demi séparent donc la correspondance du premier témoignage qui nous en est transmis. Les ouvrages d'Abélard sont très rares dans les bibliothèques médiévales et, *a fortiori*, dans les fonds anciens de nos bibliothèques actuelles qui en ont hérité. Les condamnations répétées de ses livres de théologie ne sont évidemment pas étrangères à la pauvreté de la tradition manuscrite des livres d'Abélard en général, et de sa correspondance en particulier.

Problèmes d'authenticité

La singularité de cette correspondance au sein de la littérature médiévale a depuis longtemps rendu célèbres ses deux protagonistes. Et c'est tout naturellement que les critiques se sont aiguisées pour remettre en question l'authenticité de cette œuvre atypique.

Les premiers soupçons datent du XIXᵉ siècle. Étienne Gilson, professeur au Collège de France, les a balayés en 1938, dans un commentaire dont les passages les plus éclairants forment la préface du présent volume. Il rapporte les propos échangés au cabinet des manuscrits de la Bibliothèque nationale avec un moine

bénédictin qui y travaillait : lui posant la question de l'authenticité, il s'entendit répondre qu'une histoire si « belle » ne pouvait
qu'être « authentique ». Les intentions du maître des études de
philosophie médiévale sont naturellement apologétiques ; son
analyse est magistrale.

L'historien américain John F. Benton remit de façon spectacu-
laire l'authenticité du texte en question à l'occasion du colloque
« Pierre Abélard, Pierre le Vénérable », tenu à Cluny en 1972. Il
mit en lumière des contradictions internes et le caractère tardif
de la tradition manuscrite. Les lettres II à VIII auraient été composées à la fin du XIIIe siècle par les moines du Paraclet afin d'apporter la preuve de la dépendance d'Héloïse, première abbesse
du monastère de femmes, à l'égard d'Abélard. Forgeant un précédent, les moines affermissaient leur position de supériorité sur les
moniales ; ils n'auraient ajouté la lettre I (*Historia calamitatum*),
exercice d'école écrit à la fin du XIIe siècle par un clerc anonyme,
que pour faire bonne mesure et compléter le dossier.

Cette thèse fit grand bruit au colloque de 1972 ; elle alimenta
bien des controverses. Au colloque tenu à Paris en 1979, Benton
avouait être perplexe et ne plus savoir que penser. Passant au
crible de l'ordinateur les textes de la correspondance, il mit en
lumière une parenté stylistique entre les huit lettres et conclut à
la recomposition du dossier par Abélard. L'idée de la recomposition des textes, conforme aux habitudes médiévales, n'émeut plus
personne. Il n'y a rien que de normal, en revanche, à trouver une
parenté entre le style du maître et celui de son élève, surtout
lorsque leurs affinités sont aussi charnelles, puis sacramentelles et
spirituelles !

Depuis la mort de Benton, en 1988, sa thèse a retrouvé un
héraut passionné en la personne de l'historien belge Hubert
Silvestre. Pour lui, le faussaire est Jean de Meun, continuateur de
la seconde partie du *Roman de la Rose*. Auteur de la première
traduction française de la correspondance en 1290, il aurait en
même temps composé anonymement un texte latin, pour donner
du poids à sa version française. Les propos blasphématoires d'Héloïse, sa préférence pour l'union libre (Héloïse préférant être
« l'amie », voire « la putain » d'Abélard plutôt que sa femme),
son évocation brûlante de leurs amours passées : rien de tout cela
n'est pensable, selon lui, sous la plume d'une abbesse dont même

les réformateurs les plus sévères, comme Bernard de Clairvaux, ont loué les vertus. La liberté de ce ton est parfaitement cohérente, en revanche, avec celui du *Roman de la Rose* (du moins la partie composée par Jean de Meun) et avec les revendications de certains clercs de la fin du XIIIe siècle.

Paul Zumthor résume les quatre hypothèses qui se sont succédé :

— la correspondance, authentiquement du XIIe siècle, aurait été retouchée légèrement au XIIIe siècle ;

— Abélard serait le seul auteur de ce roman épistolaire ;

— Héloïse aurait corrigé la correspondance après la mort d'Abélard, afin de la diffuser ;

— l'ensemble constituerait un dossier factice destiné à justifier, un siècle et demi après les faits, les coutumes monastiques du Paraclet.

Que penser, que faire ?

Il est bon, tout d'abord, d'abandonner nos préjugés contemporains sur la notion d'auteur. Les problèmes de plagiat, de forgerie, d'interpolations ne représentent évidemment pas, au XIIe siècle, les mêmes enjeux qu'aujourd'hui : point, alors, de droit d'auteur, de droit d'adaptation, de représentation ou de reproduction, de domaine public ni de droit moral.

Au Moyen Âge, la notion d'auteur a moins d'importance que celle d'autorité (*auctoritas*). L'abondance des citations, qui forment une grande partie des notes de l'apparat critique, manifeste que les auteurs de la correspondance ont surtout le souci, propre à leur temps, de rattacher leurs pensées, leurs paroles et leurs actions aux « autorités » du passé : héros et auteurs de l'Antiquité, personnages et auteurs bibliques, Pères de l'Église. Même si les premières lettres ont une note très personnelle, on retrouve, sous la plume des deux correspondants, des réminiscences, des citations ou des identifications : les auteurs de la correspondance ont la volonté et la conscience d'actualiser (au sens de rendre actuel) un modèle. Les éléments personnels sont dissimulés par les « lieux communs » (*loci communes*).

L'apparat critique se borne à l'étude du texte et de sa construction, plus qu'à l'intention supposée de leurs auteurs. Ce qui ne serait pas de la main d'Héloïse ou d'Abélard est néanmoins médiéval : la correspondance montre d'abord la représentation qu'ils avaient d'eux-mêmes ; elle montre aussi celle que leurs contemporains, ou les quelques générations qui les ont suivis, se faisaient de ces deux personnages par ailleurs attestés dans d'autres sources.

Le rôle de notes érudites est certes de comparer ce que l'auteur dit d'un événement avec ce que les autres sources nous en apprennent : l'Histoire se bâtit en confrontant ce que disent d'un même objet les différents documents. Mais le présent texte est surtout un jalon, un monument de la littérature française ; il faut l'aborder comme tel et ne point bouder le plaisir de la lecture.

Établissement du texte latin

Les nombreuses éditions qui se sont succédé depuis 1616 manifestent la fortune de la correspondance d'Héloïse et d'Abélard. Jacques Monfrin, dans son introduction à l'*Historia calamitatum*, p. 53, fait les remarques suivantes : « Si l'on a la curiosité de comparer entre elles ces éditions, on constate que de la première à la dernière, aucune n'est très différente des autres : c'est que, comme nous le savons déjà, la tradition manuscrite est pauvre, et qu'elle est remarquablement homogène : tous les manuscrits en effet présentent un plus ou moins grand nombre de fautes mineures, distractions ou initiatives de copistes, mais pas de discordances véritables. Aucune trace de remaniement n'apparaît. »

Si l'on en juge par la seule traduction française de l'ensemble qui existait jusqu'à maintenant, celle d'Octave Gréard, le texte de l'édition latine n'était pas exempt de contresens.

La présente édition n'a donc pu voir le jour que grâce aux travaux de publication de Jacques Monfrin (1967, lettres I, II et IV, qui révise en partie le travail des deux auteurs suivants), J. T. Muckle (1953, lettres II à V ; 1955, lettres VI et VII) et T. P. McLaughlin (1956, lettre VIII).

Établissement de la traduction française

L'élégante traduction d'Octave Gréard a servi de point de départ à l'établissement du présent texte ; l'ensemble a été revu dans un sens moins littéraire et plus littéral. La révision a surtout porté sur les passages latins améliorés par les éditions latines récentes de Muckle, McLaughlin et Monfrin.

Gréard, en fils de son temps, avait parfois donné aux expressions crues et sans ambages des deux amants un parfum de componction qui semble aujourd'hui étranger à l'esprit du Moyen Âge. L'expression de sentiments personnels, « emmaillotée » dans une rhétorique pré-scolastique (Paul Zumthor, éd. 10-18, p. 14), ne saurait pourtant être traduite avec l'onction des manuels de piété du XIXᵉ siècle, ni même avec l'emphase de l'éloquence sacrée de Bossuet ou la suavité melliflue de saint François de Sales.

Le souci d'une traduction littérale et fidèle aux étymologies permet de gommer ces scories tout en conservant le charme des trouvailles et de la distinction du texte de Gréard.

Fortune du texte

Il n'est pas une année, ou presque, qui ne voie la publication d'un livre sur Héloïse et Abélard. Jacques Verger souligne qu'écrire un nouvel ouvrage sur le sujet est toujours un défi, mais que c'est un passage presque obligé pour l'historien du Moyen Âge. Le couple est devenu lui-même un *exemplum*, un miroir où certains se reconnaissent ou croient reconnaître les autres. La comparaison faite par Yves Ferroul (éd. GF, p. 31-33) avec le couple Sartre-Beauvoir est convaincante et troublante.

Cette histoire singulière n'excite pas seulement la verve des professionnels de l'histoire religieuse ou littéraire, parmi lesquels on peut citer Guizot en 1839 et Lamartine en 1859 (sans parler de Victor Cousin, qui édite les œuvres d'Abélard en 1849-1859). Romans et pièces de théâtre font aussi leur miel de ce récit passionné et plein de rebondissements.

De la fin du XVIIᵉ siècle (Bussy-Rabutin en 1687) au milieu du XIXᵉ siècle, on ne dénombre pas moins de treize imitations libres en prose, et onze en vers, dont certaines publiées par Gréard, sans compter deux pastiches burlesques. *La Nouvelle Héloïse* de Rousseau (1761) et *Le Nouvel Abailard* de Restif de la Bretonne (1778-1779) complètent ce tableau.

Plus près de nous, de la pièce de Roger Vailland (1947) à *Adieu, mon unique* d'Antoine Audouard (2000), en passant par le roman de Paul Zumthor, *Le Puits de Babel* (1969) et par *Les Fous d'amour* de Claude Vermorel (1988), ce sont plus d'une dizaine de romans ou de pièces de théâtre qui ont brodé sur ce thème. Le « zèle biographique » décrit par Peter von Moos en 1996 n'est donc pas prêt de s'éteindre.

La part de l'imaginaire est bien supérieure dans les ouvrages qui viennent d'être cités que dans le présent livre. L'objectif est ici de rendre accessible un texte difficilement trouvable dans son intégralité, pour permettre au public de voir tout le « dossier », et non seulement les lettres les plus autobiographiques. Il faut concéder que la partie monastique de la correspondance n'est pas la plus attrayante ; elle est cependant indissociable du début, et demeure indispensable pour éviter les contresens et les interprétations hâtives d'une histoire complexe qui, il faut le prévoir, n'a pas fini de faire rêver.

Édouard Bouyé

BIBLIOGRAPHIE

Éditions et traductions

ABÉLARD, *Historia calamitatum*, Vrin, 3ᵉ éd. 1967 (1ᵉ éd. 1960). Texte critique avec une introduction publié par Jacques MON- FRIN. [La traduction faite par Gréard des lettres I, II et IV a été révisée en fonction du texte latin établi par J. Monfrin.]

J. T. MUCKLE (éd.), « The Personal Letters between Abelard and Heloise », *Mediaeval Studies*, 15, 1953, p. 47-94. [La traduction faite par Gréard des lettres II à V a été révisée en fonction du texte latin établi par Muckle.]

J. T. MUCKLE (éd.), « The Letter of Heloise on the Religious Life and Abelard's First Reply », *Mediaeval Studies*, 17, 1955, p. 240-281. [La traduction faite par Gréard des lettres VI et VII a été révisée en fonction du texte latin établi par Muckle.]

T. P. MCLAUGHLIN (éd.), « Abelard's Rule for Religious Wo- men », *Mediaeval Studies*, 18, 1956, p. 241-292. [La traduction faite par Gréard de la lettre VIII a été révisée en fonction du texte latin établi par McLaughlin.]

ABÉLARD et HÉLOÏSE, *Lettres complètes*. Préface et traduction d'Octave GRÉARD, Garnier, 1859. [Traduction qui a servi de fondement à l'établissement du présent texte.]

ABÉLARD et HÉLOÏSE, *Correspondance*. Traduction et présentation de Paul ZUMTHOR, 10-18, 1979. [Édition des lettres I à V.]

ABÉLARD et HÉLOÏSE, *Lamentations, Histoire de mes malheurs, Correspondance avec Héloïse*. Traduction et présentation par Paul ZUMTHOR, Babel, 1992. [Édition des lettres I à V.]

Héloïse et Abélard, *Lettres et vies*. Traduction et présentation par Yves Ferroul, GF-Flammarion, 1996. [Édition annotée des lettres I à V.]

Jean de Meun, *La Vie et les epistres Pierres Abaelart et Heloys sa fame*. Traduction du XIIIᵉ siècle attribuée à Jean de Meun éditée par Éric Hicks, Champion, 1991.

Ouvrages généraux

Adrian H. Bredero, *Bernard de Clairvaux (1091-1153). Culte et histoire. De l'impénétrabilité d'une biographie hagiographique*, Turnhout, Brepols, 1998.

Giles Constable, *The Reformation of the Twelfth Century*, Cambridge, 1996.

Giles Constable, *The Letters of Peter the Venerable* (Harvard Historical Studies, LXXVIII), Cambridge, 1967.

Dictionnaire encyclopédique du Moyen Âge (dir. André Vauchez), Cerf, 1997.

Dictionnaire raisonné de l'Occident médiéval (dir. Jean-Claude Schmitt et Jacques Le Goff), Fayard, 1999.

Peter Dronke, *Women Writers of the Middle Ages*, Cambridge University Press, 1984.

Georges Duby, *Mâle Moyen Âge. De l'amour et d'autres essais*, Flammarion, 1998.

La Femme dans les sociétés médiévales, Cahiers de civilisation médiévale, 78-79, Poitiers, C.E.S.C.M., 1977. Actes du colloque tenu à Poitiers.

A. L. Gabriel, « Les écoles de la cathédrale de Notre-Dame et le commencement de l'université de Paris », *Huitième centenaire de Notre-Dame de Paris, Recueil de travaux sur l'histoire de la cathédrale et de l'église de Paris*. Actes du congrès des 30 mai-3 juin 1964, Vrin, « Bibliothèque de la société d'histoire ecclésiastique de la France », 1967, p. 141-166.

Gabriel Le Bras, « Le mariage dans la théologie et le droit de l'Église du XIᵉ au XIIIᵉ siècle », *Cahiers de civilisation médiévale*, 42, 1968, p. 191-202.

Paulette L'Hermite-Leclercq, *L'Église et les femmes dans l'Occident chrétien des origines à la fin du Moyen Âge*, Turnhout, Brepols, 1997.

Alain de LIBERA, *La Philosophie médiévale*, PUF, « Que sais-je ? », 1993.

Alain de LIBERA, *La Querelle des universaux. De Platon à la fin du Moyen Âge*, Le Seuil, 1996.

Alain MICHEL (éd.), *Théologiens et mystiques au Moyen Âge*, Gallimard, « Folio classique », 1997.

Jacques PAUL, *Culture et vie intellectuelle dans l'Occident médiéval*, Armand Colin, 1999.

Jacques PAUL, *Histoire intellectuelle de l'Occident médiéval*, Armand Colin, 1998.

Brian STOCK, « Lecture, intériorité et modèles de comportement dans l'Europe des XIe-XIIe siècles », *Cahiers de civilisation médiévale*, 130, 1990, p. 103-112.

Jacques VERGER, *La Renaissance du XIIe siècle*, Cerf, « Initiation au Moyen Âge », 1996. [Cet ouvrage clair et dense indique, p. 124-128, les éditions des principaux textes littéraires, narratifs et théologiques du XIIe siècle.]

Sur Héloïse et Abélard

Abélard et son temps (éd. Jean JOLIVET), Les Belles Lettres, 1981. Actes du colloque international organisé à l'occasion du neuvième centenaire de la naissance de Pierre Abélard en 1979.

Michael T. CLANCHY, *Abélard. A Medieval Life* (Blackwell, 1997), traduit par Pierre-Emmanuel Dauzat, Flammarion, 2000.

Yves FERROUL, « Bienheureuse castration. Sexualité et vie intellectuelle à l'époque d'Abélard », *Bien dire et Bien Aprandre* (Lille), 4, 1986, p. 1-28.

Mariateresa FUMAGALLI BEONIO BROCHIERI, « Héloïse l'intellectuelle », *Les Femmes au Moyen Âge*, Hachette, 1991, p. 191-224.

Maurice de GANDILLAC, « Sur quelques interprétations récentes d'Abélard », *Cahiers de civilisation médiévale*, 15, 1961, p. 293-302.

Étienne GILSON, *Héloïse et Abélard*, Vrin, 1938 (nouvelle éd. 1964).

Jean JOLIVET, *La Théologie d'Abélard*, Cerf, « Initiations au Moyen Âge », 1997.

Michel Huglo, « Abélard, poète et musicien », *Cahiers de civilisation médiévale*, 88, 1979, p. 349-361.

Peter von Moos, « Les *collationes* d'Abélard et la question juive au XIIᵉ siècle », *Journal des savants*, juillet-décembre 1999, p. 449-489.

Régine Pernoud, *Héloïse et Abélard*, Albin Michel, 1970.

Pierre Abélard, Pierre le Vénérable. Les Courants philosophiques, littéraires et artistiques en Occident au milieu du XIIᵉ siècle, C.N.R.S, 1975. Actes du colloque tenu à Cluny en 1972.

Jacques Verger, « Héloïse et Abélard : leurs lettres d'amour sont-elles des faux ? », *L'Histoire*, 165, 1993, p. 68-70.

Jacques Verger, *L'Histoire d'Héloïse et Abélard. L'Amour castré*, Hermann, 1996.

Hubert Silvestre, « L'idylle d'Abélard et Héloïse : la part du roman », *Bulletin de la classe des lettres et des sciences morales et politiques*, Académie royale de Belgique, 1985.

É. B.

NOTES

Pour ne pas alourdir les nombreuses références des textes cités par Abélard et Héloïse, le parti a été pris de ne pas indiquer les éditions des ouvrages patristiques. Le lecteur pourra retrouver la référence du texte latin ou grec dans l'apparat critique de la correspondance publiée par Jacques Monfrin, J. T. Muckle et T. P. McLaughlin.

LETTRE I

Page 57

1. Le texte commence par une opposition presque incongrue sous la plume d'un dialecticien, professionnel du verbe ; le lecteur comprend d'emblée qu'il ne s'agira pas ici de philosophie *(verba)*, mais d'un récit vivant *(exempla)* : la première phrase manifeste la singularité de tout le texte au sein de l'œuvre d'Abélard.

2. Le texte latin parle de « petite Bretagne », par opposition à la Grande-Bretagne insulaire.

3. Le Pallet, Loire-Atlantique, arrondissement de Nantes, canton de Vallet. Les restes du château où naquit Abélard sont visibles aujourd'hui derrière le cimetière : il reste une butte, qui montre à sa base des éléments de maçonnerie.

4. La culture de Bérenger, type du « *miles litteratus* » (chevalier lettré), est symptomatique de la diffusion du savoir jusque dans les rangs de la petite noblesse, dans la seconde moitié du XIe siècle : c'est déjà, en germe, la « Renaissance du XIIe siècle ». Sur Bérenger et les principaux personnages cités, on se reportera à l'index.

5. Après Pierre naquirent Raoul, Porcaire, Dagobert et Denise , c'est cette dernière qui recueillit et éleva Astrolabe, le fils d'Abélard et d'Héloïse.

Page 58.

1. Comme fils aîné, Abélard aurait dû suivre l'apprentissage des chevaliers afin de succéder à son père comme seigneur du Pallet.

2. La métaphore militaire, qui court au long de la lettre, renvoie l'image d'une jeunesse fougueuse : parmi les *juvenes* décrit par Georges Duby, il en est qui courent les tournois, tandis que d'autres, comme Abélard, courent les disputes dialectiques.

3. On sait qu'Abélard vint à Loches suivre les cours de Roscelin dès 1094. Les écoles ligériennes possédaient une plus grande ouverture intellectuelle et sociale que les écoles monastiques traditionnelles (cf. Jacques Verger). « Partout », qui traduit « *diversas provincias* », montre l'efflorescence de la dialectique à la fin du XIe siècle. Cf. Guibert de Nogent (abbé bénédictin de Notre-Dame de Nogent), écrivant en 1115 : « Jadis, et même encore au temps de ma jeunesse [en 1065], il y avait si peu de maîtres d'école qu'on n'en trouvait pratiquement pas dans les bourgs et à peine dans les campagnes ; et quand on en trouvait, leur science était si mince qu'on ne saurait même pas la comparer à celle des petits clercs vagabonds d'aujourd'hui (*De sa vie*). »

4. Péripatéticiens : disciples d'Aristote.

5. Quoique les écoles de Paris aient gagné en importance depuis 1080, certains historiens (John F. Benton ou Hubert Silvestre) jugent anachronique ce cri à la Rastignac : ils en font même l'une des raisons pour rejeter le texte comme inauthentique.

6. Abélard est alors âgé de 21 ans.

7. Melun, Seine-et-Marne, est alors l'une des villes du domaine royal et l'une des résidences de Philippe Ier ; elle avait alors (*tunc temporis*) une certaine importance par rapport à Paris, qui ne connaît de développement que dans les décennies suivantes.

Page 59.

1. L'opposition du clan des Garlande, protecteur d'Abélard, mais ennemi de son rival Guillaume de Champeaux, se manifeste dès 1104.

2. Corbeil (Essonne) était alors tenue par Hugues du Puiset ; Louis VI, au prix de grand efforts, la rattacha au domaine royal.

3. C'est-à-dire l'Île-de-France, soit le domaine royal, alors fort circonscrit.

4. Principal collaborateur de l'évêque, l'archidiacre est à la tête d'une portion du diocèse appelée archidiaconé.

5. À la tête de chanoines retirés en 1108 près d'une chapelle dédiée à Saint-Victor, au bord de la Bièvre, qui suivaient la règle de saint Augustin.

6. Le développement et le succès des chanoines réguliers eurent en effet pour conséquence leur fréquente élévation à l'épiscopat. Du point de vue d'Abélard, il s'agissait d'opportunisme et de carriérisme ; plus simplement, c'est un phénomène ordinaire que l'on peut observer dans chaque mouvement de réforme de l'Église catholique.

7. Châlons-en-Champagne, en 1113.

8. La questions des universaux traverse tout le Moyen Âge : les noms de genres ou d'espèces sont-ils des mots (*voces*) ou bien des choses (*res*) ? Les réalistes, comme Guillaume de Champeaux, pensent que ces noms ont une réalité, tandis que les nominalistes, comme Abélard (nominaliste modéré, ou « non-réaliste ») et surtout Roscelin, estiment que ce sont des mots sans aucune réalité positive. Abélard, qui amena Guillaume à amender sa doctrine, était d'avis que les individus singuliers, sans relever d'une même essence réelle, participaient d'une nature commune.

Page 60.

1. Boèce, *Commentaires sur Porphyre*, 1.

2. Cette liberté d'initiative dans l'attribution et la délégation des chaires sera inconcevable au siècle suivant, lorsque l'université de Paris aura reçu des statuts précis.

3. L'envie et la jalousie des rivaux sont une constante dans la vie d'enseignant d'Abélard. Ces sentiments sont les mobiles essentiels des attaques dont il fait l'objet. Dans le déroulement du récit, ils sont les moteurs de l'action et des péripéties. Ils reflètent aussi l'individualisme des maîtres d'alors, avant l'esprit communautaire de l'université.

Page 61.

1. Ovide, *Remèdes à l'amour*, 1, 369.

2. Le terme de conversion (*conversio morum*) désigne le passage de l'état de clerc séculier à celui de chanoine régulier : la profession religieuse et la soumission aux vœux prévus par la règle (ici de saint Augustin) oblige le régulier à se convertir, c'est-à-dire à se tourner vers Dieu.

3. La montagne Sainte-Geneviève, située sur la rive gauche de la Seine, tient son nom de l'abbaye fondée par Clovis, dont les bâtiments forment aujourd'hui le lycée Henri IV et dont l'église abbatiale fut détruite au début du XIXe siècle pour permettre le percement de la rue Clovis. L'abbaye ne fut intégrée à la ville que sous le règne de Philippe-Auguste ; on peut d'ailleurs voir rue Clovis un fragment du rempart alors construit. La montagne Sainte-Geneviève devient, au début du XIIe siècle, le lieu d'enseignement et de vie intellectuelle qu'elle n'a pas cessé d'être depuis.

4. Abélard, qui aura, sept ans plus tard, plus de raisons encore de désespérer de la gloire du monde, aura alors le même réflexe monastique.

5. Ovide, *Métamorphoses*, 13, 89-90.

Page 62.

1. Cf. *Luc*, 19, 40 : « Je vous le dis, si eux se taisent, les pierres crieront. »

2. Il n'est pas interdit de penser que la profession religieuse de ses parents engagea Abélard à étudier la « science sacrée », que l'on appellera bientôt, sous l'impulsion d'Abélard, la théologie. Le désir de n'être pas en reste sur Guillaume de Champeaux et celui de faire carrière dans l'Église expliquent aussi cette inflexion.

3. L'école cathédrale de Laon, très active depuis le IXe siècle, maintient alors une brillante renommée grâce à l'enseignement d'Anselme, « précurseur génial et solitaire » (Jacques Verger).

4. L'opposition entre l'intelligence (*ingenium*) et l'habitude (*usus*) montre la confiance d'Abélard dans le génie de sa raison et le dédain qu'il a pour l'érudition historique et les fades compilations d'Anselme et de ses disciples.

5. Lucain, *Pharsale*, 1, 135-136.

6. La morgue du dernier venu excite de nouveau l'envie des disciples attachés à l'enseignement du maître.

Page 63.

1. Le travail laonnois est de passer de la glose ordinaire aux sentences, véritables décisions doctrinales qui viennent clore les questions (*quaestiones*) : ces compilations forment un commentaire qui semble superflu à Abélard. Pour lui, le travail du grammairien est vain s'il n'est pas couronné par celui du dialecticien.

2. Il y a comme un parfum de défi dans la confiance d'Abélard en son propre génie : sa raison suffit là où peine l'érudition laonnoise. Quand Guillaume le Maréchal, étudié par Georges Duby, voulait devenir, quelques décennies plus tard, le « meilleur chevalier du monde », Abélard avait pour objectif d'être le meilleur philosophe.

Page 64.

1. C'est-à-dire d'appliquer aux livres saints l'analyse dialectique.

2. Abélard, jusqu'alors, a peu écrit ; les notes prises par les étudiants permettent la diffusion des enseignements. Elles jouent aussi quelques tours aux maîtres, qui se voient parfois condamnés pour des propos qu'ils n'ont pas tenus, mais que leurs étudiants ont mal compris ou déformés.

3. Ce passage est muet sur l'agitation politique laonnoise de ces années : Abélard ne mentionne pas la commune de Laon, et montre ainsi son indifférence aux mutations urbaines. Abélard n'est pas ce héraut de la culture urbaine que l'historiographie traditionnelle, depuis Michelet, oppose à un Bernard de Clairvaux amant des âpres solitudes monastiques. Le vieil Anselme, au contraire, fut très lié au mouvement communal.

Page 65.

1. L'enseignement des écoles monastiques ou cathédrales était gratuit. Abélard représente la première génération de ces enseignants professionnels qui tirent leur subsistance de leur travail intellectuel. Cette apparition des intellectuels comme nouvelle classe sociale est caractéristique de la Renaissance du XIIᵉ siècle.

2. Les philosophes antiques, dont la raison fut inspirée par Dieu, ont, selon Abélard, inspiré les païens, aux côtés des prophètes, qui parlèrent aux Juifs : c'est la théorie, déjà présente dans la *Théologie du Souverain Bien* (1120), de la double inspiration divine. Dans la

mesure où ils se sont abstenus de tout commerce charnel, les philosophes sont regardés comme sources de vérité, où le clerc savant peut puiser comme dans la Bible et les œuvres des Pères.

3. I *Corinthiens*, 8, 1.

4. Le concile de Soissons, en 1121, condamna la *Théologie du Souverain Bien*.

Page 66.

1. C'est le portrait saisissant de l'intellectuel tout adonné aux études et qui peine à trouver sa place dans les relations sociales.

2. Fille d'Heresinde (ou Hersent), Héloïse appartenait à une famille noble de la région parisienne. Sa famille paternelle était probablement alliée aux Montmorency-Bantelu, eux-mêmes liés aux Garlande et ennemis de l'abbaye de Saint-Denis.

3. Cette remarque illustre la rareté de l'instruction intellectuelle des femmes d'alors.

4. Pierre le Vénérable lui-même avait entendu parler de la science et de la sagesse exceptionnelles d'Héloïse.

5. L'utilisation des mots « *hanc igitur* », qui sont ceux du début de la formule de consécration, dans le canon romain, annonce au lecteur que le récit entre dans une phase critique : ce qui a précédé n'est que préliminaires ; voici qu'arrive l'époque des amours et des malheurs.

6. Jeune, c'est-à-dire établi ni dans le mariage, ni dans l'Église.

Page 67.

1. Les maisons de chanoines étaient groupées autour de la cathédrale, du cloître et de l'école : cette proximité était commode pour Abélard.

2. Foulques de Deuil rapporte divers ragots sur le goût d'Abélard pour les amours tarifées et la fréquentation des lieux de débauche. Il semble pourtant clair que Fulbert, dont la suite de l'histoire montre assez combien il est regardant sur l'honneur et la réputation de sa nièce, n'aurait jamais fait cette proposition à Abélard s'il avait eu le moindre doute sur la réputation de ses mœurs.

Page 68.

1. Témoignage sur les méthodes d'enseignement, cette brutalité

teinte également d'un soupçon de sadisme les amours d'Héloïse
et d'Abélard.

2. Abélard s'inscrit ainsi dans les traditions goliardiques. Ces
poèmes, hélas perdus, trouvent un écho dans les phrases utilisées
par Abélard dans son enseignement dialectique : « *Petrus diligit
suam puellam ; Petrum diligit sua puella*, vel *ejus amica* » (Pierre
aime son amie ; Pierre est aimé de son amie).

Page 69.

1. Il s'agit en fait d'une lettre à Sabinien ; Jérôme, *Lettre* 147,
10.

2. La séparation de l'être aimé, le fantasme né de l'obstacle
et l'exaspération du désir sont, de l'avis de Paul Zumthor, des
caractéristiques de ce qui sera, quelques décennies plus tard,
l'amour courtois. D'autres auteurs estiment que cette interprétation anachronique anticipe des sentiments que l'air du temps
n'avait pas encore diffusés. Ils donnent à l'amour courtois chanté
par les troubadours une acception plus spécifique et restreinte et
ne voient dans les sentiments mutuels d'Héloïse et d'Abélard,
entre leur séparation et la castration, que des ressorts classiques
de l'amour humain.

3. Ovide, *Art d'aimer*, 2, 561 et suivants, raconte que Mars et
Vénus, ayant été vus enlacés par tous les dieux, n'avaient plus
rien à cacher ; ils étalaient donc leurs amours au grand jour, sans
pudeur ni respect humain.

4. Il y a, dans l'annonce de sa maternité, une réminiscence de
l'exultation de la Vierge disant le *Magnificat* à sa cousine Élisabeth ; cf. *Luc*, 1, 47.

Page 70.

1. Le choix de ce nom d'instrument d'astronomie indique peut-
être qu'Héloïse voyait dans le fils que lui avait donné son maître
et amant un présent du ciel. Les considérations morales sont éton-
namment absentes de cette joie.

2. En épousant Héloïse, Abélard répare le tort qu'il a fait à la
jeune fille et à sa famille : l'enfant devient légitime, la position
d'Héloïse se normalise et l'affront infligé à l'honneur de Fulbert,
sous son toit, est lavé.

3. Par un subtil renversement du discours, ce n'est plus Abé-

lard qui a trahi la confiance de Fulbert, mais Fulbert-Judas qui scelle par un baiser le sort d'Abélard-Jésus. L'heure de la Passion a en effet sonné.

Page 71.

1. Si le mariage d'un clerc n'est pas alors canoniquement impossible, il est néanmoins source de scandale et de discrédit dans le monde des clercs lettrés.

2. I *Corinthiens*, 7, 27-28.

3. I *Corinthiens*, 7, 32.

4. Jérôme, *Contre Jovinien*, 1, 48.

5. *Ibid.*

Page 72.

1. Le problème de ce mariage n'est pas canonique : c'est une question de déclassement.

2. Le métier naissant d'intellectuel apparaît ici presque comme un sacerdoce. La double signification du terme de clerc (ecclésiastique ou intellectuel), aujourd'hui encore, est un souvenir de cet état d'esprit médiéval.

3. Sénèque, *Lettres à Lucilius*, 73, 3.

Page 73.

1. Cf. *Nombres*, 6, 121 ; *Juges*, 16, 17 ; *Amos*, 2, 11.

2. Jérôme, *Lettres* 125, 7 et 58, 5.

3. Flavius Josèphe, *Les Antiquités*, 18, 1, 11.

4. *Marc*, 1, 4 ; il s'agit naturellement de saint Jean-Baptiste.

5. Saint Augustin, *La Cité de Dieu*, 8, 2.

Page 74.

1. Abélard est un clerc tonsuré qui n'a pas reçu les ordres mineurs. Selon Yves de Chartres, le mariage d'un clerc ne dissolvait pas sa cléricature.

2. Jérôme, *Contre Jovinien*, 1, 48.

3. En terminant son raisonnement par l'anecdote burlesque de Xantippe, Socrate et le pot de chambre, Héloïse emploie des arguments de poids : le mariage ruinerait non seulement sa carrière, mais aussi la haute idée qu'il a de lui-même. Le mari, dira Abélard dans son *Sermon* 30, est un « âne domestique ».

Page 75.

1. Seule cette misogamie pourrait rapprocher l'attitude d'Héloïse de celle des héroïnes de l'amour courtois. L'amour pur d'Héloïse combine l'excellence objective de l'aimé et la totale spontanéité de l'attirance ; l'amour désintéressé, où Héloïse ne veut pas voir de faute, s'associe à la doctrine morale de l'intention.

2. Le bref commentaire de la longue tirade misogame d'Héloïse marque la reprise du récit et pose les jalons de la tragédie.

3. Il s'agit de sa sœur Denise.

4. Le mariage, en présence de témoins, n'est donc pas secret : c'est ce qui va perdre Abélard. Pour expliquer la discrétion voulue par Abélard, il faut comprendre qu'il veut « être un clerc selon le cœur de Sénèque et de Jérôme, du moins de passer pour tel » (Étienne Gilson, *Héloïse et Abélard*, p. 54).

5. Abélard souhaite protéger sa femme des brutalités de son oncle. Le mariage étant secret, il ne peut prendre Héloïse chez lui : le monastère est donc le seul refuge possible. Mais Fulbert pense qu'Abélard l'a dupé en se débarrassant de la jeune femme.

6. La vocation religieuse d'Héloïse n'est pas à proprement parler une vocation forcée, mais, du moins, une vocation d'abnégation.

7. Le prieuré de bénédictines d'Argenteuil (Val-d'Oise), fondé par Ermenric, un fidèle de Clotaire III en 660, accueillait, comme le prévoit la *Règle* de saint Benoît, des jeunes filles. L'enseignement des lettres devait y être poussé, puisque Fulbert semble toujours avoir choisi pour sa nièce ce qu'il y a de meilleur ; Héloïse est une de ces *litteratae*, femmes de la noblesse élevées au couvent. Elle peut trouver refuge à Argenteuil, preuve que les moniales n'ont rien à lui refuser.

Page 76.

1. Il s'agit des testicules, et non de la verge, dont l'ablation peut être mortelle.

2. C'est la loi du talion. Il s'agit bien d'une vengeance collective et d'une justice privée. L'Église, en lançant le mouvement de paix, tentait depuis plus d'un siècle de lutter contre cette *faïda* héritée des Francs ; la stupeur et la réprobation générales montrent combien on la trouva incongrue et scandaleuse chez un chanoine de

Paris. Fulbert fut lui-même inquiété, et il disparut quelque temps des listes de chanoines de Paris ; ses biens furent confisqués.

Page 77.

1. En fait *Lévitique*, 22, 24.

2. En fait *Deutéronome*, 23, 2. Cette discordance dans la citation des textes sacrés donne, pour John F. Benton, une raison de croire que toute la correspondance n'a été composée qu'à la fin du XIIIᵉ siècle : le mode de citation biblique utilisé dans les manuscrits ne fut inventé que vers 1200 par Étienne Langton. On peut objecter que la citation a été rajeunie par le copiste du XIIIᵉ siècle.

3. Si son prédécesseur abandonna la chaire de l'école de Paris par découragement, Abélard le fit par honte. Avec l'abnégation d'Héloïse, ces trois « conversions » paraissent mues par des raisons qui tiennent peu à l'appel de Dieu...

4. L'abbaye royale de Saint-Denis, nécropole des rois depuis Childebert (vers 550), était l'une des plus prestigieuses de France.

5. Lucain, *Pharsale*, 8, 94-98.

Page 78.

1. Si la prise d'habit manifeste l'entrée en religion, le voile, imposé par l'évêque, est le signe de la profession monastique.

2. L'abbaye de Saint-Denis n'avait pas encore été atteinte par le mouvement de réforme.

3. Adam, abbé de Saint-Denis.

Page 79.

1. À Maisoncelle, près de Provins. Ce goût pour les ermitages et les dépendances n'est pas propre à Abélard. En 1100 se font jour des aspirations à une vie plus érémitique et contemplative.

2. En mettant ses talents de dialecticien au service de l'Écriture Sainte, Abélard montre qu'il a changé de priorité : ses travaux ne sont plus seulement de pures et brillantes spéculations intellectuelles, mais des moyens d'attirer les âmes à Dieu. La métaphore de l'hameçon renvoie à la métaphore évangélique de la pêche comme apostolat.

3. Eusèbe de Cesarée, *Histoire ecclésiastique*, 6, 19.

4. La liberté d'enseigner *(licentia docendi)*, apparue officiellement en 1160, est soumise à l'autorité de l'ordinaire du lieu, c'est-

à-dire du prélat ayant autorité : l'abbé dans son monastère (pour les écoles monastiques), l'évêque dans son diocèse (pour les écoles cathédrales).

5. Roscelin, l'ancien maître d'Abélard à Loches, lui écrit en 1120 une lettre pleine de fiel ; à propos de son enseignement, il dit : « Et ramassant le salaire des mensonges que tu professes, tu ne le fais pas porter, non, tu l'apportes toi-même à ta putain, en récompense de votre débauche » : cité dans *Héloïse et Abélard. Lettres et vie*, éd. d'Yves Ferroul, GF-Flammarion, 1996, p. 195.

6. Il s'agit de la première des trois versions de la *Théologie* d'Abélard, la *Theologia Summi Boni (Théologie du Souverain Bien)*, mise en forme en 1120. Le livre I est une analyse sémantique de ce que dit la Révélation à propos de la Trinité ; le livre II en fait un examen dialectique ; le livre III est une réponse aux « pseudo-dialecticiens » qui veulent remettre en cause la Révélation par des arguments philosophiques.

Page 80.

1. Où qu'il se retire, Abélard attire à lui des élèves. Le reproche que va lui faire le concile n'est pas seulement d'avoir une opinion théologique discutable, mais surtout de l'enseigner.

2. Abélard, dans la lettre VIII, condamne longuement ceux qui récitent ou chantent l'office monastique sans le comprendre.

3. Anselme de Laon était mort en 1117 ; Guillaume de Champeaux meurt en 1121.

4. Raoul, archevêque de Reims de 1106 à 1124.

5. Les papes réformateurs du XIᵉ siècle, en particulier Grégoire VII (c. 1029-1085, pape à partir de 1073), envoyèrent dans les diocèses des légats pour tenir des conciles, remédier aux désordres et éteindre les discordes. Ces légats pontificaux, souvent choisis dans le Sacré Collège, sont donc les instruments privilégiés de la réforme de l'Église. Conon est cardinal-évêque du titre de Préneste (ou Palestrina) : les sept cardinaux-évêques étaient titulaires d'un évêché suburbicaire, c'est-à-dire situé autour de l'*Urbs*, la Ville, Rome.

6. Le diocèse de Soissons appartient à la province ecclésiastique de Reims : l'évêque de ce lieu est donc suffragant de Raoul, archevêque de Reims. C'est ce dernier qui co-préside, avec le légat pontifical, le concile de Soissons. Albéric et Lotulphe tenant école

à Reims, ils tiennent leur pouvoir de l'archevêque et peuvent donc juger Abélard dans le cadre d'un concile provincial. C'est à Soissons que le nominalisme de Roscelin avait été condamné en 1092 ; en 1115, la ville est agitée par des hérésies pseudo-évangéliques durement réprimées.

7. Abélard s'identifie ici au Christ, échappant de peu à la colère et à la lapidation de la foule, puis soumis au jugement truqué du Sanhédrin.

Page 81.

1. Conon de Préneste montre ainsi qu'il est moins un théologien qu'un « politique », un homme de gouvernement, avant tout chargé de faire respecter l'ordre et la hiérarchie : il est hors de question pour lui d'examiner un seul instant (comme le montre le terme « aussitôt ») un traité écrit par un théologien à la réputation sulfureuse et de prendre le risque d'être en opposition avec son hôte, l'archevêque de Reims.

2. *Deutéronome*, 32, 31.

Page 82.

1. Augustin, *De la Trinité*, 1, 1.

Page 83.

1. Chartres était depuis longtemps le siège d'une école prestigieuse. Geoffroy, prélat savant et pieux, évêque de Chartres de 1116 à 1149, joue ici d'autant plus facilement le rôle de médiateur que son diocèse, de la province de Sens, n'est pas suffragant de Reims.

2. *Psaume* 79, 12.

3. Jérôme, *Livre des questions sur la Genèse*, préface ; cf. aussi Horace, *Odes*, 2, 10, 11-12.

4. Jérôme, *Lettre* 44, 12.

5. *Jean*, 7, 51.

Page 84.

1. Abélard enrage de ne pouvoir amener ses adversaires sur le terrain de la dispute ; seuls des arguments d'autorité lui sont opposés.

2. Geoffroy tente de faire « délocaliser » l'affaire, pour dépas-

sionner le débat. Le légat semble disposé à accepter cette porte de sortie, acceptable du point de vue canonique (puisqu'il est logique qu'un moine soit jugé dans son abbaye) et lui permettant de se débarrasser d'un problème irritant.

3. C'était permettre à Abélard d'être jugé hors de la juridiction de leur archevêque : dès lors, leur ennemi leur échappait.

Page 85.

1. L'affaire se dénoue brutalement ; l'ouvrage n'est pas examiné au fond ; il est condamné pour l'exemple. Les évêques veulent montrer qu'ils reprennent en main l'enseignement dans leurs diocèses.

2. Les chapitres I et II du premier livre de l'ouvrage expliquaient le sens des trois noms donnés aux personnes de la Trinité : au Père, la toute-puissance ; au Verbe, la sagesse ; à l'Esprit, la bonté. Cependant le « propre » de chaque personne ne leur est pas exclusif. Cette question rebondira au moment où Abélard donnera le nom de Paraclet à sa retraite monastique.

3. Thierry était le maître de l'école de Chartres.

4. Athanase, *Vie de saint Antoine.* La perplexité de l'assemblée devait être grande en voyant un légat et un archevêque émettre une opinion aussi manifestement contraire à celle d'un Père de l'Église.

Page 86.

1. *Daniel*, 13, 48-49.

2. En présentant oralement son traité de théologie, exposé rationnel et ordonné de sa doctrine trinitaire, « détaché de l'étude du texte sacré » (Jacques Verger) : c'est, au fond, la naissance de la théologie.

3. C'est par une citation d'Athanase que Thierry mit en défaut le légat ; les adversaires se vengent en faisant réciter à Abélard le symbole (profession de foi) d'Athanase.

4. L'abbaye bénédictine Saint-Médard de Soissons, fondée en 557 et restaurée au XIe siècle, offrait l'avantage, pour les adversaires d'Abélard, de le garder en leur juridiction.

Page 87.

1. Athanase, *Vie de saint Antoine.*

2. Prélat d'origine germanique, énergique homme de foi, il se

scandalise de voir des hommes d'Église plus prompts à assouvir leur haine qu'à défendre la vérité.

Page 88.

1. Bède le Vénérable, *Exposition sur les Actes des Apôtres*, 17, indique que Denis était évêque de Corinthe, et non d'Athènes comme Hilduin le prétendait. Cependant Hilduin avait déjà réfuté Bède ; cette réfutation *(Rescriptum)* figurait avec la *Vie de saint Denis*, d'Hilduin, dans un véritable dossier. Abélard n'a donc pas pu prendre connaissance de la *Vie* sans lire le *Rescriptum*. Est-il de bonne foi ? est-il faussement naïf ? joue-t-il sur l'ignorance crasse de ses confrères ?

2. C'était ruiner la gloire de l'abbaye et sa fondation apostolique, qui reposaient en grande partie sur l'assimilation du martyr parisien à l'Aréopagite, converti par saint Paul. Ce dernier personnage, en réalité, est double : ce n'est évidemment pas le compagnon de saint Paul qui a écrit, au Ve siècle, les traités que l'on prête alors à l'Aréopagite sur la hiérarchie céleste ; la question ne sera soulevée qu'au XVe siècle, par Lorenzo Valla. Là où nous savons qu'il y a trois Denis, Abélard en voit deux. La critique d'Abélard ne pouvait qu'enflammer la colère des moines de Saint-Denis.

3. Abélard a beau jeu de souligner que l'autorité d'Hilduin est inférieure à celle de Bède, dont les écrits sont alors lus dans toutes les églises du monde.

Page 89.

1. Louis VI, formé à Saint-Denis, tenait beaucoup à cette abbaye : nécropole de ses prédécesseurs, incarnant la continuité de la royauté franque à travers les changements dynastiques et, ainsi, la légitimité des Capétiens, l'abbaye est le lieu où Louis VI convoquera pour la première fois tous les grands du royaume trois ans plus tard, en 1124. L'outrage d'Abélard atteint également le roi et la couronne de France.

2. On conserve, par ailleurs, une lettre adressée par Abélard à l'abbé Adam, où il fait une volte-face omise dans le récit. Dans une argumentation quelque peu retorse, Abélard s'appuie sur Eusèbe et Jérôme, sans citer Hilduin, qui les mentionne pourtant. Il apaise ses adversaires en abondant dans leur sens et respecte le

principe d'autorité en escamotant Hilduin. Denis l'Aréopagite, d'abord évêque d'Athènes, devint ensuite évêque de Corinthe, puis partit en Gaule. L'autre Denis, contemporain d'Antonin, est celui dont parlent Jérôme et Eusèbe. La question dionysienne ne se pose pas dans les termes érudits où elle sera examinée au xvᵉ siècle. La polémique, ici, est utilitaire : elle montre le plaisir évident avec lequel Abélard s'ingénie à ébranler les certitudes de ses confrères et, plus encore, leur puissance, leur renommée et leurs revenus. On comprend que les moines de Saint-Denis l'aient trouvé insupportable.

3. Thibaud II, comte de Champagne et de Brie.

4. Provins (Seine-et-Marne), ville de foire, l'une des résidences du comte, garde aujourd'hui encore bien des souvenirs architec turaux de son brillant passé princier et monastique.

5. Adam, abbé de Saint-Denis.

Page 90.

1. Le moine gyrovague est menacé d'excommunication : arme spirituelle majeure, exclusion de la communauté des fidèles, cette menace est un moyen de pression efficace qui s'est développé à la fin du xiᵉ siècle, au moment de la réforme grégorienne.

2. À la mort d'Adam, c'est Suger qui est élu en mars 1122.

3. Étienne de Garlande.

4. Louis VI arrivera à ses fins lorsque Suger aura imposé à Saint-Denis, en 1127, la réforme qui sied à une abbaye royale et de fondation apostolique.

Page 91.

1. C'est la première occurrence, dans la correspondance, de l'aspiration d'Abélard à l'érémitisme (le mot *eremus* signifiant désert). Le goût de l'anachorétisme était alors dans l'air du temps ; on redécouvrait la vie des Pères du désert, abondamment cités par Abélard dans la lettre VIII. Les ermites se retirent, vivent seuls dans des cabanes ou des grottes.

2. Département de l'Aube, arrondissement de Nogent-sur-Seine, canton de Romilly-sur-Seine, commune de Quincey. L'ora-toire d'Abélard se situe sur les bords de l'Ardusson, à quelque cinq kilomètres au sud-est de Nogent-sur-Seine. Il ne reste plus rien de l'abbaye médiévale ; les bâtiments de la ferme et le classique logis

abbatial sont entretenus avec goût par les actuels propriétaires. Un obélisque, derrière la chapelle, marque l'emplacement de la crypte où se trouvait la dépouille des deux amants.

3. *Psaume* 54, 8.

4. Jérôme, *Contre Jovinien*, 8-9.

5. *Jérémie*, 9, 20.

Page 92.

1. Les philosophes antiques sont ici présentés comme les modèles du monachisme.

2. II *Rois*, 6, 1-2. Fils des prophètes est le nom générique donné aux prophètes de l'Ancien Testament.

3. Jérôme, *Lettre* 125, 7.

Page 93.

1. Jérôme, *Livre des questions sur la Genèse.*

2. Quintilien, *Déclamations*, 13, 2.

3. *Jean*, 12, 19.

4. *Luc*, 16, 3.

5. L'enseignement d'Abélard n'est pas vraiment rémunéré, mais ses disciples assurent sa subsistance matérielle ; l'enseignement a une valeur économique : l'expression « *officium lingue* » montre d'ailleurs qu'Abélard voit son activité d'enseignant comme un métier. Il est probable qu'échaudé par la condamnation de 1121, il préfère alors enseigner qu'écrire.

6. Paraclet, du grec *Paraklêtos*, signifie « consolateur ».

Page 94.

1. Les détracteurs d'Abélard l'accusent de dédier son oratoire au seul Saint-Esprit. Mais lui, par une subtilité sémantique, explique qu'il ne prend pas le mot Paraclet comme un nom (qui alors désignerait la troisième personne de la Trinité), mais comme un adjectif. La *Théologie du Souverain Bien*, son traité condamné à Soissons, explique que le propre attribué à chacune des personnes ne leur est pas exclusif : si l'Esprit-Saint est le plus souvent appelé Paraclet, ce sont néanmoins les trois personnes de la Trinité qui sont consolatrices. Par cet artifice, Abélard démontre que l'oratoire n'est pas seulement consacré à l'Esprit-Saint, mais à la Trinité tout entière.

2. II *Corinthiens*, 1, 3-4.
3. *Jean*, 14, 16.

Page 95.
1. Après avoir prouvé que son oratoire était consacré à toute la Trinité, Abélard montre qu'il ne serait pas scandaleux que, en dépit des interdits de la tradition, on puisse un jour consacrer une église à l'Esprit-Saint, puisque tout chrétien, et *a fortiori* la maison qui les rassemble, est un temple de l'Esprit.
2. I *Corinthiens*, 6, 17.
3. I *Corinthiens*, 6, 19.

Page 96.
1. La conclusion de cette démonstration théologique annonce les passages des dernières lettres sur les coutumes et les usages : Abélard accuse ceux qui les préfèrent à la raison et à l'Écriture de « judaïser ».
2. Ovide, *Métamorphoses*, 3, 359.
3. Norbert, fondateur de l'abbaye de chanoines réguliers de Prémontré en 1121.
4. Bernard, fondateur de l'abbaye de Clairvaux en 1115.

Page 97.
1. Abélard, sûr d'avoir raison contre tous, se voit comme un nouvel Athanase.
2. Abélard se présente comme un fuyard perpétuel : il a fui Paris pour échapper à la vindicte de Guillaume de Champeaux, puis à la honte de sa castration ; il a fui Saint-Denis pour faire cesser la persécution dont il était l'objet ; il a fui le domaine royal pour se réfugier en Champagne ; il a fui les villes et les châteaux pour trouver la paix dans le désert ; il a fui les monastères pour vivre en anachorète. Mais toujours des disciples enthousiasmés viennent écouter son enseignement, déchaînant l'envie et la persécution de ses rivaux. Il finit par rêver d'un ailleurs radical ; en quittant l'Occident chrétien, il ne risque plus la persécution de ses frères dans la foi. Cette allusion au monde païen est le seul écho des croisades que l'on trouve dans la correspondance.
3. Département du Morbihan, arrondissement de Vannes, canton de Sarzeau. L'abbaye, fondée au VIᵉ siècle, devint une abbaye

de bénédictins en 630 ; l'abbatiale fut restaurée au XIe siècle. Conan III, comte de Bretagne, vient à l'ost de Saint-Denis, en 1124, à l'appel du roi Louis VI ; il a introduit des réformateurs ligériens en Bretagne et obtient de Suger l'envoi d'un moine à Saint-Gildas-de-Rhuys pour y devenir abbé.

4. D'après l'accord conclu en 1122 avec Suger, Abélard peut demeurer hors de Saint-Denis, à condition qu'il ne « se mette sous la dépendance d'aucune abbaye ». L'accord de Suger était donc nécessaire pour accepter l'élection. Envoyer Abélard dans une abbaye aussi indisciplinée ne représentait pour Suger que des avantages : Abélard cesse d'être un problème, il va se casser les dents à la tête d'une abbaye impossible à gouverner et dont la situation ne peut être pire. Abélard, de son côté, dut être sensible à l'idée de devenir abbé.

Page 98.

1. Saint-Gildas est en Bretagne bretonnante, tandis que la Bretagne natale d'Abélard, à l'est de Nantes, est en pays gallo.

2. *Psaume* 60, 3.

3. Devenu abbé, Pierre Abélard va s'efforcer de réformer son abbaye, comme Suger, dans les mêmes années, le fit pour Saint-Denis. Il comprit rapidement toutefois que ce n'était pas pour cela que les moines de Saint-Gildas l'avaient élu, mais plutôt pour sa réputation sulfureuse.

4. Désordres et indiscipline, mainmise de la noblesse locale sur le temporel, concubinage des moines : c'est le portrait d'une abbaye bénédictine avant sa réforme. Le trait est probablement un peu forcé, pour permettre à Abélard de mieux se plaindre et de justifier son départ. Les Juifs, en échange d'une « protection » souvent théorique, sont régulièrement ponctionnés par les autorités lorsque le besoin d'argent se fait ressentir.

Page 99.

1. II *Corinthiens*, 7, 5

2. *Luc*, 14, 30.

Page 100.

1. Suger ne se contente pas de réformer son abbaye ; il veut en reconstituer le temporel et les dépendances. Le prétexte est la

dépravation des mœurs des moniales ; le motif est la récupération d'un prieuré. Suger fait fabriquer un faux prouvant qu'Argenteuil avait toujours été une abbaye d'hommes. Cf. Robert-Henri Bautier, « Paris au temps d'Abélard », *Abélard et son temps* (éd. Jean Jolivet), Les Belles Lettres, 1981, p. 21-77, ici p. 71 : « La réforme dite grégorienne se traduisit en large partie en France par des collusions entre ordres nouveaux, épiscopat ultramontain et papauté politique, qui permirent l'expropriation pure et simple des abbayes d'antique fondation : l'absorption de Sainte-Geneviève par Saint-Victor [en 1147] n'en est que l'épisode le plus connu et l'expulsion des moniales d'Argenteuil, le cas le plus scandaleux. » L'atelier historiographique que devient Saint-Denis à partir de Suger fabriquait les faux dont avait besoin l'abbaye pour affirmer sa puissance temporelle et spirituelle.

2. Le Paraclet, dont il se désolait que le service divin n'y fût plus célébré.

3. Par une bulle du 23 novembre 1131.

4. L'infériorité fonctionnelle du sexe féminin sur le sexe masculin est chez Abélard, comme chez les hommes de son temps (et y compris sous la plume d'Héloïse ; cf. lettre II), un postulat qui justifie que le « sexe faible » soit toujours à la seconde place, mais qu'il fasse l'objet, en compensation, d'une sollicitude particulière. Ce principe est le *leitmotiv* des règles monastiques données par la lettre VIII ; c'est le lieu commun des textes de bulles pontificales en faveur des couvents féminins ; Isidore de Séville, dans ses *Étymologies*, rapprochait *vir* de *vis* (homme-force) et *mulier* de *mollities* (femme-mollesse).

5. Bernard de Clairvaux rendra ainsi visite à la femme de son ennemi ; il semble qu'il ait entretenu avec elle de bonnes relations. Il faut rappeler que Clairvaux n'est guère éloigné du Paraclet. Pierre le Vénérable a lui aussi pour l'abbesse une grande admiration.

6. Un écho de cette admiration se trouve dans les célèbres vers de François Villon, *Ballade des dames du temps jadis* : « Ou est la très sage Helloïs,/Pour qui chastré fut et puis moyne /Pierre Esbaillart a Saint Denis ?/ Pour son amour ot ceste essoyne. »

Page 101.

1. Dans la lettre VIII, Abélard rappelle les ruses parfois étranges des Pères du désert pour détourner les visiteurs attirés en leur retraite par la réputation de leurs vertus.

2. Jérôme, *Lettre* 45, 2.

3. Jérôme, *Lettre* 45, 3 et 6.

Page 102.

1. *Esther*, 2, 3.

2. *Actes des Apôtres*, 8, 27.

3. Eusèbe, *Histoire ecclésiastique*, 6, 8.

4. Ici se manifeste l'habileté dialectique d'Abélard. Aussitôt après sa mutilation, il cite les textes de la loi mosaïque (*Deutéronome* et *Lévitique*) qui éloignent de toute fonction sacrée et même du temple les hommes mutilés. Mais, citant Origène, « le plus grand des philosophes chrétiens », il rappelle sa mutilation volontaire : son application littérale de la loi est blâmable, même si son intention de ne plus pécher était louable. Abélard, lui, n'a rien voulu ni demandé : voir dans la main du bourreau celle de Dieu, considérer sa plaie comme une source de plus grand bien, c'est, pour lui, un acte de foi qui devrait faire taire les ragots. Les auteurs antiques et médiévaux, néanmoins, savent que la castration n'empêche nullement le désir ni l'acte sexuels (cf. travaux d'Yves Ferroul) ; c'est ce qu'Abélard feint d'ignorer.

5. *Proverbes*, 22, 1.

6. Augustin, *Sermon 355*, 1.

7. II *Corinthiens*, 8, 21.

Page 103.

1. Ce passage inaugure les longs développements d'Abélard sur les vertus féminines et sur leur place dans l'Église primitive, qui devrait justifier celle qu'elles n'ont pas dans l'Église de son temps.

2. Augustin, *L'Œuvre des moines*, 4-5.

3. *Luc*, 8, 1.

4. Il s'agit en réalité de la réponse du légat pontifical de Léon IX, Humbert, à un pamphlet écrit par un moine de Constantinople, Nicet, contre les Latins.

Page 104.

1. I *Corinthiens*, 9, 5.

2. *Luc*, 7, 39.

3. Jérôme, *Vie de Malchus*.

Page 105.

1. I *Corinthiens* 11, 3.

2. Il y a là une critique sous-jacente de Robert d'Arbrissel, qui avait mis, vers 1100, une abbesse à la tête du monastère double de Fontevrault.

3. Juvénal, *Satires*, 6, 460. Abélard écrit aussi, dans les *Monita ad Astralabium*, poème adressé à son fils : « Si une femme mise au-dessus des hommes prend la domination, on peut dire que l'ordre du monde est renversé. »

Page 106.

1. II *Corinthiens*, 7, 5.

2. Cf. Grégoire le Grand, *Dialogues*, 2, 3.

3. Ce détail confirme qu'Abélard était alors devenu prêtre.

4. Il s'agit de Conan III, comte de Bretagne. C'est à la demande du comte qu'Abélard est venu réformer Saint-Gildas-de-Rhuys : il n'y a donc rien d'étonnant à le voir fréquenter sa cour. Abélard souscrit, comme abbé, plusieurs chartes à la fin des années 1120.

Page 107.

1. Le même Innocent II qui confirma à Héloïse la donation du Paraclet. Abélard utilise contre ses moines les moyens dont ses ennemis avaient usé pour l'abattre : le recours au légat pontifical et la menace de l'excommunication.

Page 108.

1. Cf. Cicéron, *Tusculanes*, 5, 20-21.

2. Le réflexe autobiographique s'observe classiquement dans les périodes difficiles ; c'est le cas d'Augustin, de Boèce ou de Guibert de Nogent. « Les gens heureux n'ont pas d'histoire » ou, du moins, ils n'éprouvent pas le besoin de la raconter. Abélard est en proie à une grande peur physique ; il redoute aussi les graves sanctions que sa fuite du monastère lui ferait encourir. Aussi l'histoire de ses malheurs, qui aboutit à la détresse de l'abbé, peut-elle être lue comme une justification *a priori* de son départ de Saint-Gildas, une « aversion de Saint-Gildas » (Pascale Bourgain, in *Abélard et son temps* [éd. Jean Jolivet]). Il revient d'ailleurs enseigner à Paris quelques années plus tard.

3. *Jean*, 15, versets 20, 18 et 19.

4. II *Timothée*, 3, 12.

Page 109.
1. *Galates*, 1, 10.
2. *Psaume* 52, 6.
3. Jérôme, *Lettre* 52, 13.
4. Jérôme, *Lettre* 45, 6.
5. Jérôme, *Lettre* 14, 4.
6. *Mathieu*, 26, 42.
7. *Romains*, 8, 28.

Page 110.
1. *Proverbes*, 12, 21.

LETTRE II

Page 111.
1. Ce qui signifie que lettre I, passée entre les mains d'Héloïse, n'était plus à sa disposition.
2. Cf. *Proverbes*, 5, 4 : « amer comme l'absinthe ».

Page 112.
1. Suger, abbé de Saint-Denis.
2. Cf. II *Corinthiens*, 11, 13.
3. Horace, *Odes*, I, 3, 18.
4. Les moniales du Paraclet.

Page 113.
1. Lorsque Héloïse apprend les périls auxquels est soumis celui qu'elle aime, elle lui écrit pour lui reprocher son silence et son absence et conjurer ainsi sa mort.
2. Sénèque, *Lettre* 40, 1.

Page 114.
1. *Luc*, 19, 40.
2. Cf. *Romains*, 15, 20.
3. Ce rappel d'Héloïse montre que l'intention d'Abélard était

bien de consacrer particulièrement son oratoire au Saint-Esprit, en dépit de ses dénégations (cf. lettre I).

Page 115.

1. I *Corinthiens*, 3, 6.
2. *Jérémie*, 2, 21.
3. *Mathieu*, 7, 6.

Page 116.

1. La présence d'Abélard au Paraclet, dans les débuts de la vie monastique de la communauté venue d'Argenteuil, n'a pas apporté à Héloïse les consolations qu'elle attendait. Il est probable que les deux époux n'ont pas eu, alors, d'entretien privé ou intime : et c'est ce dont elle souffre.

2. Cette phrase marque déjà combien Héloïse met l'amour d'Abélard au-dessus de l'amour de Dieu : alors qu'elle est l'abbesse d'un monastère consacré au Paraclet, à l'Esprit-Saint consolateur, elle écrit que seul Abélard peut la consoler...

3. Héloïse rappelle l'abnégation sans réplique avec laquelle elle est entrée au monastère d'Argenteuil sur ordre de son mari.

Page 117.

1. Cette phrase hardie renvoie aux arguments d'Héloïse, rapportés par Abélard dans la lettre I, pour le dissuader de l'épouser.

2. Cf. Platon, *Apologie de Socrate*.

Page 118.

1. Cicéron, *De l'invention*, 1, 31, 52.

Page 119.

1. Ce qu'en dit ici Héloïse ne peut que nous faire regretter la perte de ces poèmes et de ces chansons.

Page 120.

1. Faut-il y voir là, comme certains auteurs (Régine Pernoud), une caractéristique des intellectuels : entre le plaisir des sens et celui de leur intellect, il n'y aurait nul place pour les sentiments ?

2. *Genèse*, 19, 26. Avant de détruire Sodome et Gomorrhe, les anges de Dieu dirent à Loth et à sa famille de quitter ces villes

sans se retourner. Mais la femme de Loth se retourna pour contempler Sodome et Gomorrhe anéanties par la pluie de feu et de soufre qu'y fit tomber Dieu. Et elle devint aussitôt une statue de sel.

3. L'ordre d'Abélard passa aux yeux d'Héloïse pour une marque de défiance ; Fulbert furieux y vit un parjure et une tromperie.

4. On imagine la perplexité d'Abélard lorsqu'il reçut cette déclaration d'amour volontairement blasphématoire. Il y a là un véritable « chantage à la perdition » (Pascale Bourgain).

5. Cf. *Jean*, 1, 16. Les termes exacts sont « grâce pour grâce ».

LETTRE III

Page 122.

1. De l'étrange suscription de la lettre II, Abélard, dans sa réponse, ne retient que celle qui présente les époux comme frère et sœur dans le Christ. C'est d'ailleurs la titulature normale qu'emploie un abbé s'adressant à une abbesse.

2. À Argenteuil, entre 1117 et 1129, Héloïse était devenue prieure, c'est-à-dire adjointe de l'abbesse.

3. Abélard montre dès le préambule qu'il ne s'adressera en aucune manière à Héloïse sur le registre amoureux qu'elle a employé. Il feint seulement de s'étonner qu'une abbesse si expérimentée, ayant appris son « métier » comme prieure, ait encore besoin d'une direction spirituelle. Il quitte ainsi le terrain, dangereux et mouvant, où son amante-épouse voudrait l'amener.

Page 123.

1. La lettre se termine en effet par une prière à réciter au chœur.

2. I *Thessaloniciens*, 5, 17.

3. *Exode*, 32, 10.

4. *Jérémie*, 7, 16.

Page 124.

1. *Exode*, 32, 14.

2. *Psaume*, 32, 9.

3. *Habacuc*, 3, 2.

4. *Juges*, 11, 30 et suivants. Jephté, juge en Israël, avait fait le vœu insensé de sacrifier à Dieu la première personne qu'il verrait en rentrant chez lui si Dieu lui donnait la victoire sur les Ammonites. Il les vainquit. Rentrant chez lui, il vit sa fille qui venait à lui en se réjouissant de sa victoire : il l'offrit en holocauste à Dieu. Abélard a aussi écrit un *Planctus virginum Israelis super filiam Jephtae Galaditae*, poème élégiaque où il fait l'éloge de la jeune fille.

5. *Psaume* 100, I.

6. *Jacques* 2, 13.

7. I *Samuel*, 25. David, à la requête d'Abigaïl, épouse de Nabal, épargna son mari, qu'il avait résolu de tuer.

Page 125.

1. *Mathieu*, 18, 20.

2. *Mathieu*, 18, 19.

3. *Jacques*, 5, 16.

4. Grégoire le Grand, *Homélies sur l'Évangile*, II, 38, 16.

Page 126.

1. *Hébreux*, 11, 35.

2. I *Rois*, 17, 17-24 ; II *Rois*, 4, 20-37.

3. *Hébreux*, 11, 35.

4. *Luc*, 7, 1-15.

5. *Jean*, 11, 17-44.

6. *Marc*, 5, 22 et suivants.

Page 127.

1. *Proverbes*, 12, 4.

2. *Proverbes*, 18, 22.

3. *Ecclésiastique*, 26, 1.

4. *Ecclésiastique*, 26, 3.

5. I *Corinthiens*, 7, 14.

6. L'historiographie la plus récente insiste en effet sur le rôle déterminant de Clotilde dans la conversion de Clovis ; une fois sa décision prise, l'évêque Rémi et l'abbaye de Marmoutier, à Tours, le formèrent durant son catéchuménat.

7. *Luc*, 11, 8.

Page 129.

1. Héloïse lui parlait d'image et de présence ; Abélard ne lui parle ici même pas de mémoire, mais de sa transposition spirituelle, l'intercession. Héloïse respecta le vœu d'Abélard et le fit enterrer au Paraclet.

2. *Marc*, 16 ; *Luc*, 23, 55.

Page 130.

1. *Bréviaire romain, Benedictus* du samedi saint.

2. L'évocation insistante de sa mort a pour objectif avoué de « sublimer » la passion amoureuse d'Héloïse en l'orientant vers le salut de l'âme. Il s'agit aussi de refroidir son désir amoureux.

LETTRE IV

Page 131.

1. « *Miror* » : je m'étonne. Héloïse, manifestement outrée par la note spirituelle de la lettre d'Abélard, commence par exprimer son étonnement. Il y a résumée, dans ce premier mot, l'agressivité de toute la lettre, la plus personnelle et la plus percutante de toute la correspondance. L'attaque, néanmoins, ne porte pas d'emblée sur le contenu de la lettre, mais sur sa suscription.

2. Horace, *Odes*, I, 3, 18.

Page 132.

1. *Mathieu*, 6, 34.

2. « *Dies illa* » : ces mots se retrouvent dans la première strophe de la séquence chantée au jour des funérailles : « *Dies irae, Dies illa, solvet seclum in favilla.* » Ils portent donc une connotation funèbre.

3. Sénèque, *Lettre* 24, 1.

Page 133.

1. Lucain, *Pharsale*, 2, 14-15.

Page 134.

1. Le blasphème est ici encore plus violent que dans la lettre II.

2. Voltaire devait penser à ces passages en écrivant : « Mon cœur ne vieillit pas, je l'ai senti s'émouvoir aux malheurs d'Héloïse et d'Abélard. »

Page 136.

1. *Proverbes*, 7, 24-27.

2. *Ecclésiaste*, 7, 26 et suivants.

3. *Genèse*, 3, 6.

4. *Juges*, 13, 3-7 ; 16, 4-30. Samson, dont la force résidait dans la chevelure, fut rasé, la nuit, par sa femme Dalila ; les Philistins s'emparèrent alors de lui, lui crevèrent les yeux et le firent venir au milieu d'eux pour se moquer de lui. Mais ses cheveux avaient repoussé, et la force lui revint. Au désespoir d'être devenu aveugle, il fit s'effondrer sur lui et sur les Philistins le temple où ils étaient réunis.

5. I *Rois*, 11.

6. *Job*, 2, 9.

Page 138.

1. *Job*, 10, 1.

2. Grégoire le Grand, *Morales*, 9, 43.

3. Ambroise, *Sur la pénitence*, 2, 10.

Page 139.

1. Augustin (*Confessions*, 10) évoquait déjà le souvenir de son concubinage et d'une vie sexuelle que sa conversion l'avait naturellement amené à interrompre : « dans ma mémoire, les images du passé restent vivantes, fixées par les habitudes que j'avais. El les m'assaillent : dépouillées de leur énergie tant que je suis éveillé, elles vont, durant le sommeil, jusqu'à susciter non seulement la délectation, mais aussi le consentement et la réplique exacte des faits. Puissance de l'image avec ses jeux trompeurs sur mon esprit et sur ma chair : de fausses visions m'amènent, quand je dors, où les vraies ne peuvent tant que je suis éveillé. »

2. *Romains*, 7, 24.

3. *Romains*, 7, 25.

4. On trouve ici l'écho de la morale de l'intention développée par Abélard. La *miseratio* d'Héloïse se teinte évidemment d'*exageratio* : cette femme entière a besoin d'exprimer sa contrition et sa conversion parfaites.

5. *Psaume* 7, 10.

Page 140.

1. *Psaume* 36, 27.

Page 141.

1. *Isaïe*, 3, 12.

2. *Ezéchiel*, 13, 18.

3. *Ecclésiaste*, 12, 11.

4. Ce point sera développé dans la lettre VIII par Abélard, dans le contexte particulier de la vie religieuse.

5. *Jérémie*, 17, 9.

6. *Proverbes*, 14, 12.

7. *Proverbes*, 16, 25.

8. *Ecclésiastique*, 11, 30.

Page 142.

1. II *Corinthiens*, 12, 9.

2. II *Timothée*, 2, 5.

3. Jérôme, *Adversus Vigilantium*, 16.

LETTRE V

Page 143.

1. La suscription change : Abélard n'est plus le frère d'Héloïse, mais son serviteur. Il veut ainsi montrer à Héloïse la dignité de sa condition de femme et d'abbesse.

2. À l'amorce agressive de la lettre IV répond une phrase posée, qui résume et synthétise le propos de sa correspondante.

Page 144.

1. Jérôme, *Lettre* 22, 2.

2. *Psaume* 44, 10.

Page 145.

1. *Nombres*, 12, 1.

2. *Cantique des cantiques*, 1, 5.

3. *Cantique des cantiques*, 1, 4.

4. *Cantique des cantiques*, 1, 6. Abélard intervertit les versets et ajoute le mot « *ideo* » (« voilà pourquoi »), introduisant un lien de

cause à effet entre la peau noire et la faveur du roi. La manipulation du texte lui permet de montrer à Héloïse pourquoi son habit noir de bénédictine lui vaudra les honneurs de la couche du roi des cieux. Il s'agit pour Abélard de sublimer le désir de sa femme : elle ne doit plus désirer les faveurs de son époux selon la chair, mais du Christ, dont la suscription rappelle qu'elle est l'épouse.

5. I *Timothée*, 5, 3 et 16.

6. Aristote, *De animalibus*, 3, 9, dit que les os et les dents des Éthiopiens sont d'une blancheur particulière.

7. *Genèse*, 49, 12. Noirceur et laideur semblent aller naturellement de pair : la tradition aristotélicienne et la tradition judéo-chrétienne s'accordent pour voir dans la couleur noire le symbole du mal et de la mort.

8. II *Timothée*, 3, 12.

Page 146.

1. *Psaume*, 44, 14.

2. *Cantique des cantiques*, 2, 1.

3. Cf. *Mathieu*, 25, 1-13.

Page 147.

1. Cf. *Cantique des cantiques*, 1, 5.

2. *Cantique des cantiques*, 3, 1.

3. Abélard pousse ici d'autant plus l'analogie qu'Héloïse avait déclaré son désir sans lui épargner de détails.

Page 148.

1. *Vie de Paul le premier ermite*, 5.

2. Grégoire le Grand, *Homélies sur l'Évangile de Luc*, 40, 16.

3. *Mathieu*, 6, 6.

Page 149.

1. Peut-être faut-il voir dans cette opinion sur les fastes liturgiques, une critique discrète des excès clunisiens. Abélard rejoint ici, au fond, l'opinion de saint Bernard.

2. *Mathieu*, 15, 6.

3. Augustin, *De baptisma contra Donat.*, 3, 6, 9.

4. *Jean*, 14, 6.

5. I *Corinthiens*, 6, 17.

Page 150.

1. *Romains*, 12, 15.

2. C'est le proverbe latin « *amicus certus in re incerta cernitur* » : « on reconnaît un ami sûr dans les circonstances troublées. »

Page 151.

1. *Proverbes*, 18, 17.

2. *Luc*, 18, 14.

Page 152.

1. Jérôme, *Lettre* 22, 24.

2. Virgile, *Bucoliques*, 3, 65.

3. L'analogie, ici, est inversée : Abélard ne demande plus à Héloïse d'imiter la belle Éthiopienne qui a les faveurs du roi ; il la prie au contraire de ne point imiter la coquetterie d'une belle qui se dérobe pour mieux se donner.

4. Dans la lettre VIII, Abélard rappelle les ruses parfois étranges des Pères du désert pour détourner les visiteurs attirés en leur retraite par la réputation de leurs vertus ; ces *exempla* sont moins destinés à être imités qu'à marquer les esprits.

5. Jérôme, *Lettre* 22, 27.

Page 153.

1. C'est ce qu'Héloïse s'est en effet déclarée prête à faire dans la lettre IV.

Page 154.

1. Le dialecticien est à l'œuvre pour faire entendre à sa femme égarée par la passion la voix de la raison, naturellement éclairée par la Révélation.

2. Ce détail autobiographique est d'autant plus marquant qu'ils sont rares sous la plume d'Abélard après la lettre I. La violence de ce rappel, qui tranche avec la relative onction du restant de la lettre, est destinée à éradiquer chez l'abbesse toute complaisance dans ses souvenirs scabreux. Durant la courte période entre la prise d'habit d'Héloïse et la castration d'Abélard, ce dernier rendait visite à sa femme à Argenteuil. Cela montre à quel point Héloïse y était comme chez elle : elle avait la liberté de recevoir Abélard, au moins dans les salles communes.

Page 155.

1. Abélard amena Héloïse enceinte en Bretagne, déguisée en moniale (cf. lettre I).

2. *Psaume* 39, 18.

Page 156.

1. Abélard rappelle la pointe de sadisme de leurs jeux amoureux.

2. En comparant sa castration à la circoncision de la loi mosaïque, Abélard veut exprimer combien cette mutilation lui a purifié l'âme.

Page 157.

1. II *Corinthiens*, 12, 8.

2. Eusèbe de Césarée, *Histoire ecclésiastique*, 6, 7.

3. *Mathieu*, 18, 8. Saint Mathieu évoque le rejet de la main, du pied ou de l'œil.

4. *Isaïe*, 56, 4-5.

Page 158.

1. Cf. lettre I.

2. *Romains*, 10, 2.

3. *Psaume* 39, 18.

4. « Yahvé Heloïm », c'est-à-dire le Dieu des cieux. Abélard fait ici un rapprochement qui ne doit rien à ce que nous appelons aujourd'hui l'étymologie, mais qui portait ce nom au Moyen Âge, le tirant de l'œuvre maîtresse d'Isidore de Séville (570-636), *Les Étymologies*. Ces rapprochements de paronymes permettaient d'associer des idées et d'ordonner les connaissances. Ce livre contenait, pour un intellectuel du début du XIIᵉ siècle, toute la connaissance occidentale du grec et de l'hébreu.

Page 159.

1. *Ecclésiastique*, 19, 2.

2. I *Rois*, 11.

3. Si Abélard donne à Héloïse quantité de modèles féminins, tant païens que bibliques, les références à Marie, dans toute la correspondance, sont assez rares pour être signalées. La dévotion à Marie se développe au même moment, sous l'influence des écrits de Bernard de Clairvaux.

4. *Actes des Apôtres*, 26, 14.
5. *Hébreux*, 12, 6.

Page 160.
1. *Proverbes*, 13, 24.
2. *Nahum*, 1, 9.
3. *Luc*, 21, 19.
4. *Proverbes*, 16, 32.
5. *Luc*, 23, 27.
6. *Luc*, 23, 28-31.

Page 161.
1. *Bréviaire romain, Benedictus* du samedi saint.
2. *Lamentations*, 1, 12.
3. *Isaïe*, 53, 7.
4. *Zacharie*, 12, 10.

Page 162.
1. *Galates*, 6, 14.
2. Jean, 15, 13.

Page 163.
1. Lucain, *Pharsale*, 8, 84-85.

Page 164.
1. II *Timothée*, 2, 5.
2. *Joël*, 1, 17.

Page 165.
1. *Actes des Apôtres*, 8, 27 et suivants.

Page 166.
1. *Psaume* 25, 2.
2. I *Corinthiens*, 10, 13.

LETTRE VI

Page 168.

1. La suscription (« *suo specialiter, sua singulariter* ») est très difficilement traduisible.

2. *Mathieu*, 12, 34.

3. Obéissant aux objurgations d'Abélard, Héloïse met un frein à sa « peine », à l'expression de ses « passions », de ses « impulsions ».

Page 169.

1. Cicéron, *Tusculanes*, IV, 35, 75.

2. Abélard exaucera cette première requête dans la lettre VII.

3. Abélard exaucera cette seconde requête dans la lettre VIII.

4. Benoît de Nursie, *Règle*, 55.

Page 170.

1. Benoît de Nursie, *Règle*, 11.

2. *Éphésiens*, 5, 18.

3. Jérôme, *Lettre* 117, 6.

4. Ovide, *L'Art d'aimer*, 1, 233-234, 239-240 et 243-244.

5. Jérôme, *Lettre* 22, 16.

Page 171.

1. *Jacques*, 2, 10.

2. *Jacques*, 2, 11.

Page 172.

1. Benoît de Nursie, *Règle*, 58.

2. Jérôme, *Lettre* 130, 11.

3. Grégoire le Grand, *Instruction pastorale*, 3, 1.

Page 173.

1. Benoît de Nursie, *Règle*, 48.

2. Benoît de Nursie, *Règle*, 64.

3. *Genèse*, 33, 13.

4. Benoît de Nursie, *Règle*, 35-41.

Page 174.

    1. *Luc*, 6, 40.

    2. II *Corinthiens*, 12, 9.

    3. Jean Chrysostome, *Homélies sur l'épître aux Hébreux*, 7, 4.

    4. *Éphésiens*, 6, 18.

Page 175.

    1. Cf. *Hébreux*, 3, 4.

    2. *Romains*, 4, 15.

    3. *Romains*, 5, 20.

    4. I *Timothée*, 5, 14.

Page 176.

    1. Jérôme, *Lettre* 22, 6.

    2. Augustin, *De bono viduitatis*, 9, 12.

    3. Cette règle est édictée au canon 15 du concile tenu en 451 à Chalcédoine.

    4. C'est le cas des Prémontrés ou des chanoines de Saint-Victor, par exemple.

Page 177.

    1. Macrobe, *Saturnales*, VII, 6, 16-17.

    2. Ces théories aristotéliciennes des humeurs eurent cours en Occident jusqu'aux découvertes médicales du XIXᵉ siècle. Les règles, considérées comme une saignée naturelle, prouvent que la femme est plus « humide » que l'homme, puisque son trop-plein d'humeur doit s'écouler.

Page 178.

    1. *Luc*, 17, 10.

    2. *Luc*, 10, 35

    3. Ces considérations nostalgiques sur l'âge d'or, pour calquées qu'elles soient sur les remarques formulées au VIᵉ siècle par saint Benoît, qui voyait s'éloigner les temps apostoliques, ne laissent pas d'étonner quiconque connaît le prodigieux bouillonnement économique, intellectuel, religieux, artistique et monastique du début du XIIᵉ siècle. Il y a là des propos désabusés, stéréotypés : on ne trouvera désormais plus guère de notes personnelles dans la correspondance.

    4. *Mathieu*, 24, 12.

Page 179.
    1. Benoît de Nursie, *Règle*, 73.
    2. Benoît de Nursie, *Règle*, 18.
    3. *Proverbes*, 20, 1.
    4. *Proverbes*, 23, 29 et suivants.

Page 180.
    1. *Proverbes*, 31, 4-5.
    2. *Ecclésiastique*, 19, 2.
    3. Jérôme, *Lettre* 53, 11.
    4. *Lévitique*, 10, 9.

Page 181.
    1. Benoît de Nursie, *Règle*, 40.
    2. *Vie des Pères*, 5, 4, 31.

Page 182.
    1. *Romains*, 13, 10.
    2. I *Timothée*, 1, 5.
    3. *Romains*, 4, 2-3.
    4. *Romains*, 4, 5

Page 183.
    1. *Romains*, 14, 17-21.
    2. *Galates*, 2, 11 et suivants
    3. I *Corinthiens*, 8, 8.
    4. *Colossiens*, 2, 16.
    5. *Colossiens*, 2, 20-22.

Page 184.
    1. *Luc*, 10, 7.
    2. I *Timothée*, 4, 1-6.

Page 185.
    1. *Mathieu*, 9, 14.
    2. La vertu, selon Augustin, est un état de l'âme (*habitus*) habitée par la grâce ; les œuvres n'y ont qu'une part minime : ce sont les principes de l'augustinisme théologique. Poussée à l'extrême, cette affirmation mènera jusqu'à la doctrine de la prédestination.

3. Augustin, *Traité sur le bien conjugal*, 21, 25-26.

Page 186.
1. *Mathieu*, 11, 18 et suivants.
2. Ou plutôt les mariages d'Abraham : la lecture et l'interprétation de la Bible se font ici pudibondes.

Page 187.
1. *Mathieu*, 12.
2. *Mathieu*, 15, 20.
3. *Mathieu*, 15, 19.
4. *Mathieu*, 5, 28.
5. I *Jean*, 3, 15.
6. I *Jean*, 3, 15.

Page 188.
1. *Jérémie*, 11, 20 ; *Psaume* 7, 10.
2. *Mathieu*, 6, 4.
3. *Romains*, 2, 16.
4. *Marc*, 12, 42-44.
5. *Psaume* 15, 2.
6. *Genèse*, 4, 4.
7. *Timothée*, 4, 7-8.
8. *Genèse*, 27, 6 et suivants.
9. Judaïser : avoir l'hypocrisie des Pharisiens.

Page 189.
1. *Psaume* 55, 12.
2. Persée, *Satires*, 1, 7.
3. *Actes des Apôtres*, 15, 10.
4. *Mathieu*, 11, 30.
5. *Mathieu*, 11, 28.
6. *Actes des Apôtres*, 15, 7 et 10-11.
7. *Psaume* 49, 12-15.

Page 190.
1. I *Timothée*, 5, 16.
2. *Jean*, 19, 26.
3. *Actes des Apôtres*, 6, 5.

4. II *Thessaloniciens*, 3, 10.
5. Benoît de Nursie, *Règle*, 48.

Page 191.
1. *Mathieu*, 20, 12.
2. I *Corinthiens*, 9, 11.
3. *Nombres*, 18, 21.

Page 192.
1. Benoît de Nursie, *Règle*, 18.
2. En insistant sur ce point, qui pourrait paraître secondaire, l'abbesse veut montrer à Abélard le changement de sa disposition d'esprit : qu'il semble loin le temps où, même durant les cérémonies, elle se complaisait dans le souvenir et les images de leurs étreintes passées !
3. « *Audiemus* » : nous écouterons. Héloïse, parlant au nom de ses sœurs, n'emploie plus le singulier des premières lettres. Mais c'est toujours le même verbe : Abélard a cessé d'être son amant, il est toujours son maître, son professeur, son directeur. Ce verbe renvoie aussi au début de la *Règle* de saint Benoît.

LETTRE VII

Page 193.
1. Jérôme, *Lettre* 125, 7.
2. *Luc*, 2, 25 et suivants.

Page 194.
1. *Luc*, 8, 2.
2. *Psaume* 15, 15.
3. *Actes des apôtres*, 2, 44 et suivants ; 4, 32 et suivants.
4. *Luc*, 4, 33.
5. *Luc*, 7, 36 et suivants.
6. Cf. *Mathieu*, 26, 6 ; *Marc*, 14, 3 ; *Jean*, 12, 1.

Page 195.
1. *Luc*, 8, 3.
2. *Jean*, 13, 5.
3. *Daniel*, 9, 24.

Page 196.

1. Cf. *Isaïe*, 11, 2.

2. *Genèse*, 28, 18.

3. Le rite de la consécration d'un autel, à l'occasion de la dédicace de l'église, comporte plusieurs onctions de la pierre d'autel.

4. *Marc*, 14, 6.

5. *Cantique des cantiques*, 1, 3.

6. *Psaume* 132, 2.

7. Jérôme, *Commentaire sur le psaume* 6.

Page 197.

1. *Jean*, 19, 38.

2. *Luc*, 7, 38.

3. *Jean*, 6, 15.

4. *Jean*, 18, 36.

5. La femme qui oint le Seigneur a donc une dignité supérieure à celle du prélat, qui n'oint que les prêtres qu'il ordonne : cette remarque laisse entrevoir la place éminente assignée par Abélard à la femme dans la hiérarchie ecclésiastique.

6. I *Corinthiens*, 13, 7.

Page 198.

1. *Luc*, 7, 39.

2. *Jean*, 12, 7.

3. *Marc*, 14, 4.

4. *Marc*, 12, 41-44.

Page 199.

1. *Luc*, 19, 2 et suivants.

2. *Romains*, 8, 35.

3. *Mathieu*, 26, 56.

4. *Mathieu*, 27, 55.

5. *Mathieu*, 27, 61.

6. *Marc*, 15, 40-41.

Page 200.

1. *Jean*, 19, 25 et suivants.

2. *Job*, 19, 20.

3. *Cantique des cantiques*, 8, 7.

4. I *Corinthiens*, 13, 7.

Page 201.

1. Abélard donne ici au classique apologue de l'Église, corps mystique du Christ, une inflexion inhabituelle. Il ne distingue pas le Christ, tête de l'Église, des chrétiens, membres du corps mystique. La division se fait entre les os (vertus), la chair (le sexe masculin) et la peau (sexe féminin). La peau est plus mince, plus fragile et plus exposée, mais elle seule demeure, collée aux os, lorsque la chair s'en est allée.

2. *Luc*, 24, 13 et suivants.

3. *Mathieu*, 26, 33-35.

4. *Luc*, 22, 33.

5. *Mathieu*, 26, 69 et suivants.

6. *Marc*, 14, 50.

Page 202.

1. *Jean*, 20, 2.

2. *Jean*, 20, 15.

3. *Mathieu*, 26, 40.

4. *Jean*, 19, 38-39.

5. *Marc*, 15, 47.

6. *Luc*, 23, 55-56.

7. *Marc*, 16, 1-2.

Page 203.

1. *Mathieu*, 28, 8 et suivants.

2. *Luc*, 24, 10.

3. *Jean*, 20, 17.

4. Si les saintes femmes de l'Écriture sont les apôtres des apôtres, les saintes femmes du Paraclet et toutes celles qui sont entrées en religion jouissent d'une dignité supérieure à celle des évêques, successeurs des apôtres.

Page 204.

1. *Luc*, 10, 4.

2. *Actes des apôtres*, 1, 14.

3. *Actes des Apôtres*, 6, 1-6.

Page 205.

1. I *Corinthiens*, 9, 5.
2. Augustin, *Du travail des moines*, 4, 5.
3. *Ibid.*, 5, 6.
4. *Luc*, 8, 1.

Page 206.

1. Eusèbe de Césarée, *Histoire ecclésiastique*, 2, 17.

Page 207.

1. *Histoire tripartite*, 11, 1.
2. L'hysope est une plante symbolisant la pureté ; cf., dans le rite romain, le psaume chanté pour l'aspersion : « Aspergez-moi avec l'hysope, Seigneur, et je serai purifié, et je deviendrai plus blanc que neige » (psaume 50, 9).
3. Jérôme, *Des hommes illustres*, 8.

Page 208.

1. Jérôme, *Des hommes illustres*, 11.
2. *Exode*, 15, 20.

Page 209.

1. *Psaume*, 150, 4.
2. *Actes des Apôtres*, 4, 32.
3. *Juges*, 5, 2-30.
4. *Judith*, 16, 2-21.
5. *Luc* 1, 46-55.
6. I *Rois*, 1, 24 et suivants.

Page 210.

1. Attribué à tort à Isidore de Séville par Smaragde, *Commentaire sur la règle de saint Benoît*, 59 et Gratien, *Corpus de droit canon*, II, XX, Ic, 4.
2. *Nombres*, 18, 19.
3. *Nombres*, 6, 2 et suivants.

Page 211.

1. *Exode*, 30, 18-19 ; 38, 8.
2. *Hébreux*, 13, 10.

3. *Psaume* 120, 8.

Page 212.
1. Grégoire le Grand, *Homélies sur l'Évangile*, 11.

Page 213.
1. *Luc*, 26, 3 et suivants.
2. *Luc*, 2, 25.
3. I *Timothée*, 5, 3.
4. I *Timothée*, 5, 5.

Page 214.
1. I *Timothée*, 5, 7.
2. I *Timothée*, 5, 9-11.
3. Les tenants de l'inauthenticité de la correspondance voient dans cette indication d'âge une insulte à Héloïse, alors âgée de moins de trente-cinq ans. Il convient plutôt de considérer la règle édictée par Abélard comme un projet, comme un idéal à atteindre ; il faut aussi noter que cette règle est reprise de saint Paul et non imaginée par Abélard.
4. Ce passage de Pélage, hérésiarque plusieurs fois condamné du début du Ve siècle, était alors attribué à Jérôme.
5. I *Timothée*, 5, 11-15.

Page 215.
1. Grégoire le Grand, *Lettres*, 4, 11.
2. *Mathieu*, 23, 11.
3. *Luc*, 22, 27.
4. *Mathieu*, 20, 28.

Page 216.
1. *Galates*, 4, 6.
2. *Mathieu*, 23, 9.
3. *Mathieu*, 5, 34.
4. La diaconesse Phoebe semble jouir d'un statut quasiment clérical ; elle sert ainsi de modèle aux abbesses du temps.
5. *Romains*, 16, 2.
6. Vraisemblablement dans son commentaire de l'épître aux *Romains*.

7. Il s'agit probablement de Claude, évêque de Turin sous le règne de Louis le Pieux (814-840).

Page 217.
 1. I *Timothée*, 3, 8-13.
 2. I *Timothée*, 5, 9-11.

Page 218.
 1. *Mathieu*, 16, 16-19.
 2. Jérôme, *Contre Jovinien*, 1, 26.

Page 219.
 1. *Patrologie latine*, 73, 932 D.
 2. Cf. *Mathieu*, 20, 24 et suivants ; *Marc*, 10, 35 et suivants.
 3. I *Timothée*, 5, 3-4.
 4. I *Timothée*, 5, 8.

Page 220.
 1. I *Timothée*, 5, 16.
 2. I *Timothée*, 5, 3.
 3. *Romains*, 16, 13.
 4. II *Jean*, 1, 1.
 5. II *Jean*, 1, 5.

Page 221.
 1. Jérôme, *Lettre* 22, 2.
 2. *Louange des Vierges*, alors attribuée à Jérôme.

Page 222.
 1. Gélase, *Lettre* 9, 11.
 2. *Psaume* 44, 15-16.
 3. *Actes de saint Mathieu, Acta Sanctorum*, septembre, 6, 224

Page 223.
 1. II *Corinthiens*, 12, 9.
 2. I *Corinthiens*, 12, 22.
 3. *Mathieu*, 20, 16.
 4. *Romains*, 5, 20.

Page 224.

1. Ambroise, *Du Paradis*, 4, 24.

2. Marie, nouvelle Ève, Ève de la Nouvelle Alliance.

3. Le Christ, nouvel Adam, Adam de la Nouvelle Alliance.

4. *Judith*, 13.

Page 225.

1. I *Samuel*, 17, 50.

2. *Judith*, 10.

3. *Esther*, 8.

4. II *Maccabées*, 7.

5. *Job*, 2, 4.

Page 226.

1. La reine de Saba, qui vient d'Arabie, chargée de cadeaux, rendre visite au roi Salomon à Jérusalem et éprouver sa sagesse.

2. *Mathieu*, 12, 42.

3. II *Maccabées*, 7.

Page 227.

1. *Juges*, 11, 30 et suivantes. Sur la fille de Jephté, cf. *supra*, p. 124, n. 4.

2. *Luc*, 22, 57.

Page 228.

1. *Juges*, 11, 39-40.

2. Jérôme, *Vie de saint Hilarion*, 13.

3. Cf. Augustin, *Sermons*, 51, 2.

4. Augustin, *De Genesi ad litteram imperfectus*, 9, 16, 30.

5. L'incarnation et la naissance du Christ ennoblissent le sexe féminin, au sens propre comme au sens figuré. Les moniales n'entrent pas au monastère pour oublier leur corps, mais avec toute leur féminité. Cette remarque d'Abélard fait écho aux confidences d'Héloïse sur son désir (lettre IV) : si lui-même peut faire profiter sa castration à son propre salut, Héloïse et ses moniales doivent s'offrir corps et âme à Dieu. Cette évocation explicite du corps féminin est à rapprocher des remarques de Georges Duby sur les pratiques matrimoniales de l'aristocratie : la restriction du mariage posait le problème du célibat chez les hommes et chez les femmes,

d'où la nécessité, en trouvant un cadre vraiment organisé pour la vie des vierges, de prendre en compte les questions sexuelles.

6. *Luc*, 1, 5-25.

Page 229.

1. « *Teste David cum Sibylla* » : « témoins David et la Sibylle ». Ces mots de la séquence *Dies Irae*, chantée à la messe des morts (cf. *supra*, p. 132, n. 2), rappellent la doctrine de la double inspiration divine, accordée au peuple élu mais aussi aux païens, en particulier aux oracles appelées Sibylles.

2. Jérôme, *Commentaire du prophète Isaïe, Prologue.*

3. Augustin, dans *Patrologie latine*, 42, 1103.

4. *Isaïe*, 9, 15.

5. Augustin, *La Cité de Dieu*, 18, 23.

Page 230.

1. Lactance, *Des institutions divines*, 4, 18 et suivants.

2. Virgile, *Bucoliques*, 4. Tous les Pères ont vu dans cette prophétie une annonce de la venue du Christ.

Page 231.

1. Dans tout l'épisode de la Samaritaine, cf. *Jean*, 4, 1-42, Abélard, pour les besoins de sa démonstration, a modifié l'ordre des versets.

Page 232.

1. Ce paragraphe commence par les mots « *quae est ista* » (quelle est cette), qui ne sont pas anodins, puisque ce sont aussi les mots du *Cantique des cantiques* (6, 9) où est fait l'éloge de la fiancée.

2. *Jean*, 4, 25.

3. *Mathieu*, 10, 5.

Page 233.

1. *Jean*, 12.

2. *Mathieu*, 2, 12.

3. Abélard semble avoir été très frappé par l'épisode de la Samaritaine. Il souligne combien cette femme, dont la vie conjugale et sexuelle est désordonnée, trouve malgré cela grâce aux yeux du

Christ. Peut-être est-ce une façon de rassurer Héloïse en lui montrant que l'essentiel, pour elle, est d'avoir foi dans le Seigneur : abandonnant ses mots de révolte contre la volonté divine (lettres II et IV), elle doit maintenant « travailler au salut du sexe faible ».

4. Abélard va maintenant exhorter les moniales à la prière en leur montrant combien Dieu est sensible aux prières des femmes.

5. I *Rois*, 17, 22.

6. II *Rois*, 4, 22 et suivants.

7. *Marc*, 5, 42.

8. *Luc*, 7, 12.

9. *Jean* 11, 44.

10. *Hébreux*, 11, 35.

Page 234.

1. Cf. *Mathieu*, 28 9.

2. *Luc*, 23, 28-29.

3. *Mathieu*, 28, 9.

4. Le juge inique · Pilate.

5. *Luc*, 11, 27.

Page 235.

1. *Mathieu*, 21, 31.

Page 236.

1. *Vie de sainte Agathe, Acta Sanctorum*, février, p. 624.

2. II Rois, 2, 8 et suivants.

3. *Vie de sainte Agnès, Acta sanctorum*, janvier, p. 715.

Page 237.

1. *Deutéronome*, 25, 5. L'obligation, pour les femmes juives, de se marier, explique la prédilection d'Abélard, dans le choix de ses modèles, des vierges de l'Antiquité païenne et de l'Église primitive.

2. Jérôme, *Lettre* 6, 3.

3. Jérôme, *Contre Jovinien*, 1, 47.

Page 238.

1. Jérôme, *Contre Jovinien*, 1, 41.

2. Sidoine Apollinaire, *Propenticon ad libellum, Carmina*, 26.

3. Augustin, *La Cité de Dieu*, 22, 11.
4. Pline, *Histoire naturelle*, 28, 2.

Page 239.
1. *Jean*, 11, 49 et suivants.
2. *Mathieu*, 24, 24.

Page 240.
1. Augustin, *La Cité de Dieu*, 12, 6.
2. Horace, *Épodes*, I, 16, 52.
3. Suétone, *La Vie des douze Césars, Vespasien*, 7.
4. Paul Diacre, *Vie de saint Grégoire*, 27.
5. *Mathieu*, 13, 46.
6. Juvénal, *Satires*, I, 4, 8-9.

Page 241.
1. Augustin, *La Cité de Dieu*, 3, 5.
2. *Code justinien*, I, 3, 5.
3. Innocent I, *Lettre à Victrice,* dans *Patrologie latine*, 20, 478-479.
4. I *Timothée*, 5, 12.

Page 242.
1. Le « fameux Pélage » est un hérésiarque condamné au début du Vᵉ siècle. Contrairement à l'augustinisme, le pélagianisme voit dans la volonté humaine le principal moyen de salut. Niant le péché originel et la nécessité de la grâce pour le salut, cette doctrine fut condamnée. Ce passage est bien de Pélage, mais il ne lui était pas attribué au temps d'Abélard. On ignore où Abélard a pu trouver cette mention exacte.
2. Eusèbe de Césarée, *Histoire ecclésiastique*, 6 ; 8, 1-2.
3. Ce passage, aujourd'hui attribué à Paschase Radbert, est publié dans la *Patrologie latine*, 30, 126.

Page 243.
1. Augustin, *Rétractations*, 2, 71 (45).
2. Jérôme, *Lettre*, 46, 1.
3. Jérôme, *Lettre*, 108, 1.

Page 244.
1. Jérôme, *Lettre*, 130, 1.
2. Jérôme, *Lettre*, 45, 1.

Page 245.
1. *Luc*, 7, 39.
2. Eusèbe de Césarée, *Histoire ecclésiastique*, 6, 8.

Page 246.
1. Ambroise, *Consolation sur la mort de Valentinien*, 51.
2. *Apocalypse*, 14, 4.
3. Jérôme, *Commentaire du livre de Jonas*, 1, 12, permet le suicide pour sauver la chasteté ; Augustin, *La Cité de Dieu*, 1, 20, n'est pas d'accord avec cette opinion et condamne le suicide dans toutes les circonstances. Abélard prend le parti de Jérôme.
4. *Vie des Pères*, I.
5. Abélard termine son évocation des « prototypes » anciens de moniales par des exemples extrêmes. La travestissement permet à Eugénie de subir une loi plus sévère que si elle était dans un couvent de femmes. Abélard semble affectionner les histoires parfois incongrues tirées de la *Vie des Pères*.

LETTRE VIII

Page 248.
1. Dans la lettre VII.
2. Dans la lettre VI.
3. I *Corinthiens*, 3, 16 et II *Corinthiens*, 6, 16.
4. Cicéron, *De l'invention*, 2, 1.

Page 250.
1. *Mathieu*, 25, 1.
2. *Luc*, 12, 35.
3. *Luc*, 14, 33.
4. *Mathieu*, 12, 36.
5. I *Corinthiens*, 7, 34.
6. *Mathieu*, 25, 11.

Page 251.

1. L'obéissance comme renoncement à soi est assimilée à la pauvreté.

2. *Luc*, 10, 16.

3. *Mathieu*, 23, 3.

4. *Luc*, 14, 33.

5. *Luc*, 14, 26.

6. *Luc*, 9, 23.

7. *Jean*, 6, 38.

Page 252.

1. *Galates*, 6, 14.

2. *Ecclésiastique*, 18, 30-31.

3. *Actes des Apôtres*, 4, 32 et 35.

Page 253.

1. I *Corinthiens*, 10, 24.

2. Les conseils qu'il donne aux moniales, il est vraisemblable qu'Abélard tâchait de les mettre en pratique à Saint-Gildas. La lettre I, où il évoque les concubines, la rapacité et les désobéissances de ses moines, montre que la tâche était immense.

3. Augustin, *Rétractations*, I, *Préface*.

4. *Proverbes*, 10, 19.

5. Benoît de Nursie, *Règle*, 42.

6. *Jacques*, 3, 2-8.

Page 254.

1. *Jacques*, 1, 26.

2. *Proverbes*, 25, 28.

3. *Vie des Pères*, 5, 4, 1.

Page 255.

1. *Jacques*, 3, 8.

2. I *Timothée*, 2, 11.

3. Un système très perfectionné de communication silencieuse était en usage dans les monastères d'Occident.

Page 256.

1. Grégoire le Grand, *Morales*, 7, 37.

2. *Proverbes*, 17, 14.

3. *Proverbes*, 18, 4.

4. *Proverbes*, *passim*.

5. Abélard a assez souffert des ragots, des rumeurs et des jalousies, durant sa carrière de maître et, au moment où il écrit, dans son abbaye, pour mettre le silence au rang des priorités.

6. *Vie des Pères*, 5, 4, 27.

Page 257.

1. *Jacques*, 3, 2.

2. *Isaïe*, 32, 17.

3. *Vie des Pères*, 5, 4, 7.

4. Jérôme, *Lettre* 58, 5.

Page 258.

1. *Mathieu*, 4, 2.

2. *Mathieu*, 5, 1 et *Luc*, 6, 12.

3. *Mathieu*, 17, 1.

4. *Mathieu*, 28, 16.

5. *Actes des Apôtres*, 1, 9.

6. *Job*, 39, 5-8. Abélard va ensuite gloser sur la métaphore de l'âne employée par Job. Cette méditation de type monastique, où l'allégorie tient le premier rôle, enjoint les moniales à l'humilité, l'âne n'étant pas considéré, au Moyen Âge, comme le plus glorieux des animaux. D'autant qu'Abélard dit lui-même qu'un mari est un « âne domestique » (*Sermon 33, Sur saint Jean Baptiste*)

Page 259.

1. Jérôme, *Lettre* 14, 5.

2. Jérôme, *Lettre* 58, 5.

3. *Jérémie*, 35, 19.

Page 260.

1. *Vie des Pères*, 5, 2, 3.

2. *Vie des Pères*, 5, 2, 4.

Page 261.

1. *Vie des Pères*, 5, 17, 5

2. *Vie des Pères*, 5, 17 5.

3. *Vie des Pères*, 5, 8, 18.
4. *Vie des Pères*, 5, 12, 7.

Page 262.
1. *Vie des Pères*, 5, 8, 10.
2. Passage non localisé dans l'œuvre de Jérôme.
3. *Cantique des cantiques*, 5, 3.

Page 263.
1. Il n'est pas interdit de voir dans ce passage une critique de l'économie clunisienne, où les terres sont gérées comme des seigneuries banales.

Page 264.
1. *Vie des Pères*, 5, 2, 3.
2. Jérôme, *Lettre* 14, 10.
3. Benoît de Nursie, *Règle*, 66.
4. Abélard fait l'esquisse du faire-valoir direct, mode d'exploitation des biens fonciers en usage dans les monastères cisterciens. Ce développement sur l'économie du monastère montre combien Abélard est plus proche de Cîteaux que de Cluny dans ses conceptions monastiques : aussi faut-il abandonner définitivement les analyses marxistes sommaires qui opposaient théologie monastique et théologie scolastique. Il est néanmoins étrange de penser que, quelques années plus tard, Bernard de Clairvaux mènera la cabale contre lui, tandis que Pierre le Vénérable lui offrira un refuge à Cluny.

Page 265.
1. *Proverbes*, 28, 2.
2. Lucain, *Pharsale*, 1, 84.

Page 266.
1. *Vie de saint Front*, 2, 3, dans *Vie des Pères*, I.
2. *Jacques*, 3, 1.
3. Jérôme, *Lettre* 125, 15.

Page 267.
1. Romulus élimina Remus.

2. *Genèse*, 25, 19-23.

. 3. Abélard, qui usait de métaphores guerrières pour décrire les tournois du dialecticien, les utilise ici pour détailler l'organisation de la communauté féminine.

4. *Job*, 7, 1.

5. *Cantique des cantiques*, 6, 10.

Page 268.

1. Dispensées de l'essentiel de l'office, les sœurs converses vaquaient plus particulièrement aux affaires matérielles du monastère. C'est Cîteaux qui a renforcé cette forme de vie ; à Cluny, les convers, d'extraction plus modeste mais considérés comme des moines à part entière, reproduisaient à l'intérieur du monastère la hiérarchie sociale du monde extérieur.

2. I *Timothée*, 5, 9-11.

3. I *Timothée*, 3, 11.

Page 269.

1. *Ecclésiaste*, 10, 16.

2. *Job*, 12, 12.

3. *Proverbes*, 16, 31.

4. *Ecclésiastique*, 25, 5-6.

5. *Ecclésiastique*, 32, 3.

6. *Ecclésiastique*, 32, 7-8.

7. Les livres 3, 5, 6 et 7 de la *Vie des Pères* sont appelés les *Mots des Anciens*.

8. I *Timothée*, 5.

Page 270.

1. Les défenseurs de l'inauthenticité de la correspondance voient dans cette remarque une insulte à la célèbre culture d'Héloïse. Il faut plutôt y voir une exhortation à l'humilité et à la conversion du cœur.

2. *Actes des Apôtres*, 1, 1.

3. *Vie des Pères*, 5, 10, 75.

4. Athanase, *Vie de saint Antoine*, ᵛie des Pères, 1, 45

5. I *Corinthiens*, 1, 20.

6. I *Corinthiens*, 1, 27-29

Page 271.

1. *Galates*, 2, 11.

2. Benoît de Nursie, *Règle*, 3.

3. Les défenseurs de l'inauthenticité de la correspondance voient dans cette remarque une insulte à la noblesse d'Héloïse. Il faut plutôt y lire une exhortation à l'humilité.

4. Ce précepte d'Abélard est un écho direct à la situation de son abbaye de Saint-Gildas : les familles de la région ont la mainmise sur le temporel de l'abbaye et l'abbé n'en peut mais.

5. *Mathieu*, 13, 57.

6. Jérôme, *Lettre* 14, 7.

Page 272.

1. *Psaume* 118, 43.

2. *Psaume* 49, 16-17.

3. I *Corinthiens*, 9, 27.

4. *Luc*, 4, 23.

5. *Mathieu*, 5, 19.

Page 273.

1. *Sagesse*, 6, 3-6.

2. *Proverbes*, 6, 1-4.

Page 274.

1. I *Pierre*, 5, 8.

2. Jérôme, *Lettre* 147, 10. Abélard a déjà cité ce passage en l'appliquant à Fulbert, l'oncle d'Héloïse, incapable de voir ce qui se passe chez lui (lettre I, p. 69).

3. *Ecclésiastique*, 7, 24.

4. *Ecclésiastique*, 42, 9-10.

5. *Jérémie*, 9, 20.

Page 275.

1. *Mathieu*, 10, 28 ; *Luc*, 12, 4.

2. *Sagesse*, 1, 11.

3. *Habacuc*, 1, 16.

4. I *Pierre*, 5, 8.

5. *Job*, 40, 18.

Page 276.
1. *Job*, 1, 19.
2. *Jean*, 10, 8.
3. Jérôme, *Dialogue contre les Pélagiens*, 2, 17.
4. *Hébreux*, 5, 4.

Page 277.
1. Grégoire le Grand, *Morales*, 24, 25.
2. *Proverbes*, 18, 17.
3. On pourrait voir dans cette allusion une revanche posthume sur la fausse humilité de Guillaume de Champeaux, chanoine régulier de Saint-Victor (*canonicus*), son vieux rival ; voué à l'humilité, il devint pourtant évêque de Châlons. C'est aussi la preuve que des chanoines pouvaient ne pas être prêtres (cf. lettre I).

Page 278.
1. *Proverbes*, 17, 18.
2. Benoît de Nursie, *Règle*, 53 et 56.
3. Lucain, *Pharsale*, 9, 498 et suivants.

Page 279.
1. *Ecclésiastique*, 4, 30.
2. *Ecclésiastique*, 10, 7.
3. *Ecclésiastique*, 10, 14.
4. *Ecclésiastique*, 32, 1.
5. I *Timothée*, 5, I.
6. *Jean*, 15, 16.
7. *Luc*, 22, 25.

Page 280.
1. *Mathieu*, 23, 8-9.
2. *Mathieu*, 23, 12.
3. Cette remarque vaut pour lui-même, qui s'intitule abbé dans les chartes qu'il souscrit. On touche du doigt les caractéristiques de cette règle : normative, idéale, intemporelle, elle donne l'objectif vers lequel il convient de tendre. Il ne faut donc pas y voir une peinture exacte de ce qu'était alors le Paraclet.
4. *Ecclésiastique*, 13, 9.
5. *Mathieu*, 1, 20.

6. *Jean*, 19, 26.
7. *Actes des Apôtres*, 6, 5.

Page 281.
1. I *Corinthiens*, 11, 3.
2. Grégoire le Grand, *Dialogues*, 2, 33.
3. *Regula fusius tractata*, 197, 199.

Page 282.
1. I *Corinthiens*, 10, 29.
2. I *Corinthiens*, 9, 12.
3. Canon 11 du concile tenu à Séville en 619.

Page 283.
1. Là où l'on pourrait voir la mesquinerie d'un esprit petit, il convient de respecter la prudence de celui qui connaît bien les ressorts du désir et de la séduction.
2. *Jean* 10, 16.
3. Bernard entra à Clairvaux accompagné de trente parents alliés et amis, en 1112 ou 1113.

Page 284.
1. Abélard explique ainsi à Héloïse pourquoi il a tenu, lors de la fondation du Paraclet, à n'avoir aucun entretien privé avec elle. Il se justifie ainsi du grief amer qu'elle lui faisait dans la lettre II.

Page 286.
1. La confection d'hosties est, aujourd'hui encore, l'activité de beaucoup de monastères catholiques de femmes.
2. La présence d'un *scriptorium* et d'une bibliothèque tempère la défiance qu'Abélard conseillait à l'abbesse à l'égard d'une pratique trop livresque de la vie monastique.

Page 287.
1. *Ecclésiastique*, 38, 9-10.
2. Il s'agit de médecine empirique, à base de « simples » cultivées dans le jardin monastique.
3. *Jacques*, 5, 14.

Page 288.
1. *Mathieu*, 25, 36.
2. Benoît de Nursie, *Règle*, 43.
3. *Ecclésiaste*, 7, 2-3.
4. *Ecclésiaste*, 7, 4.

Page 289.
1. Ce rituel rappelle l'austérité cistercienne. Après avoir évoqué sa propre mort, dans les lettres I et III, Abélard parle de celle d'Héloïse. Il mortifie ses désirs passés en imaginant le corps de la femme qu'il a passionnément désiré et aimé réduit à l'état de cadavre, cousu dans un sac et enterré tel quel. C'est aussi une manière de *memento mori* (souviens-toi que tu vas mourir) à l'attention d'Héloïse, une façon de mettre un point final aux errements du passé.
2. *Proverbes*, 31, 13, 19, 21, 27 et 28.

Page 290.
1. II *Corinthiens*, 9, 7.
2. Jérôme, *Lettre 52 à Népotien*, 16.
3. *Actes des Apôtres*, 5.
4. *Proverbes*, 15, 1.

Page 291.
1. Les monastères médiévaux jouent un important rôle d'assistance : c'était un devoir imposé par la charité.

Page 292.
1. *Vie des Pères*, 6, 4, 8.
2. I *Timothée*, 5, 10.
3. *Mathieu*, 25, 35.
4. On retrouve, là encore, un souci d'austérité qui s'apparente à celui de Bernard de Clairvaux : simplicité des formes, modestie des couleurs, défiance à l'égard des images — sauf, naturellement, la représentation du Christ.
5. *Psaume*, 5, 8.

Page 293.
1. Il faut donc, à moins de douter de l'authenticité de la

lettre VIII, considérer qu'Abélard voyait dans les prières qu'il a composées à l'intention du Paraclet (fin des lettres III et V), une paraphrase de l'Écriture.

2. Benoît de Nursie, *Règle*, 8 et suivants.

Page 294.

1. Grégoire le Grand, *Dialogues*, 1, 2.
2. Augustin, *Lettre* 78, 8.

Page 295.

1. *Genèse*, 7, 1.
2. *Genèse*, 21, 10.
3. *Malachie*, 1, 2.
4. *Genèse*, 35, 22. Ruben couche avec Lia, concubine de son père.
5. II *Samuel*, 13, 14.
6. II *Samuel*, 15.
7. II *Corinthiens*, 7, 5.
8. *Jean*, 13, 29.
9. *Philippiens*, 2, 20.
10. *Apocalypse*, 12, 9.
11. Augustin, *Lettre* 78, 9.
12. *Apocalypse*, 22, 11.
13. La délation érigée en règle : on est loin des amours du cloître Notre-Dame...

Page 296.

1. *Proverbes*, 18, 17.
2. *Proverbes*, 3, 11-12.
3. *Proverbes*, 13, 24.
4. *Proverbes*, 19, 25.
5. *Proverbes*, 21, 11.
6. *Proverbes*, 26, 3.
7. *Proverbes*, 28, 23.
8. *Hébreux*, 12, 11.
9. *Ecclésiastique*, 22, 3.
10. *Ecclésiastique*, 30, 1-2.

Page 297.

1. Le passage ne se trouve pas dans les *Confessions*.

2. On retrouve ici la morale de l'intention et le souci de ne pas « judaïser » : le péché, le vice et l'acte peccamineux sont distingués ; seul le premier engage l'intention et, partant, la responsabilité.

3. Augustin, *Du Baptême*, 3 5

4. *Jean*, 14, 6.

Page 298.

1. Augustin, *Du Baptême*, 3, 7.

2. Augustin, *Du Baptême*, 4, 5.

3. Ce texte du pape Grégoire VII (1073-1085) est d'origine incertaine.

4. *Ecclésiastique*, 4, 24.

5. *Ecclésiastique*, 4, 30.

6. *Ecclésiastique*, 37, 20.

7. *Ecclésiaste*, 1, 15.

8. *Mathieu*, 22, 14.

9. Ovide, *Métamorphoses*, 4, 428.

Page 299.

1. *Proverbes*, 11, 14.

2. *Proverbes*, 12, 15.

3. *Ecclésiastique*, 32, 24.

Page 300.

1. Cette prescription est édictée dès le concile d'Agde, tenu en 506. Le concile de Latran IV (1215) la remplace par la communion annuelle.

2. I *Corinthiens*, 11, 27-31.

Page 301.

1. I *Timothée*, 6, 8.

2. *Romains*, 14, 3.

3. *Romains*, 14, 22-23.

Page 302.

1. I *Jean*, 3, 21.

2. *Romains*, 14, 14.

3. I *Corinthiens*, 8, 13 et 9, 1.

Page 303.

1. *Luc*, 7, 10.

2. I *Corinthiens*, 10, 23 et suivants.

Page 304.

1. Sur le point des aliments, Abélard se rapproche plus de Cluny que de Cîteaux.

2. *Ecclésiaste*, 5, 3-4.

3. I *Timothée*, 5, 14-15.

4. Jérôme, *Lettre* 22, 6.

5. I *Corinthiens*, 7, 18.

Page 305.

1. I *Corinthiens*, 7, 27.

2. Cf. *Lévitique*, 20, 10 ; *Deutéronome*, 22, 22.

3. *Romains*, 7, 3.

4. I *Corinthiens*, 7, 8-9.

5. I *Corinthiens*, 7, 39-40.

Page 306.

1. *Proverbes*, 20, 1.

2. *Proverbes*, 23, 29-35.

3. *Proverbes*, 31, 4.

4. *Ecclésiastique*, 19, 1.

Page 307.

1. *Isaïe*, 5, 11.

2. *Isaïe*, 28, 7-9.

3. *Joël*, 1, 5.

4. I *Timothée*, 5, 23.

5. Cf. *Genèse*, 19, 33.

6. Cf. *Judith*, 13, 4.

Page 308.

1. *Genèse*, 18, 1.

2. I *Rois*, 17, 6.

3. *Exode*, 16, 12.

4. *Jean* 2, 1. Il s'agit de l'épisode des noces de Cana, première apparition en public du Christ dans l'Évangile de Jean.

5. *Nombres*, 6, 3.

6. Jérôme, *Lettre* 52, 11.

7. *Lévitique*, 10, 9.

Page 309.

1. Pacôme, *Règle*, 45.

2. *Vie des Pères*, 5, 4, 31.

3. *Vie des Pères*, 5, 4, 36.

4. Benoît de Nursie, *Règle*, 40.

Page 310.

1. Jérôme, *Lettre* 22, 8.

2. C'est la seule incursion d'Abélard dans le domaine scientifique.

3. Macrobe, *Saturnales*, V, 6, 1-17.

Page 311.

1. *Lévitique*, 10, 9 ; *Proverbes*, 31, 4.

2. I *Timothée*, 5, 23.

Page 312.

1. Ambroise, *De la Pénitence*, 2, 10.

2. Ambroise, *De la fuite du siècle*, 9.

3. *Proverbes*, 23, 31.

4. Benoît de Nursie, *Règle*, 40.

5. *Ecclésiastique*, 19, 2.

Page 313.

1. Rufin, *Histoire des moines*, 22, *Vie des Pères*, 2.

2. *Psaume* 132, 1.

3. *Luc* 21, 34.

4. Augustin, *Lettre 211*, 8.

5. *Patrologie latine*, 103, 667.

Page 314.

1. *Deutéronome*, 32, 15.

2. *Ecclésiaste*, 7, 15-16.

Page 315.
    1. *Romains*, 4, 15.
    2. *Romains*, 7, 8 et suivants.
    3. Augustin, *Lettre à Simplicien*, I, 1, 5.
    4. Augustin, *Questions*, 66, 5.
    5. Ovide, *Amours*, 3, 4, 17.
    6. *Jean*, 14, 2.

Page 316.
    1. I *Corinthiens*, 7, 28.
    2. I *Corinthiens*, 7, 34-35.
    3. *Hébreux*, 7, 19.
    4. *Actes des Apôtres*, 15, 10-11.

Page 317.
    1. *Mathieu* 11, 28-30.
    2. *Romains*, 4, 2.
    3. *Romains*, 9, 30-32.

Page 318.
    1. *Psaume* 55, 13.
    2. *Luc*, 21, 34.
    3. *Mathieu*, 11, 18.
    4. *Mathieu*, 9, 15.
    5. *Mathieu*, 15, versets 11, 18 et 20.

Page 319.
    1. *Proverbes*, 4, 23.
    2. I *Timothée*, 4, 4-6.

Page 320.
    1. Augustin, *Traité sur le bien conjugal*, 21.
    2. *Philippiens*, 4, 12.
    3. Benoît de Nursie, *Règle*, 40.

Page 321.
    1. *Genèse*, 18, 8.

2. *Marc*, 8, 8 et *Jean*, 6, 9.
3. Sénèque, *Lettres à Lucilius*, I, 5, 4.

Page 322.
1. Grégoire, *Morales*, 30, 18.
2. *Genèse*, 25, 29-34.
3. Cf. *Luc*, 4, 3, l'épisode de la tentation du Christ au désert.

Page 323.
1. Dans ce long passage sur les choses « indifférentes », Abélard développe concrètement sa morale de l'intention. Son parti anti-ascétique annonce, d'une certaine manière, les positions modérées d'Érasme quatre siècles plus tard.
2. Benoît de Nursie, *Règle*, 40.
3. *Mathieu*, 10, 25.
4. Jean Chrysostome, *Lettre 54 à Furia*, 5.

Page 324.
1. Grégoire, *Pastoral*, 3, 1.
2. Benoît de Nursie, *Règle*, 39.
3. I *Corinthiens*, 15, 39.

Page 325.
1. Grégoire de Nazianze, *In Sancta Lumina*, 20.
2. Grégoire de Nazianze, *Sur la Pentecôte et l'Esprit-Saint*, 4, 1.

Page 326.
1. Jérôme, *Lettre 31 à Eustochie*, 3.
2. Augustin, Sermon 351, *Sur l'utilité de la pénitence*, 4.

Page 327.
1. *Mathieu*, 25, 40.
2. Grégoire, *Homélies sur l'Évangile*, 6.
3. *Mathieu*, 11, 8.

Page 328.
1. *Luc*, 16, 19.
2. I *Pierre*, 3, 1.

Page 329.
1. *Ecclésiastique*, 29, 27.
2. *Mathieu*, 11, 8.
3. Faut-il voir dans ces professes « croisées », c'est-à-dire marquées du signe de la croix, un écho des croisades ?

Page 330.
1. *Proverbes*, 31, 21.

Page 331.
1. *Mathieu*, 8, 20.
2. Jérôme, *Lettre 14 à Héliodore*, 6.

Page 332.
1. *Mathieu*, 23, 15.
2. *Jean*, 6, 70.
3. *Actes des Apôtres*, 6, 5.
4. *Actes des Apôtres*, 5.
5. Cf. *Jean*, 18, 6.

Page 333.
1. Cf. *Mathieu*, 7, 13.
2. *Mathieu*, 20, 16.
3. *Ecclésiastique*, 1, 15.
4. *Isaïe*, 9, 13.

Page 334.
1. Peut-être Abélard s'adresse-t-il cette règle à lui-même, lui que nous voyons chez le comte de Bretagne, ou bien souscrivant des chartes en compagnie de grands du siècle ? Il n'est pas impossible non plus que Bernard de Clairvaux soit visé.
2. *Vie des pères*, 5, 2, 1.
3. Grégoire, *Dialogues*, 2, 3.

Page 335.
1. Benoît de Nursie, *Règle*, 56.
2. *Mathieu*, 23, 4.
3. *Mathieu*, 7, 15.

Page 336.
1. *Cantique des cantiques*, 5, 3.
2. *Luc*, 17, 34.
3. *Cantique des cantiques*, 3, 1.
4. *Genèse*, 34, 1.
5. Jérôme, *Vie de Malchus*.
6. *Jean*, 6, 37.

Page 337.
1. *Mathieu*, 8, 19.
2. *Luc*, 14, 28-30.
3. Grégoire le Grand, *Morales*, 2, 1.

Page 338.
1. *Romains*, 15, 4.
2. *Éphésiens*, 5, 18-19.
3. I *Timothée*, 4, 13.
4. II *Timothée*, 3, 14-17.

Page 339.
1. I *Corinthiens*, 14, 1 et suivants.

Page 340.
1. Benoît de Nursie, *Règle*, 19.
2. *Psaume* 118, 103.
3. *Psaume* 146, 10. Il y a là une confusion autour du mot « tibia », jarret du cheval (c'est le sens qu'il a dans le psaume) et os dont on fait les flûtes.
4. I *Corinthiens*, 14, 16.

Page 341.
1. Cf. Jean Jolivet, *La Théologie d'Abélard*, p. 101 : « la conscience oblige la personne beaucoup plus qu'elle ne l'affranchit. Insistant sur l'intention, elle n'autorise pas l'invention individuelle, elle impose au contraire d'assumer à la fois la pureté du vouloir et la rigueur des lois révélées. » L'œuvre théologique d'Abélard, où est affirmée l'importance de l'intention comme de la soumission à la loi, explique la coexistence, dans la lettre VIII, de ces deux exigences.

2. Ici le professeur fait entendre ses droits.
3. *Ézéchiel*, 3, 3.
4. *Lamentations*, 4, 4.
5. *Amos*, 8, 11.

Page 342.
   1. *Psaume* 118, 103-104.
   2. *Psaume* 118, 10.
   3. *Psaume* 118, 11.
   4. *Vie des Pères*, 5, 10, 114.

Page 343.
   1. *Vie des Pères*, 5, 10, 67.
   2. Athanase, *Exhortation des moines, Patrologie latine*, 103, 665.
   3. I *Pierre*, 3, 15.
   4. *Colossiens*, 1, 9.
   5. *Colossiens*, 3, 16.

Page 344.
   1. *Psaume* 1, 1-2.
   2. *Josué*, 1, 8.
   3. Grégoire, *Morales*, 19, 30.
   4. *Philippiens*, 2, 21.
   5. Benoît de Nursie, *Règle*, 48.

Page 345.
   1. Benoît de Nursie, *Règle*, 55.
   2. Benoît de Nursie, *Règle*, 48.
   3. Vieux proverbe grec cité par Jérôme, *Lettre 21 à Vigilantius*, 4.
   4. *Isaïe*, 29, 11-14.

Page 346.
   1. Jérôme, *Lettre 125 à Rusticius*, 11.
   2. Jérôme, *Lettre 84*, 3.

Page 347.
   1. *Ecclesiastique*, 6, 18.
   2. Rufin, *Histoire des moines*, 21.

3. Bède le Vénérable, *Histoire ecclésiastique*, 5, 24.
4. *Proverbes*, 15, 14.

Page 348.
1. *Genèse*, 26, 15.
2. Grégoire, *Morales*, 16, 18.
3. *Psaume* 118, 115.
4. *Job*, 22, 25.

Page 349.
1. Origène, *Homélies*, 12, 5.
2. *Proverbes*, 5, 15.
3. *Ecclésiastique*, 22, 24.
4. Origène, *Homélies*, 13, 2-4.

Page 350.
1. *Luc*, 11, 52.
2. *Mathieu*, 13, 52.
3. *Proverbes*, 5, 15.
4. *Psaume* 35, 7.

Page 351.
1. *Psaume* 1, 2.
2. *Psaume* 1, 3.
3. *Jean*, 7, 38.
4. *Cantique des cantiques*, 5, 12.
5. Curieuse mais habituelle figuration médiévale de la conception du Christ par l'Esprit-Saint.
6. *Luc*, 2, 19.
7. *Lévitique*, 11, 13.

Page 352.
1. *Genèse*, 4, 7.
2. *Jean*, 14, 23.
3. *Mathieu*, 11, 15.
4. Abélard termine par l'évocation de Jérôme, qu'il a tant cité dans ses lettres. L'enseignement monastique d'Abélard est jérômien · il admire Origène, compose des prières, dirige des religieuses, insupporte le clergé de son temps.

É. B.

INDEX DES PRINCIPAUX AUTEURS
ET PERSONNAGES CITÉS

Les personnages contemporains d'Abélard et d'Héloïse sont cités à leur nom de baptême ; les auteurs de l'Antiquité, à leur nom usuel. On a considéré que les notes renvoyant au texte de la Bible suffisaient à donner toute la lumière sur les personnages bibliques.

ALBÉRIC DE REIMS, 1141 : disciple d'Anselme de Laon, il devient, avec Lotulphe de Lombardie, le plus mortel ennemi d'Abélard lorsque celui-ci vient suivre, puis bientôt critiquer l'enseignement de son maître à Laon, en 1113. Devenu archidiacre de Reims en 1113-1114, il y dirige les écoles avec Lotulphe. Il conduit l'offensive qui mène à la condamnation d'Abélard au concile de Soissons, en 1121. En 1126, il devient évêque de Châlons, comme l'avait été, curieux hasard, un autre ennemi d'Abélard, Guillaume de Champeaux. Il est promu à l'archevêché de Bourges en 1137.

ANSELME DE LAON, c. 1050-1117 : enseignant à l'école épiscopale de Laon dès 1090, c'est un « vieillard » lorsque Abélard vient suivre ses cours en 1113. Ce maître reconnu est accusé par son jeune élève de faire une glose littérale, érudite, méticuleuse, sans avoir recours à la pensée personnelle pour résoudre les discordances entre les textes. Son travail de clarification ouvre pourtant la voie aux grandes synthèses scolastiques des générations suivantes. La prétention d'Abélard à proposer un commentaire plus personnel et plus nerveux l'indisposèrent ; le suc-

selme de Laon, maître de dialectique puis de théologie, il est
écolâtre de Paris entre 1103 et 1108. Se retirant alors comme
chanoine régulier à Saint-Victor, il y enseigne, puis devient évêque de Châlons en 1113. Lié d'une étroite amitié avec saint
Bernard, il est enterré à Clairvaux. Lorsque Abélard arrive à
Paris, il suit les cours de Guillaume et concurrence bientôt le
maître, le ridiculise même, à propos de la question des universaux. La coexistence des deux maîtres à Paris est difficile ; les
premières années du XIIe siècle voient, au gré des aléas politiques et des clans en faveur à la cour du Capétien, un continuel
chassé-croisé des deux fameux dialecticiens.

HILDUIN, c. 770-855 : abbé de Saint-Denis, il écrit vers 835 une
Vie de saint Denis qui, pour célébrer le patron de la royauté
carolingienne et capétienne, introduit une confusion durable
entre le martyr fondateur de l'église de Paris et Denis l'Aréopagite. C'est en s'attaquant à cette mystification qu'Abélard
dressa toute l'abbaye de Saint-Denis contre lui.

JÉRÔME (saint), c. 347-419/420 : né en Dalmatie, mort à Bethléem,
Jérôme est, après les auteurs bibliques, l'auteur sacré le plus
cité par Abélard. Conseiller du patriciat romain, directeur spirituel de nobles et pieuses femmes romaines, il est le modèle que
prend Abélard lorsqu'il donne au Paraclet une règle religieuse.
La lettre VIII se termine d'ailleurs par l'évocation de ses œuvres et de ses compagnes Paule et Eustochie. Moine, traducteur
et commentateur de l'Écriture, il représente aussi l'idéal d'Abélard — mais du second Abélard, celui qui a compris que le
travail intellectuel était vain sans vie spirituelle et mystique.

LOTULPHE DE LOMBARDIE : disciple d'Anselme de Laon, il devient,
avec Albéric de Reims, le plus mortel ennemi d'Abélard
lorsque celui-ci vient suivre, puis bientôt critiquer l'enseignement de son maître à Laon, en 1113. Il conduit l'offensive qui
mène à la condamnation d'Abélard au concile de Soissons, en
1121.

LOUIS VI, c. 1081-1137 : roi de France à la mort de son père
Philippe Ier en 1108, il a comme favori jusqu'en 1127 le séné-
chal Étienne de Garlande, même si l'influence de celui-ci est
contrebalancée, à partir de 1122, par celle de Suger. Abélard
doit à son arbitrage (entre Étienne de Garlande et Suger) la
permission de se retirer hors de Saint-Denis : c'est alors qu'il

fonde le Paraclet. S'appuyant sur les villes, tâchant de s'assurer la fidélité des princes territoriaux de son royaume et de réduire la puissance des petits féodaux de son domaine, Louis VI a aussi favorisé le développement de Paris.

traduction de la *Logique nouvelle*, au milieu du XIIᵉ siècle. C'est cette connaissance qui fonde la réflexion sur la question des universaux : dans une controverse autour de ce thème, Guillaume de Champeaux se ridiculisa et Abélard triompha vers 1113.

SÉNÈQUE, c. 0-65 : la recherche de la sagesse et la subtilité de l'analyse des sentiments font des traités et des consolations de Sénèque d'inépuisables réservoirs de citations, admirablement adaptées aux phases que traversent Héloïse et Abélard, lieux communs de l'expérience humaine. Le spiritualisme du stoïcien lui avait valu la réputation de précurseur chez Tertullien et Augustin ; la tradition rapportait même une correspondance, naturellement apocryphe, avec saint Paul. Autant de raisons qui expliquent l'abondance des références à Sénèque dans le texte.

SUGER, 1081-1151 : moine de Saint-Denis, il est élu abbé en remplacement d'Adam, en mars 1122. Il entra progressivement dans la familiarité de Louis VI, précipitant ainsi la disgrâce des Garlande. Il réforma l'abbaye de Saint-Denis en 1127, mettant ainsi fin aux désordres constatés par Abélard entre 1117 et 1122. C'est seulement sur l'intervention d'Étienne de Garlande et de Thibaud de Champagne auprès du roi qu'il accepta de laisser Abélard quitter la juridiction de Saint-Denis. Avec saint Bernard, il est l'un des mentors du royaume de France sous les règnes de Louis VI et de Louis VII.

THIBAUD II DE CHAMPAGNE, 1090-1152 : comte de Champagne, de Brie et de Blois, il est, pour le roi de France, un vassal dangereux qui encercle le domaine. Abélard trouve refuge dans ses domaines en 1120, à Maisoncelle et, en 1122, à Provins ; c'est en Champagne qu'il fonde alors le Paraclet et y installe Héloïse et ses compagnes en 1130. Abélard trouvera toujours dans Thibaud de Champagne un allié bienveillant et un patron efficace. La cour brillante des Thibaudiens, la richesse drainée par les quatre villes de foires et l'essor monastique considérable font de la Champagne, au début du XIIᵉ siècle, une principauté puissante et prestigieuse, auprès de laquelle le roi Louis VI fait quelque peu pâle figure.

É. B.

Impression Bussière Camedan Imprimeries
à Saint-Amand (Cher), le 12 août 2003.
Dépôt légal : août 2003.
1ᵉʳ dépôt légal dans la collection : septembre 2000.
Numéro d'imprimeur : 033816/1.
ISBN 2-07-041528-7./Imprimé en France.